火輪の翼

千葉ともこ

文藝春秋

目次

おもな登場人物

呉笑星（ごしょうせい）　唐で人気の力者・朱鳥王のひとり娘。
史朝義（しちょうぎ）　史思明の長男。呉笑星の幼馴染。
安慶緒（あんけいしょ）　安禄山の次男。史朝義の幼馴染。
李麗（りれい）　唐朝皇太子の娘。安家の嫡男・安慶宗に嫁ぐ。
史思明（ししめい）　安禄山と共に挙兵した史家の家長。
黒蛇（こくじゃ）　史家の暗殺者。
福（ふく）　孤児たちのまとめ役。朱鳥王に憧れ、力者を目指す。
丹丹（たんたん）　福の弟分。賄い担当。
細月（さいげつ）　安家の厨担当。
黄兎（おうと）　李麗の護衛隊長。
雷（らい）　朱鳥王率いる朱鳥団の兄者衆。呉笑星の兄貴分。

安禄山（あんろくざん）　叛乱軍の首魁。燕国初代皇帝。

主要関連地図

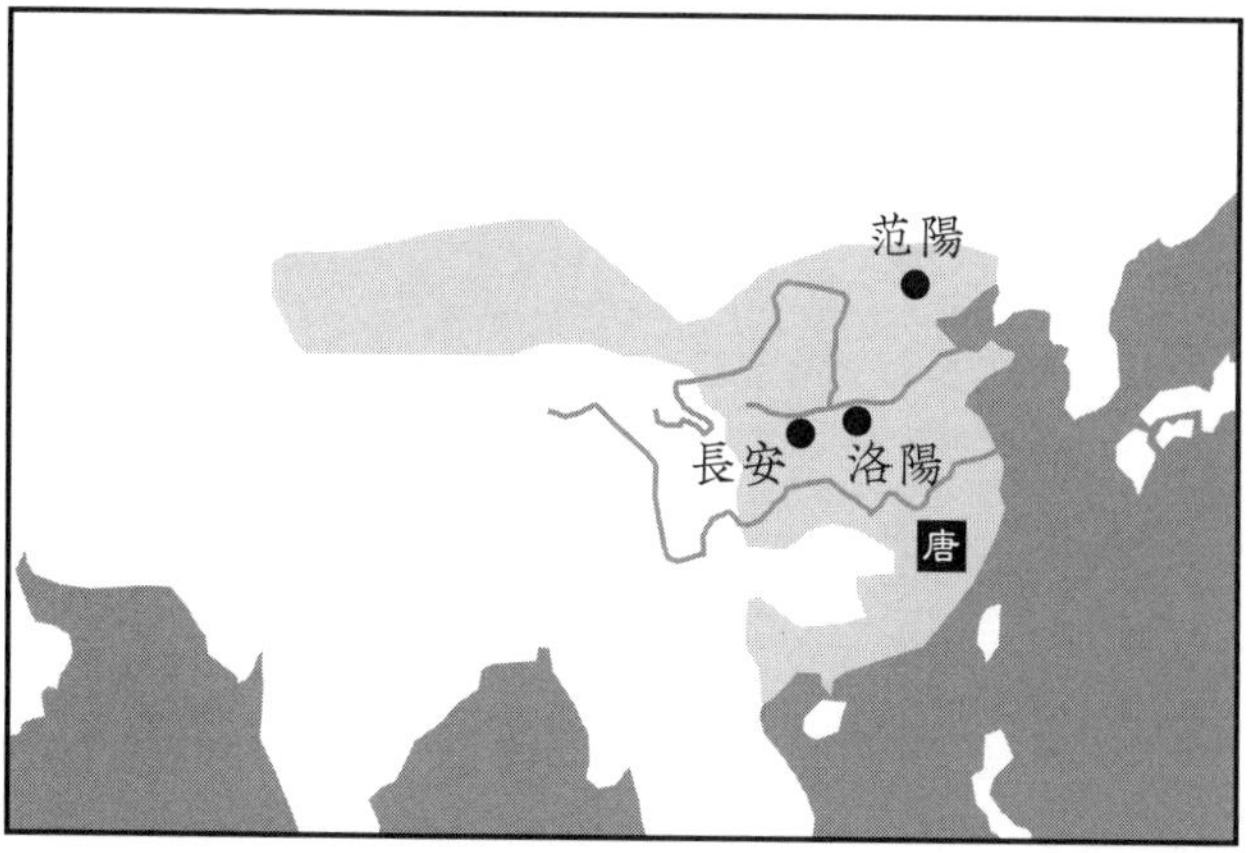

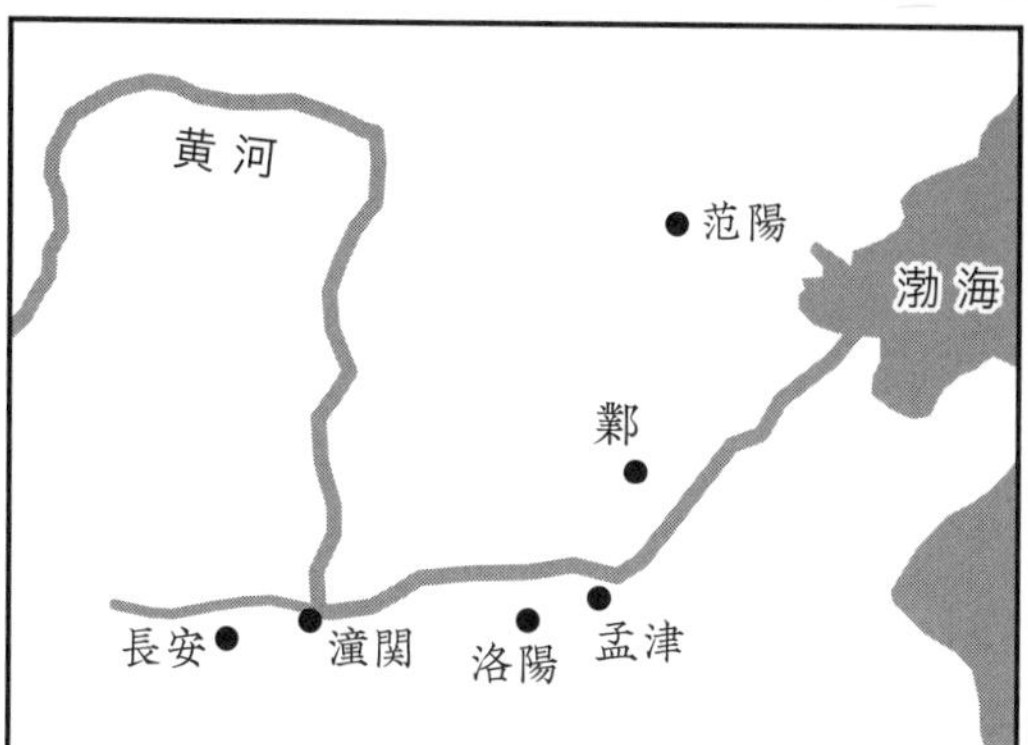

装画　山田章博
装丁　野中深雪
本作は書き下ろしです

火輪の翼

序 章

漆黒の大地を這うように、風が密かな音を立てて流れていく。

あたりは重い闇にしずみ、隊列を整えた兵たちは互いの顔も分からない。

北の辺境、しかも冬の夜明け前である。風は肌を刺すほどに冷たいが、大気には人の熱い息遣いが満ちていた。

東から薄日が射し、人馬の吐息の白さが浮きたつ。

夜を破るかのごとく、銅鑼（どら）がけたたましく打ち鳴らされた。

赤い炎が高台に灯り、詰め物でも仕込んだかと思うほどの大きな腹が浮かび上がる。

「わが息子たちよ」

声をあげたのは、武将の安禄山（あんろくざん）。この叛乱の首魁（しゅかい）である。

雑胡（ざっこ）と呼ばれる混血の巨漢は、遠目にもその人と分かる威容を麾下（きか）に示した。

「われらは、国境を脅かす外敵と命をかけて戦ってきた」

耳をかたむける者たちの頭上に日輪の白い光が注いでいく。

模糊（もこ）とした朝霧の合間から、武装した兵が見え隠れし始める。毛皮の兜（かぶと）や編みこんで垂らした髪――突厥（とっけつ）や契丹（きったん）といった数多（あまた）の民族の兵が、粘つくような光を瞳に宿していた。安禄山と父子の契りを交わした精鋭ばかりで、人はかれらを父子軍（ふしぐん）と呼ぶ。

その父子軍を中心とした兵の数は、およそ十五万――。

「だが唐の朝廷は、われらの功を軽んずる。陛下がわれわれに授けようとした恩寵をことごとく妨げてきた」

陛下とは、唐の第六代皇帝（玄宗）のこと。楊貴妃に溺れて政をおろそかにし、いまやこの国を動かしているのは、寵姫の外戚である宰相の楊国忠という始末である。

「いったいだれの手によって、この国の安寧が保たれているのか」

問いかける安禄山の声に、怒りの色がにじむ。

大唐帝国の開闢から百三十余年、玄宗の御世になってから四十余年。開元・天宝年間の華やかな盛世を迎え、長安の都は繁栄の極みをたたえている。その背後で、外敵との戦は異国出身の武将や兵が主に担ってきた。

「唐の民にはわれらの姿が見えておらぬのだ」

泰平の世がひさしく、唐の人は戦を忘れている。だが、その穏やかな暮らしはだれによって支えられているのか。

「同胞よ。われらの存在をなきことにされてよいのか」

白々とした薄日が暁の色となって黒い大地を染め、兵ひとりひとりの紅潮した顔を照らしだした。

「われはここにあり」

首魁の英雄が吼える。

一面の平原を埋めつくした兵が、槍や長刀の柄で大地を突いて応じる。

「われわれの居どころを取り戻すために――」

英雄は、その腕を天にかざした。

「奸臣(かんしん)楊国忠を斃(たお)す」

檄(げき)を飛ばしたとたん、割れんばかりの喊声(かんせい)が天と地のあいだに轟(とどろ)く。

万の兵の叫びを一身に受け、安禄山は巨体を戦車に押し込めて先陣を切った。

鉄騎と呼ばれる精鋭の騎馬兵が後につづき、叛乱軍は怒濤(どとう)の勢いで南下していく。

土の凍る極寒の朝、まだ夢のなかにいた河北(かほく)の民は、押しよせる馬蹄の音で目覚めた。

外へ飛びだした者たちは、朝霧を駆け抜ける漆黒の影を目にする。そのさまは、黄泉(よみ)から這い出た百鬼の行進のようであり、みな腰を抜かした。

進軍の速さは迅雷のごとく、本拠地である范陽(はんよう)からはるか千八百唐里（約八百キロメートル）を、父子軍はたったひと月ほどで攻めあげた。どの城も武器を整えておらず、押し寄せてきた大軍に降伏するしか術(すべ)がなかったのである。

唐の統治の原理は、社会の土台に家族があり、家族内の長幼上下の秩序を保つことにより世の安定を図るというものである。そして文武官は、民の親たる天子の代わりとして、家庭の仁愛をもって民に臨む。

民は天子の子であり、国家の大樹に守られる鳥である。

だが父子軍は気づいたのだ。

自身たちは、大樹が幹を伸ばし枝をそびやかすために吸われていく養分に過ぎぬのだと。

おのれらは守られぬ子――国家の棄児(きじ)であると。

安禄山は挙兵に際し、私欲のためではなく天下のための挙兵なのだと大義を掲げた。表向きは奸臣を除いて天子を助けんがためと喧伝(けんでん)したが、その目指すところは、

――われらの楽土を作らん。

ということだった。
唐の副都洛陽を落とした叛乱軍は、首都長安に向けてその手を伸ばしている。
世界史上、最大の死者数を出したともいわれる大乱、安史の乱の始まりだった。

第一部　暁星（ぎょうせい）

籠鳥（ろうちょう）の夢

一

呉笑星（ごしょうせい）が齧（かぶ）りつこうとしたとたん、手にしていた麦餅（パン）が消えた。

地に叩き落とされたのだ。砂にまみれた麦餅を、革靴が踏みにじる。

「この盗人が」

頭上で男の舌打ちが響き、呉笑星は髪を摑まれた。

だが、こちとら力者（りきしゃ）（力士）の娘で、髪を引っ張られるのにも慣れている。首を痛めぬように呉笑星が顔を上げると、黒くしなる棒が顔面に飛んできた。鼻頭を一発、鼻腔で赤い色が弾ける。人中（じんちゅう）から顎へ、しとしとと鼻血が垂れていく。

鼻を押さえて呉笑星は地べたに膝をつく。地にちらばった麦餅のかけらを拾い上げた。

男たちは軽蔑の色をうかべ、「へっ」と口をゆがめている。

「意地きたない女だな」

棒が目のまわりに当たったらしく、眼孔がじんと熱い。それよりも麦餅が惜しい。

食べられそうなところだけ口にしたが、麦餅は土や霜がついて食（は）むたびにじゃりじゃりと不快な歯ざわりがした。おまけに鼻血が鼻腔から口にまわって、口中は血の味しかしない。

飢えは満たされぬどころかいっそう増して、呉笑星を苦しめる。

腫れた目で、呉笑星は屋敷の従僕たちを睨んだ。

力でなら充分勝てる相手だ。でも手は出さない。力者は立ち合い以外では乱暴をしないからだ。

飢えても誇りまでは失いたくない。

薄ら笑いを浮かべる男たちの背後で、岩に腰かけていた小柄な女が立ちあがる。

呉笑星が世話になっている朱家の夫人で、背丈は大柄な呉笑星の胸までしかない。歯をむき出しにして目を吊り上げるさまは、野ねずみを思わせた。

「だれのおかげで屋根のある場所で眠れていると思ってんだい」

あなたのおかげではないわ、と呉笑星は心中で言いかえす。

たったひとりの肉親である父を、呉笑星はこの秋に喪った。

父は、角抵（すもう）で名をなし、唐土でその強さを知らぬ者はおらぬと謳われるほど人気を博した力者だった。

農閑期になると、兄者衆とともに興行の旅にでる。洛陽まであと少しというときに、この孟津で父が急死した。脛に負った傷から悪いものが入ったらしく、医師が手をつくしたが命は助からなかった。故郷の范陽へ戻る手配をしているうちに、安禄山挙兵の報に触れたのである。

洛陽で討伐のための義勇兵の募集がはじまり、兄者衆はみなこれに応じた。

募集とはいえ、各地方には割り当てがある。もともと腕っぷしを売りにしている兄者衆のこと、世話になっている人たちの代わりに戦地へ赴いた。

だが女の呉笑星を戦に連れていくわけにもいかず、兄者たちは悩んだ。それで贔屓筋である養鶏商人の朱家に預けたのである。

身元のしっかりとしたお宅だから、と呉笑星が一番懐(なつ)いていた兄者は言った。

朱家が裕福であることはたしかで、宮廷に闘鶏の鶏を献上する御用商人をつとめている。

「娘ができたと思って大切にいたします」

朱家の夫婦はそう言って、戦地へ赴く力者らに感謝の涙を、そして父を喪ったばかりの呉笑星には哀れみの涙をこぼした。

呉笑星も力者衆もその言葉を信じた。これまで幾度もこの地を訪れ、朱家はいつも親切にしてくれていたからだ。

同じ口で、夫人は呉笑星を罵倒する。

「ほんとうにいじきたない女だよ。図体ばかりでかくて、とんだむだ飯食いだ」

——食べさせてくれないくせに。

腹の虫が鳴り、呉笑星は心のなかで悪態をつく。

「ちゃんと言いつけを守れば食事だって出してやるんだ。たかが長芋を手に入れるのがそれほど難しいかね」

野ねずみ夫人は無理難題を押しつけて、罰として呉笑星の食事を抜く。

許されるのは飲み水だけで、一日五食を取っていた呉笑星にとって、丸二日の絶食は耐えがたかった。それで厨(くりや)から麦餅を持ちだしたところを見つかって、屋敷の庭で折檻(せっかん)を受けている。

昨日は、長芋を手に入れるようにと命じられていた。とはいえこの戦の最中でどうすれば手に入るというのか。

孟津は洛陽の東北に位置し、数日前に南方の幹線路をおびただしい数の敵の軍馬が駆けぬけていったばかりだ。直接の戦禍を免れているとはいえ、郡を治める太守(たいしゅ)や将軍たちは息をひそめてことの成り行きを見守っている。

民もおのれの身の上がいつどうなるのか分からぬ有様で、一時は食糧を買い占め、今では暴動を恐れてか市（いち）も立たなくなった。お代は払うと近所の家に声を掛けてまわっても、見慣れない顔をいぶかしんで相手にしてくれない。

呉笑星は手の甲で口許（くちもと）を拭い、ゆらりと立ちあがる。

「わたしの食費は兄者衆からお渡ししているはずです。なのに何も食べさせてくれないなんておかしいです」

洛陽での戦は唐が惨敗し、いまだに兄者衆は帰ってこない。

敗戦の報せが入って一日、三日と経ち、兄者衆の戦死が濃厚となるや、朱家の夫婦は呉笑星の暮らしの費（つい）えとして託された金をそっくり懐（ふところ）に入れてしまった。

「文句があるなら出ておいき。あたしらはべつに困らないんだ」

野ねずみ夫人は、決めるのはお前だとでもいわんばかりに、右の口辺を吊りあげて笑みを浮かべた。

この屋敷を離れては、兄者衆と落ちあえない。生きてこの屋敷へ戻ってくると約束してくれたのだ。なにより通行証を野ねずみ夫人に預けていた。

甘かったのだ。こんな女を信用しておのれの命綱を渡してしまった。通行証がなければ故郷にも帰れない。

ふん、とわざとらしく音を立てて、野ねずみ夫人は鼻で嗤（わら）った。

「あんたはもう十六だ。ひとりで生きていくに充分な歳じゃないか」

十六といえば、人妻になっていてもおかしくない歳ではある。

「でも」と呉笑星は言葉を詰まらせる。

「故郷から離れたこの地で、女ひとりでどうやって生きていけと？」

話にならんといった様子で、野ねずみ夫人は小さな顔を左右に揺らした。

「前からずっと思ってたよ。あんた、強面（こわもて）の兄者衆を背に息巻いているだけの小娘だって。明日食べるものを心配したことだってないんだろう。しかも、手が痒（かゆ）いだなんだって、厨の金物一つ洗いやしない」

呉笑星は生まれつき、金属に触れると肌が赤くかぶれる。好きでこんな身体をしているわけではないから、我儘だと非難されるといっそう苛立った。

「近くの城は籠城戦になって、民の半数が餓死したって話だ。たった二日食えないくらいで泣きごと言うんじゃないよ」

細く短い指が、ぴっと呉笑星に突きつけられる。刺すように一語一語を区切って言った。

「あんたには、もう守ってくれる男どもはいないんだ。それが分かったら、長芋を手に入れてきな」

呉笑星は下唇を噛み、うつむく。

野ねずみ夫人は芝居じみた仕草で顔をしかめた。

「父親が死んだってのに、涙ひとつこぼさない。薄情でかわいげのない子だよ」

父が亡くなったときも、兄者衆が出征したときも、呉笑星は涙がでなかった。

心臓がやぶれそうなほどに悲しいのに、なぜ泣けないのか自分でも分からない。

朝目覚めると、粥が食いたいと朝餉（あさげ）を求める父の声が聞こえる気がして、起き上がれないことがある。ここが父のいない世界だと思えないのだ。

心が現実から置いてけぼりになっているようだった。とはいえ、どうすれば追いつけるのかも分からない。心はたしかに自分のものなのに、こちらの思いどおりに動いてくれない。

「ちゃんと返事をおし」

はい、とちゃんと声になっていたかどうか。呉笑星は袖で鼻血を拭って、踵(きびす)をかえした。

庭を抜けて、がらんとした厩(うまや)に入る。

何事かとでもいうように痩せた栗毛と老いた黒鹿毛(くろかげ)が短く嘶(いなな)く。戦で馬が徴発されて、広い厩には二頭しか残っていない。

「なんでもないわ」

栗毛のおとがいを撫でて通路を横ぎる。寝床として与えられている秣(まぐさ)の山へ、うつ伏せに倒れた。

悪夢を見ているようだ、と思う。

かつてはこの厩に馬を預け、朱家の屋敷で盛大なもてなしを受けた。

あの頃は野ねずみ夫人もやさしかった。呉笑星を角抵の新星だと、これからが楽しみだなどと称賛していたではないか。

野ねずみ夫人だけではない。呉笑星はみなの期待を一身に受けていた。

——この子はふつうじゃない。

五つくらいの頃だったか、近所の子らと角抵をとる呉笑星を見て、父は驚嘆の声をあげた。

同じ年ごろの男児にできぬことが、呉笑星にはできた。

角抵は、足以外の部位が地に着くことで勝敗が決まる競技だ。相手を倒すため、投げ技や押し引きによる崩しを中心に、徒手の拳打ちや蹴り技も駆使する。七つになる前には、相手の動きが読めるようになっていた。

角抵は相手を害するのが目的ではないから、多少は演技もする。呉笑星は相手に息を合わせるのもうまかった。

——この子は生まれながらの力者だ。

父だけではなく、ほかの力者たちも呉笑星を絶賛した。

呉笑星は身体を起こし、柱に掛かった角抵の衣装を手に取る。父が身につけていた大襦（マント風の上着）だ。丈が長く、襟を紐で留める仕様になっている。よく武人が軍服をそうするように、父も袖に腕を通さず肩で羽織っていた。

その赤い布地を空に広げると、赤や橙の糸で縫いこまれ、金の糸で縁取られた朱鳥の刺繍があらわになった。

厩の暗い隅に火花が散ったようになる。

一羽の大鳥が火焔のごとき双翼をそびやかしていた。

両の翼がひとつなぎとなって燃え立つ円をなしている。火輪（太陽）を象った朱鳥は、父朱鳥王が身につけていた意匠であり、その強さの象徴でもある。朱鳥は炎の中から甦る不死鳥であり、何度も昇る太陽は力者の不屈の精神を表していた。

父の強さに憧れた男たちがこの意匠で身を飾らんと、父の率いる力者の集団——朱鳥団へこぞって入ろうとしたものだ。

呉笑星は大襦を柱に戻し、冷えた秣を握って目のまわりや頬に当てる。

拳を食らうなら、力者のそれを受けたい。真っ向勝負で猛者とぶつかりたかった。

「どうしてこんなことになったんだろう」

今ごろは洛陽に入って、特別な年末を過ごしているはずだった。

年始の興行で、呉笑星は初めての立ち合いに出ることになっていたのである。

だがそれも叶わない。洛陽で対戦するはずだった猛者たちはきっと出征している。

空腹の波が押し寄せてきて、腹が苦しくなった。呉笑星は両腕でおのれの身を抱きかかえる。

遠くから、野ねずみ夫人の声が聴こえてきた。

「図体ばっかりでかくて目障りな女だよ。屋敷が狭くなる」

呉笑星はさらに身を縮めた。

――女でこんなに背が高いのを見たことないだろう。

父も兄者衆も、呉笑星の体格を誇らしげに語ったものだ。

呉笑星の脳裡に、父の陽気な笑顔がよぎる。

みなが目を輝かせて立ち合いを見ている。そこがお前の居どころだ――。

「お父ちゃん」

呉笑星の口から、白い吐息が漏れた。

「ここにわたしの居どころはないよ」


雲の底が重い黒色をおび、どんよりとして地に圧(の)しかかるようだった。まもなく年が明けるというのに、大気に春めいたものが感じられない。

呉笑星は長芋を探しに屋敷の外へ出た。

城内は坊(ぼう)と呼ばれる区画が並び、それぞれを隔てる坊壁が道の左右から迫るように聳(そび)えている。

朱鳥団はこれまでに数回この孟津を訪ねている。副都洛陽に近いせいか、地方都市のわりに活気にあふれていた。それが今では中心街に出ても人の姿がまばらで、街並みも寂しい。

長芋を手に入れる当てもなく、呉笑星は坊壁に沿ってつめたい土の上を歩き続ける。日が傾いて東の空が翳(かげ)りだしていた。

そこかしこから、家庭の煮炊きのにおいがしている。これが空腹の身には応えた。

——一人前の力者になったら、次は所帯を持たねばな。

父は口をほころばせて呉笑星に話していた。力者は独り者が多いし、もしくは力者以外のだれかと娘を縁づかせるつもりだったのだろう。

母は産褥のうちに亡くなったから、呉笑星は女親のぬくもりを知らない。父や兄者衆の前で口にしたことはないが、髪を梳いてくれたり、初潮の祝いをしてくれたりするような母親がいる——そんな家庭に憧れていた。

もう叶わないかもしれない。

父が死に、兄者衆も生きている見込みがない。少し前なら、手が届くところにあった夢はずいぶんと遠のいてしまった。

——戦のせいだ。

「こんな戦を起こして、許さないんだから」

脳裡に幼馴染の顔がよぎり、その面影を払うようにかぶりを振る。

「あれ」

視界が白み、立ちくらみを覚えた。そのまま道端にへたり込む。

人がまばらな往来の向こうで、おのれを見つめる童女と目があった。手には夕餉代わりか胡餅（ナン）を持っている。

——奪える。

一瞬でもそんなことを考えた自分に、呉笑星は愕然とした。

おのれの両頬をつよく叩く。

「しっかりしろ!」

力者が子どもから食い物を奪うなど、黄泉の父に顔向けができない。

つぶっていた目を開けたときだった。

赤い色が視界の端をかすめる。

「お父ちゃん?」

呉笑星は大きく目をこすった。空腹で頭がおかしくなって、幻覚をみたのだろうか。赤い大襦が過ぎていった気がしたのである。

立ちあがる気力もなかったのに、呉笑星は駆け出していた。赤の大襦が去っていったほうへ進んでいく。

角を曲がると、街並みに似合わぬ派手な赤の大襦を見つけた。呉笑星はさらに足を速めた。大襦の者は背が低く、子どものようだった。その背が坊門へ入っていく。

相手に近づくにつれ、異臭が漂ってくる。

おそらく血の臭いだ。

戦乱の余波でこの街にも暴徒が出るというから、だれかが襲われたのかもしれない。後を追って、家屋の並ぶ細道に入っていく。

途中で赤の大襦を見失った。呉笑星は立派な門構えの前で立ち止まる。中から強い悪臭がする。赤の大襦はこの門に入っていったように思えた。

「どなたかいらっしゃいますか」

敷地に足を踏みいれたものの、人の気配がない。

臭いをたどるにつれ、胃液がこみ上げてくる。これは血の臭いではない。堂の角を曲がりながら、引き返したほうが身のためかと考えたときだった。

「うっ」

饐えた臭いが顔にせまり、針でつつかれたかと思うほど目が痛む。

薄目を開けると、すぐ目の前の植えこみに赤黒い人の身体が打ち捨てられている。首の傷が致命傷になったらしく、下腹部が爛れているのは、臓腑が腐敗してたまった空気で腹が裂けたのだろう。盗人に押し入られたか何かで果てたのだ。

面倒に巻き込まれぬうちにこの場を去るべきだ。踵をかえしたとたん、人影をみつけ、呉笑星は声を上げて飛びすさった。

「顔が痣だらけじゃないか。身体はでかいけど、もしかして子どもか」

そう呉笑星に向けて言い放った相手こそ、十歳そこそこにしか見えない。

頬がふっくらとした童子で、大きな籠を抱えている。

その背で、無地の赤い大襦がなびいていた。襤褸ではあるが一応袖がついている。朱鳥団の力者たちのように腕を袖には通さずに羽織っていた。冬の空気をまとって、童子はかるい足取りで近づいてくる。

「持ってけよ」

籠から取り出し、ぞんざいに差し向けてきたのは長芋だった。呉笑星の口から感嘆の声が漏れる。

「どうして――」

こちらが求めているものが分かったのだろう。相手が暴漢ではないと分かり、肩の力が抜けた。

「長芋をありがたがるなんて、へんなやつ」

童子はくっきりとしたえくぼを浮かべて笑った。

「おいらはこの家のもんじゃないから安心しろって。あんたとおんなじ空き巣だよ」

「なっ」

盗人だと思われていると分かって鼻白む。

「裏庭の蔵に芋や豆があるんだ。山分けでいいから、運ぶのを手伝ってくれないかな」

盗みの手助けなどごめんだと叱ってやりたかったが、相手は童子だ。親に言いつけられているのだろう。

「手が足りなくて困ってたんだ」

強盗が押し入った後の屋敷を見つけ、残っていた食糧を運び出そうとしていたと言う。ちょうどそこへ呉笑星が現れたので、手を借りようと思ったのだと童子は明かした。

「そういうことなら手伝ってあげる」

野ねずみ夫人のような冷酷な親にこき使われているに違いない。

憐れに思えたし、この地で朱家以外の者とつてを作っておくのも悪い話ではない。盗人まがいをするのは少々気が引けたが、すでに持ち主はいないのだから食べる物くらいは失敬しても罰(ばち)は当たらないはずだ。

蔵で童子とともに食糧を籠に詰めこみ、呉笑星は屋敷を後にする。

「おいらは福(ふく)っていう。十三なんだ」

福は問わず語りに教えてくれた。もっと幼く見えるが、呉笑星と三つしか変わらない。

おしゃべりな子で、あの店の餛飩(うどん)がうまい、あそこの親爺は説教が長いと話しつづける。

「ところでそれ、なんで着けているの」

それとなく大糯について尋ねると、福はくすぐったそうに笑った。

「なんか落ち着くんだよな」

童子らしい言いぶりに、懐かしい感慨が湧いた。

この子と会うのは初めてではない気がする。どこで会ったものかと思いをめぐらしているうちに、城内のはずれにある古い寺に着いた。

「ここがおいらたちの塒なんだ」

福が上目づかいで呉笑星の袖を引いた。

「盗んできたものだって言わないでくれるか」

これまでと打って変わった頑なまなざしに、やはり性悪の親がいるのだと確信を得る。親がちゃんとしていれば、子どもが空き巣などするわけがない。

「言わないから安心しなさい」

「兄ちゃん、話が分かる」

邪気のない顔で福はにいっと笑んだ。

――兄ちゃんじゃないんだけどな。

母を知らずに男所帯の力者団で育ったから、しぜんとふるまいは兄者衆に似た。背が高く、声も低い。これまでもよく男に間違えられたし、今は全身垢まみれだから女に見えないのも道理だった。

寺の敷地内の草木は伸び放題で、長く手入れをしていないようである。

堂へ向かうふたりの影が長さを増している。籠を運び終えたらすぐ朱家に戻らねばと考えていると、にぎやかな子どもの声が耳朶に飛びこんできた。

福が堂の戸を開けたとたん、弾けるような子らの笑顔が眼前に広がる。

「これはいったい……」

子らの野放さに、呉笑星は言葉を失ったまま立ちつくす。
五、六歳の男女が八人、串に刺した赤い山査子(さんざし)を手に駆けまわる子がいて、飴や果実の皮で服を汚したまま、取っ組み合って角抵のまねごとをする子もいる。見るからに危うげだが、だれも叱らない。子どもばかりで叱る大人がいないのだ。
茫然としていると、茹でた鶏卵のようにつるりとした顔が声を上げた。

「朱鳥王！」

ふいに父の名を耳にして、呉笑星は内心どきりとする。

すぐに福の呼び名だと分かった。父は子どもにも人気があったから、福は英雄の名で自分を呼ばせているのだろう。小さいくせに好角家(こうかくか)らしい。

「お帰りでしたか」

瞬きを繰りかえす呉笑星をよそに、卵顔の子はひょろりと長い身体を揺らして駆けつけてきた。すべるような肌に、胡麻のごとくちょんちょんと黒い瞳がのっている。かいがいしく、福から荷を受けとった。

福は福で集まってきた子たちを手でいなし、卵顔に夕餉の支度を頼んでいる。

呆けている呉笑星に、福が耳打ちをする。

「丹丹(たんたん)の作る飯はうまいから、食っていけよ」

卵顔の子は丹丹というらしい。歳は福とおなじほどで、福と丹丹のふたりで幼子たちの面倒をみているようだった。枝から一斉に飛び立つ小鳥のように、丹丹と子らは堂内を駆けていく。

「丹丹のやつ、元はいいところのお坊ちゃんだったから舌が肥えてんだ。最初は庖丁を使うのもやっとだったけど」

「お坊ちゃん？」

「両親が洛陽に出かけたきり、行方が分からないんだと。親族を頼るにも戦で他郡との行き来が難しいだろ。使用人たちにも見放されて行き倒れたところを、胥吏(しょり)（下級役人）にいいように使われててさ。鶏なんて名前をつけられて、喜んで鶏のまねして餌の油かすなんて食ってんだもん。おいらそれ見てたまらなくなっちゃってさ」

――ああそうか。

呉笑星はやっとこの子たちの正体に気づく。孤児(みなしご)か、居どころを失った子たちが寄り添って暮らしているのだ。

「だから食べさせてあげてるの？」

あんただって子どもなのに、という言葉が言外ににじむ。

夕陽を背に帯び、福は勝気な笑みを浮かべる。

「まだがきだから空き巣でもして食わしてやるしかない。それも今だけだ。少しだけど、角抵で稼げるようになってきたから」

「えっ」と肚の奥から声が漏れる。

急に頭を殴られたようになり、目の前で火花が散って見えるほどの衝撃を受けた。

十六の自分ですら、まだ正式な立ち合いには出ていない。ましてやひとりで稼ぐなど考えたこともなかった。

「強くなって贔屓さんを増やす。しこたま稼いで、もっとうまいもんを食わしてやるんだ」

「そんなこと、できるの？」

動揺を隠して、呉笑星は問う。

頬にふくよかな山を作って、福はにんまりとした。

「ある高貴な方が、力者団の元手を出してもいいって言ってくださってるんだ」

この子はもう支援者を見つけているのだ。福は得意げに鼻をする。

「会っていただけるまで、けっこうかかったけど」

福も孤児なのだろうか。呉笑星の心を読んだかのように、福は語を継いだ。

「稼げるようになれば、母ちゃんも働かなくて済む。夢蝶といって、このあたりじゃちょっと知れた美人なんだ」

それでもふだんは子と暮らせない。遊里の人なのだろう。

「食えよ、礼だ」

福は笊に重ねてあった麦餅を差しだす。

手にしたとたんに腹の虫が鳴る。はしゃいでいた子らが振り向くほどの大きな音で、みなが一斉に笑いだした。

「やっぱり。食ってなさそうに見えたから」

福が向けた眼差しに、耳の裏が熱くなる。こんな子どもに気を遣われるほど、自分はさもしく見えたのだ。

福に促されるまま、堂内を背にして戸口に座る。腹は空いていたけれど、手にした麦餅を口にする気になれなかった。隣に腰を下ろした福に恐る恐る訊いてみた。

「あんた、朱鳥王を知っているの？」

福は遠くをみるように面を上げる。冬の夕陽で瞳が淡く茶色に透けて、この子は北方か西方の血が混じっているのだと気づく。

「三年前に母ちゃんが身体を壊して急に生活が苦しくなって。それまで母ちゃんをちやほやしていた連中まで、掌を返したようになっちゃってさ。いちばんつらいときに、朱鳥王の一団がこの孟津を通ったんだ。あの人はおいらたちに腹いっぱい食べさせてくれて、安心して寝られる場所をくれたんだ」

朱鳥王がいなかったら母子で死んでたよと、福は目を細めた。

——あのときの子か。

父が困窮した者の面倒をみてやることはしょっちゅうだった。

たしかに孟津で病に罹った女に住む場所を世話してやったことがあり、女には小さな息子がいた。福の面ざしになつかしさを覚えたゆえんはそれだったか。一方、呉笑星はまだ立ち合いにも出ておらず、福の記憶には残らなかったのだろう。

「おととしも去年も朱鳥王は孟津に寄らなかったから、今年はおいら洛陽で待っていたんだ。なのに、孟津で死んだって聞いて慌てて戻ってきた。そこへこの戦だろ」

自分が朱鳥団の者だと明かしたほうがいいだろうか。

だがたった二日食えなかったくらいで弱音を吐いていた自分が、あの朱鳥王の子だと名乗るのは恥ずかしかった。

逡巡していると、福は穏やかな面ざしを呉笑星に向けた。

「三年前に力者団が去ってから、おいら身を寄せるところをずっと探してたんだけど、あんな場所はどこにもなかった」

でもね、と福は鼻から深く息を吸って、背筋を伸ばす。両膝のうえで拳を握りしめた。

「おいら気づいたんだ。自分で作ればいいんだって」

自分より頭ふたつ分低い背、まだ細く頼りなげな首筋――。その小さな生き物が、力づよい口調で語りかけてくる。

「巣の温かさを知らないやつだっている。だから、おいらが作って言ってやるんだ。おまえ、ここにいてもいいぞって」

暮れの薄闇のなかで、福の瞳がまばゆい光を宿している。

直視できぬ眩しさに、呉笑星はおもわず視線を落とした。自分の大きな掌やしっかりとした体軀が目に入り、火を当てられたかのように顔が熱くなる。羞恥で目頭が焼き切れてしまいそうだった。

――悔しいけど、野ねずみ夫人の言ってたとおりだわ。

福より三つも年上の十六歳。ひとりで生きていくに充分な歳だ。

「どうした、顔が赤いぞ」

呉笑星の肩に触れた福が、何かに気づいた様子で手を引っこめた。

「ごめん！」

訳が分からずに呉笑星が目を瞬くと、福はばつが悪そうに目をそらす。

「兄ちゃんとか言っちゃって」

「いいよ。よく間違えられるから」

呉笑星は笑って見せた。

罪滅ぼしのつもりか、福は首の裏を掻きながら言う。

「腹が減ったら、またここへ来いよ」

小さいくせに兄貴分を気取っているらしい。頰のふっくらとした少年は、暗闇に射した光明のようだった。

「あんたって福の神さまみたいね」

「よく言われる」

荒れた境内に、薄闇が忍ぶように染み入ってくる。どこからか、芋の炊けるにおいが漂ってきた。

ねえ、と呉笑星は福の顔をさしのぞく。

「角抵で稼いでこの子たちの面倒をみるなんて。自分には無理だって思わなかったの？」

「無理だと分かってたってさ」

福は肩越しに、配膳を始めた子らを見やる。

「それでもやらなきゃいけないことってあるだろう」

言い切った福のやんちゃな顔に、かつての父の面ざしが重なる。小さいくせに亡父と同じことを言いだすから、おもわず笑声を立てていた。

福は呆れた様子で首をかしげる。

「急に笑いだして、いったい何考えてるんだ」

呉笑星は唇に指を当てた。

「子どもには分かんないわよ」

茶化すように言うと、「なんだと」と福が脇腹を小突いてくる。

顔を焼いた羞恥は、胸中でべつの熱に変わっていた。

二

陽が暮れる直前に、呉笑星は朱家の門へ滑り込んだ。

息を切らして、正堂へ駆け込む。

「今日はこれだけ手に入りました」

朱家の家族——夫やすでに成人した三人の娘たちと野ねずみ夫人は食卓を囲んでいた。呉笑星は皆の前で籠の中を披露する。手に入れるように命じられていた長芋だけではなく、豆や茸(きのこ)まで詰まっている。これだけあれば文句もないだろう。

蓮と牛肉を炒めたものが食卓に上がっているのを横目に、呉笑星は生唾を飲む。

だが野ねずみ夫人はふんと鼻を鳴らした。

「今度はもっと早く帰ってくるんだね。日が暮れるころに渡されたって夕餉に間に合わないじゃないか」

夫人は従僕に命じて、籠を厨へ運ばせる。呉笑星には、正堂から下がるように言いわたした。

「言いつけを守ったら、食事を出してくださると仰(おっしゃ)ったじゃないですか」

抗議の声を上げたものの、夫人は食卓に座り直し、まるで呉笑星などこの場にいないかのような顔で牛肉を夫に取り分けている。ほかの家族も力者などに見向きもしない。

呉笑星は諦めたそぶりを見せ、正堂を後にした。

周囲に人がいないのを確かめてから、暗い厩へ入る。秣の積まれた一角へ腰を下ろした。

「夕餉抜きだなんて分かってたわよ」

呉笑星はこっそりと懐から三枚の麦餅を取りだす。廃寺でも丹丹の料理をたっぷりと食べさせてもらった。その上、長芋を潰して松の実と椒(さんしょう)をまぶしたものを麦餅に挟んで持たせてくれたのだ。

嚙みしめると、口中がじゅわりと幸福で満ちる。

「なんて美味(おい)しいの」

芋の滑らかさと松の実の歯ごたえ、椒がぴりりと舌を刺激する。年上の呉笑星のために、辛みのある味付けにしてくれたらしい。その上、腹持ちするように芋をふんだんに使っている。

「美味しい物を食べたら力が湧いて来たわ」

麦餅を味わいながら、呉笑星はこれからのことを考える。今の境遇を変える手段をじっくりと練った。

それから二日、呉笑星はこれまでのように朱家で過ごした。

三日目、朱夫妻は所用だと言って城外へ外出した。使用人を引き連れ、一家総出で早朝から出かけていったのである。残されたのは数人の侍女と、門の前にひとり従僕が立っているのみだ。

呉笑星はこの日を待っていた。

——いったん故郷へ戻り、態勢を整えてから兄者衆を探しに行く。

屋敷から抜け出す覚悟を決めたのである。

自分の居どころは自分で作るものだ。三つ年下の福にできたことが、どうして自分にできないと言える。

角抵は、一対一の肉体のぶつかり合いだ。

だが力者は人を殺さない。観客をあおり、大したことのない負傷でも痛むそぶりを見せたり、時には悪役を演じたりして、勝負に人を惹きこむものである。

角抵の楽しみとはつまり、

——闘志で魅せる。

ということに尽きると呉笑星は思っている。

だから演技はお手の物。廃寺から戻って以来、いつもと変わらぬふうを装ってきた。

侍女たちが洗濯をしながら話に花を咲かせているのを横目に、厨へ忍び込む。麦餅を棚から五枚失敬し、紙に包んで荷袋へしまう。

次に朱夫妻の寝室に足を忍ばせた。棚の中やそれらしき場所を探したが肝心の物が見つからない。寝台の下に手をのばして、ようやく壺を探り当てた。それは兄者が呉笑星の食事代として渡した大金で、蓋を開けるとすでに半分ほどに減っていた。

「呆れた。こんな短い間にどれだけ浪費したの」

それでも残った銭を節約すれば一年は食べていける。壺から銀子を出して布袋につめ、荷袋へしまい込む。

通行証は壺のさらに下に隠してあった。

「これさえあれば――」

この孟津を出られる。呉笑星は通行証を大切に懐にしまった。

裏口の鍵をあけて屋敷の外へ出る。いったん福のいる廃寺へ向かおうと足を向けたところで、背後から腕を摑まれた。

「あんたどうしたんだい」

呉笑星の心臓が跳ねあがる。

振り返ると、恰幅のいい婦人が立っていた。屋敷から抜け出したとたんに人に見つかるとは運が悪い。だが相手は朱家の者ではなく、名は覚えていないが、父の葬儀で世話になった人だった。

呉笑星は出まかせをまくし立てた。

「おかみさんに、お届け物があって。向かうところなんです」

「それならちょうど商いで城外へ行くところだ。乗っていきな」

婦人は有無を言わさず、背後に控えていた馬車へ呉笑星を引きこんだ。届け物と言った手前、断る言い訳も思いつかずにいるうちに、従者が馬に鞭を打つ。

馬車には幌がついておらず、つめたい風が腫れた頬を叩く。婦人は干した棗を呉笑星の手に握らせた。

「ちゃんと食べさせてもらってるのかい。かわいそうだと思ってたんだよ。前はしゃきっとした子だったのに、ずっと馬糞まみれで顔にそんな痣作ってさ。うちで引き取ってやればよかったって」

この婦人は隣家の者らしい。

近所づきあいのある朱家を直接咎めることもできず、呉笑星がひとりになったところを見かけて親切にしてくれているのだろう。だが、今はその心遣いが徒になっている。

棗を噛みしめているうち、城壁が近づいてくる。このままでは馬車は城門を出て、呉笑星は野ねずみ夫人の元へ連れていかれてしまう。

「すみません。わたしお屋敷に戻らないと」

忘れ物をしたと出まかせを告げようとしたとき、視界の先に見覚えのある姿を見つけて息を呑んだ。

福と丹丹、そして小さな子どもたち――。

なぜか、武人たちに囲まれて城門の門道へ入っていく。本人たちは誇らしげな様子だったが、その細い手足がどうにも頼りない。

呉笑星は急に腰が落ちつかなくなった。

「戻るなんて、忘れ物でもしたのかい」

婦人が案ずるような色を顔に浮かべていた。

「いえ、このまま城外へ連れてってください」

この婦人が声を掛けてくれたのは、福たちのもとへ向かえという天の報せなのかもしれない。

通行証を見せて、婦人とともに城外へ出る。婦人は城門の吏員と付き合いがあるらしく、もし呉笑星が通行証を持っていなければ口をきいてくれるつもりだったらしい。

おかげで順番を待たずに、すんなりと城門を出ることができた。

「ここからはひとりで行けます。棗をごちそうさまでした」

礼を告げて馬車を見送ってから、急ぎ福たちの姿を探す。

大人に囲まれて歩く子らの姿は街道でも目立ち、すぐに見つけられた。悟られぬように後をつけていくと、城門からそう遠くない場所に竹林が見えてくる。見覚えのある屋敷に福たちが入っていく光景を目にして、呉笑星は絶句した。

——よりによって。

竹に覆われるようにひっそりとたたずんでいるのは朱家の別荘だ。呉笑星は掃除を命じられて三度ほど訪れたことがある。

街道沿いには広い養鶏場があり、屋敷にはその世話に当たる者が駐在し、ときには人目をはばかる接待にも使われる。朱夫妻が話していた所用とはおそらく接待だ。福が貴人と呼んだのは朱家の者ではなく、今日の宴の主賓だろう。福たちは、角抵を披露するために呼ばれたのかもしれない。

呉笑星は下唇を噛み、懐から通行証を取りだす。

やっと手に入れた命綱だ。うまく野ねずみ夫人の隙をついて取りかえし、冷酷な朱家から飛び出してきた。

今、福たちを追って別荘に入れば、その労力がすべて無に帰してしまう。

呉笑星は朱家に連れ戻されて、これまで以上に酷使されるかもしれない。通行証もより厳重に管理されるだろう。通行証無しに土地を移れば、戸籍を棄てたと疑われて役人に捕らえられる。福たちの身になにか起こると決まったわけではない。このまま立ち去っても、自分にはなんの負い目もない。

通行証を懐に戻し、呉笑星は故郷の范陽へ向けて踏み出した。

一歩二歩と進んだところで、足を止める。

——あの子たち、無事でいられるだろうか。

それは自分が考えるようなことではない。思い直して、再び北へ向けて歩き出す。

すると今度は眼の裏を、角抵で子らを養うんだと目を輝かせていた福の顔がよぎる。

呉笑星が朱家を飛び出す決心に至ったのは福のおかげだ。それに、呉笑星のために美味しい物を作ってくれた丹丹。あどけない顔ではしゃいでいた子どもたち。

呉笑星は声をあげた。

「ああ、もう！」

万が一のことがあったら、寝覚めが悪い。

——無事と分かれば、すぐに逃げればいいもの。

両の頬を叩き、別荘の門へ向かって行く。平静を装って門番に声を掛けた。

「奥さまにお届け物があってまいりました」

門番は額に皺を寄せ、声を掛けた女に目をこらす。

痣だらけの腫れた頬でも、声で以前掃除にきた者だと分かったらしい。肩を引き、ぞんざいに顎（あご）で敷地のほうを指した。

「失礼します」

呉笑星は両手を組んで拱手の礼を示し、門の中へ入っていく。

庭から屋敷の隅々まで清めたことがあるので、敷地内のつくりはよく把握している。

物置小屋の裏をまわると、獣の臭いが鼻をかすめる。悪臭をたどり、中庭の植え込みへ足を忍ばせた。人目を避けたいときは大柄な身体がうらめしい。背を縮こめて、客間の正面にある岩影から庭の様子をさぐる。

戸を開けた客間に酒席が設けられ、庭では従僕たちが朱家自慢の鶏を戦わせている。

火鉢の置かれた客間では、主賓らしき長身の男が椅子に身を沈めていた。

翳った室内で丸く黒い穴が浮遊しているように見える。

目が慣れてきて、呉笑星は心の中であっと声を上げた。

黒い穴だと思ったのは傷だ。主賓の右頬に肉がごっそりと削げたような傷があった。貴人といわれて官人を想像していたが、どうやら武将らしい。

——この頬傷の男が福の贔屓筋というわけね。

まわりには朱家の夫婦や着飾った女たちが控えている。男の肩にしなだれかかっている女が福の母だとすぐに分かった。茶色がかった瞳が似ているのだ。病は快復しているはずだが、その顔は青白く頽廃のおもむきを漂わせている。

客間には福たちの姿が見当たらない。

呉笑星は匍匐して、松の下の南天竹の叢から庭を透かし見る。客間から見て右手側に、若い梅の木があった。蕾はまだ固く、寒気のなかで春を待つ風趣がある。その背後に、小さな子どもたちの姿を見つけた。

――福ったら、棒人形みたいになってる。

福もほかの子らも身体を強張らせ、緊張した面持ちで控えていた。

庭の中央では二羽の鶏が、くちばしを突き合わせている。一羽が相手の腹を目がけて鋭い爪を繰りだす。すばやく避けた鶏が飛びあがって蹴りを見舞った。立て直す隙も与えずに、相手に食らいついていく。二羽はお互いに離さず、ひとつの生き物のようになって、もんどりうった。よく見れば、爪には鋭利な金具が付けられている。

どちらの鶏も身体をかたむけ、血にまみれた翼をひきずっていた。

このまま両羽とも果てるかと思ったところで、従者のひとりが柵に掛けていた小さな土笛を吹いた。とたんに、鶏がけたたましく鳴いて翼をそびやかす。狂ったようにお互いの羽をつつき始めた。呉笑星には何の音も聴こえなかったが、福たちが耳をおさえたところを見ると、獣や子にしか聴こえない笛音らしい。

冬の空に羽毛が舞い散り、やがて一羽が倒れて痙攣した。

客間の暗がりから、淡々とした声が投げかけられる。

「勝ったほうを焼いて持ってこい」

薄暗い室内で男は上体を傾けた。声色にもふるまいにも温もりが感じられない。呉笑星の腕に粟が立っていた。ふつうは負けて死んだ鶏を食べるものだが、男は勝って生き残ったほうを焼いてこいと言っている。

従者は拱手で応え、鶏を両手にその場を辞す。おのれの運命を知ってか知らずか、勝った鶏がぐうと押しころすような鳴き声を漏らした。

入れ違いに、別の従者が福たちを羽毛の散る庭へとうながす。

――あの子たちは家禽じゃないのに。

鶏を追い立てるようなそのしぐさを目にして、呉笑星は胸が痞（つか）えるような痛みを覚える。

客間の武将が庭へ降りてきた。

陽に照らされて、その風貌が明らかになる。淡い灰色の瞳をしており、この男も異国出身であることが窺い知れた。

癖なのか、口を開く前に、男の右頬が痙攣した。

「その痩せたのが一番の子分といったな」

頬傷男が一瞥（いちべつ）すると、すぐさま従者が二本の刀を地に置く。

「命をかけて戦え。勝てば召し抱えてやる」

呉笑星は首をかしげる。

福は力者団の後ろ盾になってもらおうとしていたはずだ。仕官する武将を探していたわけではない。案の定、福が狼狽（ろうばい）をあらわに声を上げた。

「私は軍隊に入りたいわけではありません」

「福、将軍の言うとおりになさい」

ぴしゃりと夢蝶が言い放つ。

母親の思惑と福の志の間に齟齬（そご）がある。城門を出るときに覚えた胸騒ぎは間違いではなかった。

風にきりきりと揉まれ、南天竹の赤い実が揺れている。呉笑星は氷の棘（とげ）で心臓をつかれたようになって身じろぎもできずにいた。

福は呉笑星に背を向けており、その表情は分からない。かろうじて絞りだしたような声が、呉笑星の耳に届いた。

「私はこの者らと力者団を作りたいのです。角抵はやれますが、殺せません」

頽傷男は、客間へ身を翻した。やにわに夢蝶の襟を摑み、その身体を庭へ投げとばす。女の身体が地に叩きつけられ、闘鶏で散った羽毛が舞い上がった。

「豪の者というから会ってやったものを」

男が刀を振りあげる。呉笑星は身をすくめた。

光の注ぐ庭に、黒い花弁が散ったように見えた。男の刃が夢蝶の髻（もとどり）を裂いたのだ。

長さがまばらになった提髪（さげがみ）を、夢蝶は震える指で確かめている。客間や中庭から悲鳴が上がり、従者らのあいだにざわめきが起こった。

「母の命が惜しくば、はようやれ」

丹丹は腰を抜かして、尻もちをついている。卵のような顔が真っ青に染まり、胡麻の瞳が零れ落ちてしまいそうなほど戦慄（おのの）いていた。

自分を慕ってくる子を、福が殺せるわけがない。かといって、大切な母を見殺しにするわけにもいかない。

ざんばら髪の夢蝶が、目を吊り上げて叫んだ。

「刀を取りなさい。そんな子ども、おまえなら容易（たやす）く殺せるでしょう」

南天竹の葉がさざめいて、搔き立てるように葉音を鳴らしている。

頽傷男が手にした刃は、今にも夢蝶の首を落とさんと鋭い光を放っていた。

命を奪うことに何のためらいもないような冷酷な目だ。街のならず者とは違う。相手は本物の武人だ。

だれであろうとも、この場を平穏に収めることができるとは思えない。

腹ばいになったまま呉笑星が齒噛みしたとき、懐かしい父の声が耳朶に蘇った。

——力が足りないと分かっていても、やらなきゃならんというときがくる。

声は水面に投じた一滴のごとく、呉笑星の胸に凜とした波を立てる。

「なんで鍛錬をしなければならないの」

幼い頃、呉笑星は泣いて父に訴えた。鍛錬がつらくて、よその家の娘のように刺繡や人形遊びをしたいとごねたのである。

「お前のおっかさんは身体が弱くてな」と父は語った。

呉笑星を腹に宿したと分かったとき、出産すれば母体がもたぬと医者から堕胎を勧められた。だが母は譲らなかったという。

「産めない身体なのは分かっています。でも産まなかったとしても、あと何年生きられるか分かりません」

だから、産ませてくれと父に頼んだ。

「そんな選択をさせたおれにも責がある。どんな結果になろうとも、ふたりで受け入れようと決めたんだ。お前が生まれてあいつは亡くなった」

おれたちの選択が正しかったかは分からんが、と父はまなじりに力をこめた。

きっとお前もそういう選択を迫られるときがくる。だから鍛錬をさせておきたい。おれにはこれしか教えられんからな——。

庭では、福の細い首がつめたい風にさらされている。先ほどの鶏の死闘と同じく、斬りあいで勝っても命が助かるとは限らない。頽傷男の気分ひとつで、勝者も殺される。

呉笑星は身体を起こし、すっくと立っていた。

「福の一番の子分はわたしだ」

座の者たちが、卒然と湧いた声の主をさがしている。

「そんなひょろっとしたのと戦わせても楽しくない。福の相手はわたしのほうがいい」

美しく配植された竹や松の木を押しわけて、呉笑星は中庭へ進んでいく。

自分が放った言葉が脳内で鳴り響き、手足は膨張したかのように皮膚の感覚がぼやけている。緊張ではげしく打つ胸を悟られぬよう、記憶のなかの父の姿にしがみついた。

「なあ福兄(けい)」

呉笑星の目に入ったのは、泣きだす直前の子どもの顔だった。右腕を福の背に回し、左手でこうべを抱きこむ。

「わたしは死んだふりがうまいから。演技がばれる前に、お母ちゃんとみんなを連れて逃げて。この荷袋にお金が入ってる」

福にしか聴こえぬ小声で、口早に言い聞かせる。

小さな身体が緩むのを腕に感じて、すっと肚が据わった。

客間では、頬傷男の傍らに駆け寄った野ねずみ夫人が、あれは力者団のひとりだと呉笑星を指さしている。

——そう、これは角抵だ。

だれも死なせない。演じて乗り切る。

福の背をふたつ叩いてやってから、呉笑星は客間の前に立ちはだかる。

「わたしが相手でよろしいですね、将軍」

返事を待たずに、相手の顔めがけて拾った礫(つぶて)を放る。頬傷男は袖を振り上げて防いだ。

将軍の従者たちが一斉にいきり立つ。頬傷男はゆったりとした構えで呉笑星を見つめていた。その右頬が二度引きつったのはやはり癖なのだろう。

呉笑星は罵声を浴びながら、うやうやしく拱手する。

「お見事」

力者は立ち合いの前に、まずは敵や客を煽る。

一日に何組も立ち合いをするから、観衆の記憶に残るように、少しでも関心を自分にひきつけておくのだ。

将軍は手をあげ、従者たちを静める。

「かまわぬ」

言い捨てて、客間へ戻っていく。呉笑星はさらに慇懃に礼をとり、地に置かれた二本の刀を手に取った。

角抵で身に着ける武具は、股当てなどの防具や蹴り靴のみ。だが朱鳥王は、敵が剣を持ち出しても、相手に合わせて戦ってきた。

ゆえに呉笑星も、武器の扱いは多少たしなんでいる。

「丹丹たちは、松の裏で控えてな」

所在なげに身を寄せている子らを、呉笑星は先ほどまで自分が隠れていたあたりへ促す。

「さあ、福は刀を取れ」

呉笑星が放った刀がきれいな弧を描き、福の手に収まる。

福がどれほどの腕なのかが分からず、呉笑星は刀を抜く福の所作を見定める。

これは、と思わず息が漏れた。

腰が引けてまるきり素人の構えだ。角抵の修練はしていても、刃物を持ったことはないのだろう。角抵も自己流で、その上動揺もまだ収まっていない様子だ。福の茶色の瞳には迷いが残っており、これでは勝ったふりをさせるのも難しい。

福がぎこちなく刀を振りあげる。やはり脇の締めが甘い。

――刀がないほうがいい。

呉笑星は地を蹴った。旋回して福の背後を取り、その背を強く蹴りとばす。突き飛ばされた福の手から刀が零れる。すかさず刃のうえへ踵を振り下ろす。鈍い音を立てて刀が折れた。

これで刀を持っているのは呉笑星のみ。福は面食らった顔をしたが、すぐに徒手で右前の構えを取った。

対峙するふたりの足もとを、鶏の羽毛が流れていく。

「さて、刀無しでわたしと戦えるかな」

呉笑星は構えた刀の切っ先を揺らして、相手を挑発する。

飛びあがり、大きく刀を繰り出した。なるべく派手に、技が映えて見えるように、福を追いつめていく。

刀を失った分、福の動きが良くなっている。刃物を恐れていたわけではなく、相手を傷つけるのをためらって腰が引けていたのだろう。

呉笑星は躍るようにつま先でせまり、福を南天竹に追いこむ。背を叩きつけられた福のまわりで赤い実が震える。まるでふたりを鼓舞するかのようだった。

呉笑星の胸中で、むくりと悪戯(いたずら)心が頭を起こす。自分の刀の始末はあれがいい。

――お父ちゃん、真似するよ。

座の者たちの目を充分に引きつけてから、呉笑星はゆっくりと刀を頭上へ構える。何をするのかと、みなが息を呑む気配を肌で感じた。

右手で刀の柄を握り、左手で切っ先を摑む。天と水平に掲げた刀身を、気合とともにおのれの脳天に叩きつけた。

どよめきが起こる。

刀は真っ二つに折れ、折れた部分が鋭い光を放っている。

——よしっ。

呉笑星は折れた刀を左右の手に持ち、観客へこれ見よがしに見せた。

「まさか」

「自分の刀を……なんでだ」

観ている者たちが思い思いに驚きの声を漏らしている。

左の掌を少し切ったが、上々だろう。うけ狙いで父がやったのを一度見ただけだから、自分でできるのか見込みは半々だった。

「やはり力者は素手でぶつからないと」

手が痒くなる前に、折った刀を投げ捨てる。刀がなければ純粋な肉弾戦で、福はだいぶやりやすくなるはずだ。

客間を見やると、頰傷男のつめたい眼差しが呉笑星に向いていた。

刀を折ったことを咎められるかと思いきや、

「小僧より骨のある男だ」

と、驕慢(きょうまん)な笑みを投げてくる。

だからわたしは女だってと内心悪態をついたが、男と見まがうこの体格が悪役の今はありがたい。つめたいものが目に垂れてくる。刀を折った後に父も頭から血を流していたことを今になって思い出す。はからずも負傷できて都合がよかった。

福を勝たせないと――。

次の手を考えるうち、福の足が脇腹に迫る。おもわず息を詰めた。きわどいところを攻めてくる。目に掛かった血のせいか、それとも腫れた頬のせいか、遠近が取りづらい。まばたきをした視界の先に見えたのは、左肩の下がった福の姿だった。誘っている。すかさず肩の急所を狙って蹴りを繰りだす。急所に入ったと思ったとたん、天地が回る。呉笑星は背から地に落ちていた。

周囲がわっと沸く。福の返し技がきれいに決まったのだ。油断したわけでも、わざと掛かってやったわけでもない。これがまっとうな立ち合いなら、呉笑星の負けだった。

――この子、けっこうやる。

呉笑星は、起き上がって再び間合いを取った。

福がまとう苛烈な気は、つい先ほどまで泣きべそをかいていた子と同じ人物のものとは思えない。こんなときだというのにぞわりと血が騒ぐ。福と力者団を作りたい。祈りにも似た思いが、胸の深いところにはっきりと灯る。

瞳の奥にぎらりとした光をたたえ、福が訴えてきた。

――あの岩へ当てる。

呉笑星は口を引きむすんで応じる。

ふっくらとした頬を歪(ゆが)ませ、福は腕を伸ばして間合いを詰めてくる。

真正面からぶつかってきた。猛獣さながらの勢いに、呉笑星は突き飛ばされそうになる。両手を摑み、取っ組み合ったまま睨みあう。福が呉笑星の懐へ入る。気合とともに投げてくる。呉笑星の身体が宙に浮かぶ。刻がやけにゆったりと感じられた。背から岩に叩きつけられ、臓腑が口から飛び出るかと思うほど強い衝撃を受ける。肩を痙攣させ、呉笑星はぐったりとうなだれた。近づいてくる足音があり、鼻先になにかが当たる。福が呼吸を確かめているのだろう。

「息をしておりません。これで認めてくださいますね」

福の声が頭上から聴こえてくる。はやく母とこの場を去ってほしい。願うように、一、二と数え始める。呉笑星が息を止めていられるのは百を数えるまでだ。

「ですが母上は傷心の様子。髪が伸びましたら、あらためてご挨拶にあがります」

福のものらしき足音が客間のほうへ向かって行く。そうだ、そのまま母を連れ去ってしまえ。

ところが、甲高い声が響いた。

「わらわは将軍から離れぬ。お前も将軍の元で戦功をあげるのです。それが母の望む道」

背からいやな汗が流れる。やっかいなことになった。

焦りとも戸惑いともつかぬ掠れ声が、遠くから降ってくる。

「お母ちゃん、話が違う……おいらは角抵で身を立てるって」

友を殺せと福に命じた母親のふるまいに引っ掛かるものはあった。夢蝶は最初から、子を戦へ駆り立てようとしているのだ。

どこまで数えたのか、もう数など頭から飛んでしまった。自分としたことが、顔に怒りが出ていたらしい。すぐそばで従者らしき男の声がする。

「こいつ生きてやがる」

鋭い抜刀の音に、呉笑星は跳ね起きる。倒れていたあたりに刀が突きたてられた。

「福、逃げろ」

客間の前で立ちすくんでいる福の背に叫び、呉笑星は樹木を搔き分け松の木の裏へ回る。子らを守らねばならない。

「つまらぬ。有望な力者だというからわざわざ寄ったものを」

興味を失ったかのような声に後ろを振り仰いだとき、薄暗い客間で銀の光が閃いた。

「えっ」

声をあげた夢蝶の胸を、将軍の刀が貫いている。

一瞬の間があり、鼓膜を裂くような悲鳴が上がった。福が足を滑らせながら、母の元へ駆けつける。

「お母ちゃん！」

頬傷男は夢蝶の身体から刀を引き抜き、流れのまま刃を横へ返した。剣舞のごとき滑らかな動き。切っ先が吸い付くように福の腹を裂く。

「福！」

呉笑星は駆け出していた。頬傷男が去っていく気配を感じたが、呉笑星の目には客間の床にうつ伏せに倒れた福の姿しか入っていない。

転がるように客間へあがり、福のもとへ走り寄った。床の木肌にそって血だまりができている。

「いますぐ、止血するから」

とはいえ腕や足の切り傷とは違う。

腹を斬られた者など手当をしたこともない。

「おいらよりもお母ちゃんを」

腹を押さえて横たわる福の瞳が、まっすぐに母を見つめている。頬傷男は正確に夢蝶の心臓を貫いた。たしかめてはいないが即死だろう。呉笑星は訴える声を無視して福の着物を裂く。

傷は脇腹のみで臓腑には達していないように見えた。安堵で肩の力が抜ける。

「だれか。すぐに医者を呼んでください」

朱家の従僕たちは、突如起きた事態を呑み込めずにいるのか、お互いの顔を見合わせている。固いものがへし折られる音がして庭を振り向くと、筋張った小さな手が、蕾ごと梅の枝を握りしめていた。

朱家の野ねずみ夫人がぐらぐらと煮えたぎる湯のように怒りを顔に湛えている。将軍を引きとめようとして、うまくいかなかったのだろう。

「この疫病神、夢蝶とひと旗上げようとしていたのに」

そんなもの知るかと罵ってやりたくなるのを、喉元で呑んだ。

「この子を助けて。医者を呼んでください」

ところが夫人は、小さな身体を揺らしながら呉笑星めがけて突進してくる。拳を振り上げたところへ、ひとりの従僕が駆け込んできた。

「おかみさん、急ぎお知らせが」

よほどのことなのか、舌を噛みそうなほど顎を震わせている。

「今はそれどころじゃないよ。大きな魚を逃したんだから」

野ねずみ夫人は、拳を上げたまま言い返す。従僕はくしゃりと顔に力をこめ、音をたてて唾を飲む。目を見開いて怒号を上げた。

「叛乱軍がそこまで迫っています！」

野ねずみ夫人の顔から、血の気が引く。

「将軍は、もう屋敷を出られたのかい」

従僕はかくかくと首を縦にゆすった。

「おそらく城内へ向かったのかと」

「あたしたちもすぐに戻らなくちゃ」

一歩踏み出した夫人の腕を、呉笑星は摑んだ。

「待ってください。城へ戻られるなら、この子も一緒にお願いします」

夫人は小さな顔とつりあわぬ大きな前歯を剝く。

「立場が分かってないようだね」

とがった顎で呉笑星の背後を指した。

呉笑星が振りかえると、屋敷の従者たちの傍らで丹丹らが身を寄せている。その首元には刃が付きつけられていた。

三

家禽の臭いを乗せた風が、背後から流れてくる。

撫でるほどの風だったが、今は少しでも刺激になるものがうらめしい。福の傷に障るのではないかと、気が気ではなかった。

「福、しっかりして」

呉笑星は、すぐ右隣の柱に括りつけられている福を励ます。

野ねずみ夫人は、福と呉笑星、丹丹らを街道沿いにある養鶏場の竹柵の柱に縛りつけ、自分たちだけ城内へ逃げた。夜になれば川も凍る寒さになり、戦が始まれば城外へ出てくる者もいない。野ざらしにして餓死させるつもりらしい。

小さな子どもたちは二刻（約三十分）ほど泣き、今は疲れてぐったりとしている。

一方背後では、鶏が時おりけたたましく鳴いて、あふれんばかりの精気を放っている。はじめて鶏糞の掃除を命じられたときはその数に驚いた。千はくだらぬ鶏が竹を組んだ籠に収まり、あるいは放し飼いになっているのだ。

「力者だったんだな」

福がひとりごつように言った。

「まだちゃんとした立ち合いに出たことはないけどね」

大勢の観客に囲まれて、興行主がついて、客から観覧料がもらえるような立ち合いは、まだ早いと父が首を縦に振らなかった。

先ほどから柱に括りつけてある縄を解こうと試みているのに、結び目はびくともしない。手首だけではなく、足首から全身を縛られている。特に呉笑星の身体はひときわ厳重にいましめられていた。

「力者にとって手は命だろ。おいらのことはもういいから」

「なに、らしくないことを言ってるのよ。持ち前の利気（きかんき）はどうしたの」

助かる道を諦めたというより、血が抜けて力が入らないのだろう。福の着物は血で黒々と濡れて、ふっくらとした頬は生気を失っていた。

呉笑星は両手を張って縄をねじりながら、つとめて明るく言う。

「生きてりゃいいことあるんだから。そうだ、朱鳥王って名乗るのを許してあげる。娘のわたしが認めるんだから、だれも文句は言わないわよ」

　うなだれていた首がゆっくりと起きる。淡い色のまつげが三度しばたいた。

「それほんとうか。ええと、お父ちゃんが朱鳥王だって？」

　呉笑星が得意げに笑むと、福の茶色がかった瞳がわずかに生気を取り戻した。

「どうりで強いはずだ。立ち合いになったとたん、顔が別人みたいに変わってさ。あれが力者の顔なんだな」

「お父ちゃんもふだんは別人みたいだったわよ。街を歩いてても気づかれなかったりするの。家では寝てばっかりだったもの」

　福が「あ」と声を漏らす。

「今さらだけど、名前を聞いてなかった」

　呉笑星、と告げると、福は「へんな名前」と口端を上げた。

「お母ちゃんが名づけたんだって。わたし産声を上げながら笑っていたらしくてね。笑うと星が零れたようだって」

　だからこの名は、母の形見のようなものだ。

「でも朱鳥王なんて名乗れないよ。おいらこんな体(てい)たらくだもの」

　遠くを見やる福の横顔に儚(はかな)いものがよぎる。

「あんた強いんだから自信持ちなさいよ」

「刀で戦うのはさすがに怖かったよ」

「そりゃだれだって刃物は怖いわよ」

福が身体を痙攣させた。

福の右隣に縛りつけられている丹丹が、不安な顔を福に向けている。

「寒いですか？」

失血のせいだ。福もそれが分かっているのだろう。丹丹の問いには答えず、背を震わせて空の彼方をみつめている。

「おいらどうして子どもなんだろう」

お母ちゃんを助けられなかった、と絞り出すふうに吐く。かすれた語尾に被せるように、呉笑星は励ました。

「おとなってのはね、人の居どころを作ってやれる人のことを言うのよ。あんたは身体が小さいだけで、中身は充分おとななんだから」

身体が大きいだけの自分より、よほどしっかりしている。

「かならず助かるから、今だけ辛抱しなさい」

気休めではない。望みはあるのだ。

朱家の従僕は、叛乱軍が迫っていると口にしていた。街道を通る叛乱軍が、柵に縛りつけられている子らに気づいて、助けてくれるかもしれない。

「わたし、故郷が范陽なの。贔屓筋は父子軍のほうが多いんだから」

その言葉も福を勇気づけるに至らなかったらしい。茶色の眼を細め、童子は哀願する顔つきをして言った。

「もしものときは、こいつらのこと頼んでいいか」

「弱気を言わないで」

つい声を荒らげる。うつらうつらしていた六つの子が泣きだし、つられたように他の子もぐずりだす。言葉で励ましたりなだめたりするうちに、日が傾いてきた。従者の報せは誤りだったのか、軍馬が来る気配もない。

「みんな元気を出して。そうだ、とっておきの歌を歌ってあげる」

呉笑星は夕焼けに染まる空に向けて、大声で歌った。

牛の乳　羊の乳
あぶらをたっぷり煮詰めてね
干し棗と梨の皮
ゆるゆる煮詰めていい香り

「なんだよ、それ」

福が力なく笑った。呉笑星はこそりと福に告げる。

「わたし、これしか歌を知らないのよ」

母がよく歌っていたという、酥（バター）の飴を作るときの歌だ。

牛の乳　羊の乳
焦げないように弱火でね
干し棗と梨の皮
さっぱりさわやか香りづけ

どこか滑稽な拍子に、福が笑い声を立てる。すると、小さな子たちが一緒になって笑いだした。あたりを見回すと、日が沈んで薄暗くなっている。頬をなでる風がさらに冷えてきた。夜が更ければ、大気はさらに冷えて、足もとの土は凍る。このまま野で過ごすのは、小さな子たちには過酷だ。なにより、一刻もはやく福の手当をしてやらねばならない。

何度もひねるうちに手首の結び目は緩んできたが、まだ手は自由にならなかった。

東の夕空に、石屑のような黒点がばらばらと舞い上がる。それが烏（からす）だとわかったとき、身体が馬蹄の振動を感じとった。

「来たわ。叛乱軍よ！」

振りかえって叫んだものの、福はうなだれていて声が届いているのか分からない。

「福、しっかり気を持って」

近づいてくる馬蹄の数が、やけに少ない気がする。せいぜい百といったところだろう。

「おーい！」

呉笑星が大声で呼ぶと、丹丹らもつぎつぎと声を張った。

ところがあと数里というところで、騎馬の一団は街道から南へと逸れていく。城を目指しているわけではないらしい。

思えば、叛乱軍は洛陽を落として長安を狙っているのだから、主要地から逸れる孟津をわざわざ攻めたりはしないだろう。東から向かって来るということは、河北にいた軍勢が洛陽へ向かっているものと思われた。

――すぐそこまで来ているのに。

西から射す夕日が、鉄騎と呼ばれる精鋭の一団の雄姿を赤々と浮き上がらせている。

一隊のしんがりに、ひときわ日立つ一騎を見つけ、呉笑星は思わず悪態をついていた。

「なんで気づかないのよ！」

夕闇に目が冴えるような青地の大褟をはためかせている。二羽の鳥が茶や褐色の糸で縫いこまれ、いでたちだけ見ればどこぞの金満家のようだ。長髪を髻にするでもなく、肩に下ろして風にたなびかせている。こんな風体の男を呉笑星はひとりしか知らない。

「朝義(ちょうぎ)――――！」

力のかぎり、肚の底から叫んだ。

「知り合い、ですか」

戸惑いがちに問う丹丹に、呉笑星は口早に答える。

「一番の贔屓筋よ。あの青の大褟、史(し)家のお坊ちゃんなの」

叛乱軍の首領は安禄山だが、その片腕として本拠地の范陽を守っているのが史家である。史家の長男坊は朱鳥王の熱心な愛好者で、呉笑星の幼馴染でもあった。

だが、呉笑星の叫びもむなしく、史朝義の一団は遠ざかっていく。縄を解かんと、呉笑星は全身をよじって暴れる。

「無理ですよ。もう離れていってしまった」

力を落として言う丹丹に、呉笑星はもはや砂塵しか見えない南を睨む。

「実は屋敷から逃げようとしたときに、鶏の笛をかすめてきたの。あれを吹いたら鶏が暴れて目立つかもしれない」

闘鶏の最中に従者が土笛を吹くと、瀕死の鶏が発奮した。屋敷から子らを逃がすのに使えるかもしれないと、懐に忍ばせておいたのだ。

「それならぼく、鶏の鳴きまねができますよ」

丹丹が目の奥を輝かせる。

「これが縄張りを争うときの雄の声です」

ひゅうと喉の奥で息を吸い、丹丹はけたたましい鶏の鳴き声をあげる。胥吏らに鶏扱いされていたとは聞いたが、あまりに似ているので窮地にあることも忘れて聞き入ってしまった。

背後で鶏たちが呼応するように騒ぎ出す。鶏は闇を嫌う。一日でもっとも不安を覚える日暮れに、雄たけびを浴びせられて興奮している。

「でかしたわ、丹丹！」

何羽もの鶏が竹の柵をつつく感触がある。

「福。あんたのこと必ず助けるから」

弾けるような音がして、呉笑星の右手を縛っていた紐が緩んだ。

「ちょっとだけ辛抱して」

口早に子どもたちへ断りを入れる。袂(たもと)から土笛を取りだして大きく息を吹き込んだ。

耳が痛むのだろう。子どもたちが顔をゆがめている。

間を置かず、怒り狂った鶏が背後からなだれ込んできた。躍り上がった鶏に肩や頭を摑まれながら、呉笑星は子らに叫ぶ。

「みんな踏ん張って」

立ちのぼる土埃に包まれて、皆の姿が見えない。どちらを向いても埃で、顔を天に向けるとくっきりとした星が瞬いていた。

――朝義、気づいて。福を助けて。

南へ目を向けると、薄闇に砂塵が沈んで一騎の姿が浮き立つ。その姿に、不覚にも涙をこぼしそうになった。

「朝義、こっち！」

身体のひときわ大きな馬が、鶏の大群の中で引きつるような嘶きを上げている。史朝義の愛馬で、名前を青という。光の加減によって黒毛が青に見えるふしぎな馬だった。

武将には見えぬ瓜実顔が、呉笑星を認めて目を見開いている。こちらの顔が痣だらけになっていようとも、長い付き合いのこの男が呉笑星を見まがうわけがない。

「笑星、この鶏の群れはいったい――」

鶏を踏まぬように下馬した史朝義は、呉笑星を縛りつけている縄に手を掛ける。

「わたしは後でいいから。隣の子を助けて。腹を斬られてるの。あなたの隊に傷を治せる人はいる？」

すべてを察した様子で、史朝義は次々と現れる配下の兵に指示を出していく。呉笑星も兵の助けを得てようやく縄から解放された。腕は痙攣し、掌の皮膚がそそけ立っている。

「こりゃ助からんぞ」

福の身体を確かめていた武人の声が耳をかすめる。福のまわりを囲う兵を押しのけ、傷を見ている武人にすがった。

「そんなこと言わないで。この子を助けてください」

「そうはいっても。なあ」

武人は背後で様子を窺っていたほかの武人に同意を求める。

「笑星、落ちついて」

気づくと、すぐそばに史朝義の顔があった。麾下の兵が差し出した水で、みずから福の傷を洗い始める。手際よく怪我人の上半身を抱き上げて、腹の傷をきつく縛りあげた。福の顔は、すっかり血の気が抜け落ちている。

「ねえ、助かるわよね」

責めるような語調で、呉笑星は史朝義に訊いた。期待していた答えと違う言葉が返ってくる。

「すぐに医師を呼ぼう」

これ以上、今はできることがない。頭では分かっていても、募る不安をどうすることもできなかった。

「ねえ、なぜ戦を起こしたの」

立ちあがって史朝義の胸を叩いていた。右、左と交互の手で叩くたびに、硬い長髪が揺れた。

「義勇軍に応募した兄者衆がひとりも帰ってこないの。福まで死んだら、あなたのこと許さないから」

これは八つ当たりだ。分かっていても、史朝義を叩く手はおのれの意思とは別のところで動き続ける。

「手を痛めるよ」

そう言いながらも、史朝義は呉笑星の拳を受けている。

「手なんかどうだっていい。ごまかさないで答えて。なぜ挙兵なんてしたのよ」

「切り捨てられてきた者たちの居どころを作るため」

作り事めいた答えに、頭に血が上った。

胸倉を摑み、史朝義を睨む。

「わたしから兄者衆を奪ったくせに」

言い過ぎた。言ってから悔いた。

この男は家族のように力者団に馴染んでいたから、呉笑星と同じくらい兄者衆を案じているはずだ。それでも口は止まらない。丹丹だって、戦がなければ親とはぐれることもなかった。

「助けてくれたことには感謝するけど、わたし怒ってるのよ。福が死んだりしたら許さない。この子たちの居どころまで奪わないで」

「ごめん」

「謝ってほしいんじゃない。こんな戦、はやく終わらせてって言ってるの」

呉笑星を見つめる瞳のきわが震える。

史家の長男坊は、おのれに言い聞かせるかのように応えた。

「約束する」

それから口を引き結び、一瞬瞼（まぶた）を閉じてから呉笑星を見つめた。

「約束するよ。一日でもはやくこの戦を終わらせる」

そう言い切ったとき、かぼそい声が呉笑星の耳をかすめた。

――勝手に殺すな。

振り返ると、小さな身体から拳がまっすぐ天へ突き上げられている。囲んでいた武人たちから歓声が上がった。

「福！」

丹丹に支えられて上半身をおこした福のそばに、呉笑星は屈んで身を寄せた。

「ばか！　意識があるならそう言いなさいよ」

周囲では、目覚めた福を祝福するように、鶏がけたたましい声を上げて駆け回っている。

「ずいぶんと勝気な子だ。朱鳥団の鳥みたいだな」

いつのまにか傍らに屈んでいた史朝義が、両手で福の顔を包んで加減を確かめている。

「どういうこと？」

問うた言葉が声になっていたかどうか、喜びのあまり声が裏返った。

「朱鳥団の意匠は不死鳥だろう？　この子も諦めが悪くて逞しい。闘志の塊だ」

ほら、と史朝義が布切れを差しだす。

赤々とした朱鳥の刺繍が呉笑星の掌に広がった。それは父が生きていた頃に、力者団が客に配っていた手巾（しゅきん）（手ぬぐい）だ。

空を見やると、すでに星が瞬いている。

場にいた者たちがいっせいに顔を上げた。まるで笑声を立てるかのようにつよく瞬く星がある。みながその星を見ているのだと気づいたとき、あの祈りにも似た思いが呉笑星の胸の底で鼓動した。

――諦めるものか。

父を喪ったとしても、どんなときでも不屈の精神を忘れない。それが力者だ。

呉笑星は、横たわる少年の手を握った。

「福、一緒に角抵をやろう。居どころがない子がいたら言ってやるの。お前、ここにいてもいいぞって」

辺りは宵の薄闇に沈み、鶏が駆けめぐる気配だけが夜の大気を賑わしている。興奮の冷めぬ鶏のいきれが、顔にまとわりつくようだった。

燕巣（えんそう）の乱

一

呉笑星が土鍋の蓋を取ると、茸の出汁（だし）の香りが立ちのぼった。

杓子（しゃくし）ですくうと、花ひらいた米の粒が揺れる。さらさらとした白汁にこまやかな光をまぶしているようだった。

「よく炊けているわねえ」

鼻から頬へそばかすを散らした若い女が、呉笑星の背後からのぞき込んできた。この厨を任されている女で、細月（さいげつ）と呼ばれている。その名のとおり、おっとりとした細面（ほそおもて）、三日月を思わせるきれいな細い目をさらに細くしていた。

「おちびちゃんにはそっちに白粥（しらがゆ）がありますから」

細月には、戦に出た夫とのあいだに生まれた子がいる。やっと寝返りを打てるようになったばかりだ。

助かるわあ、と細月はしみじみとそばかすの面をゆらした。

「最初は顔を痣だらけにした子が来たって驚いたけど、料理は上手だし、気立てはいいし、重い物はぜんぶ持ってくれるし」

細月は、呉笑星の顔の痣や身なりがよほど気になったらしく、打ち身に効くからと桂皮（樹皮の生薬）を煎じてくれたり、産前に着ていた服をゆずってくれたりした。おかげで呉笑星は、すっかり身ぎれいになって男と間違えられることもなくなった。

孟津で出会った史朝義はもともと洛陽へ向かう腹積もりだったらしく、その行旅に呉笑星らを同行させた。自身は百の兵と城外に駐屯し、負傷している福をふくむ十名の子を、城内にある安家の屋敷に預けたのである。

「笑星、手が真っ赤よ」

細月は驚いた様子で呉笑星の腕を掴んだ。呉笑星の手首から肘にかけたあたりが、赤くかぶれている。鍋を洗っていたときか、腕が金具に当たっていたのだろう。

「鉄だったり銅だったり、金物に触れているとこうなるんです」

「無理はしないほうがいいわ。かゆみ止めのお薬をもらってこようか」

「薬なんてもったいない。一日もすれば治りますから」

細月は大きく手を広げて見せた。

「安心なさいな。このお屋敷ならどんな薬でも手に入るもの」

叛乱軍の首魁安禄山は洛陽城内にある宮城（御所）に腰を据えていて、この屋敷は史朝義の幼馴染である安家の次男坊に当てられたものだった。

といっても、安家の男たちは長安へ進攻しており、屋敷に残っているのは女ばかり。その女たちがたまたま続けて子を産んだので、世話役として呉笑星らの来訪は歓迎された。丹丹ら子どもたちも、赤子や乳児の世話をして一日を目まぐるしく過ごしている。

孟津の屋敷で野ねずみ夫人の手下から折檻を受けたのが数日前のこと。その痣が引かぬうちに、人のやさしさに救われたりするのだから世の中というのは分からない。

「笑星」

覚えのある声に振りかえると、戸口で目が冴えるような青の大襦が揺れている。細月は史朝義と面識があるらしく、史家の長男にうやうやしくお辞儀をした。

史朝義は馴れた様子で厨に足を踏みいれ、食べやすいようにちぎってあった回回豆（ひよこ豆）の胡餅をひょいと口に放る。

「福のために作ったやつなんだけど」

相手は史家の若さまなのに、いつもの調子で詰ってしまう。とはいえ細月の前だからといって急に史朝義への態度を変えるのもおかしい。細月は屋敷の家令から事情を聞いているのか、気にした様子も見せなかった。

ごめんよと、史朝義は両手をあげて形ばかりの詫びを口にする。

「走りどおしで腹が減ってしまって」

人の話など聞いていなかったかのように、二つ、三つと胡餅を頬張る。

「あれ、酥の飴もある。笑星のつくった飴、好きなんだ」

まだ胡餅が口に入っているのに、飴をふたつも押し込む。案の定、喉を詰まらせた。

「ゆっくり食べなさいよ」

呉笑星は、史朝義の背をさすって水を飲ませてやる。

小言を言っても響いた感じがしないのはいつものことだ。この男はどうにも捉えどころがない。

朱鳥王に倣って派手な大襦を着けているが、身にまとう服はほかの兵と変わらない。髪も括りもせずに肩背へ下ろしたまま、ずいぶんな軽装だった。

父子軍といえば、安史の二家がその主柱だ。史朝義はその史家の嫡男に当たる。

もう少し身なりを相応にしないと兵卒に軽んじられると思うものの、意外にも兵から慕われていると聞く。極力兵を死なせぬ戦い方をするというのがこの男の旨とするもので、それが麾下の者たちに好かれるゆえんらしい。

呉笑星の左で、細月が「まあ」と含み笑いをのぞかせる。

「初々しい夫婦みたい」

呉笑星は即座に正した。

「違うんです。この人は角抵のご贔屓さんで、ただの幼馴染なんです」

言いながら、自分の顔が熱くなるのが分かった。今度は右から、独りごつ声が聴こえてくる。

「いい夫婦になれると思うけどなあ」

なっ、と声がうわずった。

「なに寝ぼけたことを言っているの。じゃあ、わたしのどこが良いのか言ってみなさいよ」

呉笑星は両拳を腰にあてて一息に問う。最後まで言い切ったときには、喉がひりつくほど渇いていた。

史朝義は口を閉ざし、しばらく考えるふうにしている。首をかしげて言った。

「真剣になると、左目だけすうっと細くなるところ?」

開いた口がふさがらない。からかっているのだ。

「若さまも笑星も背が高くってお似合いだと思いますよ」

笑いをこらえている細月を、呉笑星はねめつける。史朝義が眉をひそめた。

「そんな顔をするほど私がいやだとは」

「いやだなんて言ってないでしょう」

　すると史朝義は白い歯を見せ、「言質を取った」と軽口をたたく。呉笑星は話を変えようと手を振った。まともに相手にしていては本題に入れない。

「それより、どういうことか教えてくれる。あなたはなぜ洛陽へ来たの」

　重体の福を屋敷へ運び終えたときには、史朝義はすでに屋敷を去っていて、詳しい事情が訊けぬままになっていた。

「史家は本拠地の范陽を任されたと聞いたわ。あなたは河北を守る立場なんでしょう？　なぜ洛陽まで南下したの」

　細月の話では、叛乱軍に降伏したはずの河北のいくつかの郡が唐に寝返ったという。であれば、史家は唐軍との戦に掛かりきりになっているはずだ。

「それをこれから話そうと思って」

　言いさして史朝義は顔を上げた。厨の裏にある厩がにわかに騒がしくなる。

「到着したようだ」

　踵をかえす長身に続いて呉笑星が外へ出ると、次々と兵装の者たちが厩の前へ乗りこんできては下馬していた。

　そのなかに、ひとり目を引く偉軀がいる。

　全身から禍々しい気が滲んで見えるのは、兵装の黒色ゆえではないだろう。呉笑星はおのれの背筋が強張るのを感じた。

　残忍で名を知られる安家の次男——安慶緒だ。

　細月をはじめとした侍女らが、慌てた様子で母屋から現れて、主人の帰還を出迎えている。長安へ向けて進攻していた父子軍が洛陽へ戻ってきたらしい。

「慶緒、こちらが笑星だよ」

すれちがいざま、史朝義が声を掛ける。

安慶緒は史朝義の傍らにいる呉笑星を一瞥した。武具の黒色のせいで目立たないが、相当な返り血を浴びているのが臭いで分かる。

「部屋へ」

安慶緒は不愛想に言い放ち、母屋のほうへ進んでいく。

「笑星も来てくれるかい」

史朝義に促されて呉笑星もこわばる足を踏み出した。

先を行くふたりの男の後ろ姿を、そっと窺いみる。安慶緒と史朝義の背は同じほどで、史朝義のほうがやや年下だろうか。ただ、ふたりの印象は黒と白ほど違う。安慶緒は武人然とした重みがあり、史朝義には風来の軽やかさがある。

安慶緒は母屋へ通じる回廊を使わずに庭を横ぎっていく。そこが主（あるじ）の私室なのだろう。日当たりのよい一室の前へ出ると、室内へ上がる石畳の階段へ腰を下ろした。

安慶緒が黒の軍服の肩紐を解いたとたん、鮮血の臭いが立ちのぼる。

屋敷にいると忘れそうになるが、一歩外に出れば街は死体を焼く臭いで満ちているのだ。

唐の皇帝は義勇軍を募り、ここ洛陽で叛乱軍と対峙した。鉄騎と呼ばれる叛乱軍の強さに、唐将が民を楯にして西へ逃げてからまだ半月も経っていない。街にはその戦禍が生々しく残っている。

安慶緒は血と泥にまみれた籠手（こて）を外し、兵装を解いていく。

三人の足もとを、濃い赤が流れていった。流血のように見えたそれは庭に散った山茶花（さざんか）の花弁だった。

「なぜ私が洛陽に来ているかといったね」

前置きをして、史朝義が呉笑星に切り出す。

「正月に安小父さんが即位されるから、それを見届けたくてね」

「即位？」

思いも寄らぬ言葉に、呉笑星は頓狂な声を上げていた。

「つまり新しい国ができるってこと？」

「そう、唐ではない新しい国を作る」

西の長安と、東の洛陽。

馬で駆ければ数日で着く距離の二都に、それぞれ王朝が立つ。

笑星には詳しい戦況が分からないが、叛乱軍はまだ長安を攻めあぐねており、唐が滅んだわけでもない。その状況下で即位とは、ずいぶん拙速な気がする。

「きみも私も、まもなく国の開闢に立ちあうことになる」

ゆえに父子軍のおもだった将が洛陽に集まっているのだという。

「建国の儀を終えたら、慶緒は長安へ向かい、私は河北へ戻る。そこで相談なのだけど、怪我人もいるし笑星たちは洛陽にいるのがいいと思うんだ。この屋敷できみたちを預かってもらうことについては、慶緒からも承諾を得ている」

姿を見せなかったあいだ、史朝義は戦地から戻る安慶緒を出迎えに行っていたらしい。呉笑星の答えも聞かずに史朝義は話を進める。

「代わりといってはなんなのだけど、慶緒から笑星に頼みがあるそうでね」

史朝義は促すように友のほうへ眼差しを向けた。兵装を解いて毛織物の上着だけになった男が、心もち目を伏せて言う。

「妻の護衛を頼みたい」

「えっ」

呉笑星はふいに横腹をつつかれたようになる。

殺伐とした空気を漂わせている安慶緒と、愛妻という組み合わせがどうにもしっくりこない。

「奥さま、ですか」

ぎこちなく問う笑星に、史朝義が軽やかに答える。

「奥方とはいっても慶緒と夫人はまだ婚儀を挙げていないそうだよ。元日、建国の式典と併せて式も挙げるんだって」

さらに詳しく問われるのを避けるためか、安慶緒は口早に言い渡した。

「妻に素性は訊くな。あれに何かあったらおまえもただでは済まさぬ」

これでは脅しだ。

泣きつくようにかたわらの史朝義を見上げると「話はまとまった」とでもいうふうに、爽やかな笑みを返してくる。

「笑星は料理が上手だろ。さっきの胡餅みたいに美味しいものを奥方に食べさせて差しあげてはどうだろう」

ついでに私にもと、ちゃっかり言い添えた。

城外の天幕へ史朝義を見送り、呉笑星は厨に戻った。

細月に夫人の話を尋ねると、そばかすの面が曇る。

「私たちは近寄ってはいけないことになっているのよ」

夫人は、呉笑星が安家の屋敷に着く数日前に、夜逃げでもしてきたかのようにこの屋敷へ入ったという。あの恐ろしい安慶緒がどこぞで見初めて攫ってきたのかもしれなかった。

「奥さまにお食事をお持ちしました。入ってもよろしいでしょうか」

史朝義に勧められたとおり、呉笑星は夫人に夕餉を作った。ふだんは家令が配膳しているらしく、挨拶がわりに呉笑星がその役目を買って出たのである。

夫人の居室は母屋ではなく、広い邸内の北隅にある小さな堂だった。堂の周りには囲いが設けられ、中へ入ると狭いながらも園庭が造られていた。

堂は、柱も壁も黒の塗木で、戸や窓に赤い紗が掛けられている。複数の護衛が立ち、家庭の場というより堅固な牢を思わせた。あの安慶緒が美人妻を閉じ込めているのだと言われれば、納得できる風趣である。

だが取り次ぐ侍女の姿が見えない。

「奥さま、いらっしゃいますか」

恐る恐る黒塗りの引き戸を開ける。

室内は暗い。もうすぐ日が暮れるというのに灯りひとつない。

目が闇に慣れ、家具や壁の輪郭がすうと浮かんできた。家具は黒と赤で統一され、柱や箪笥が薄闇のなかで黒光りしている。透かし彫りの壁が奥の寝室を隔てており、その先に赤の紗で覆われた寝台が見えた。

外から隔絶されたような静寂が横たわり、おのれの息を呑む音さえ響く気がする。

卓に盆を置く。顔を上げた瞬間、呉笑星は息が止まりそうになった。

小さな子どもが呉笑星を見つめている。

まだ十になるかならないかの童女だ。夫人の世話をする童だろうか。

「奥さまにお食事をお持ちしたのだけど」

童女は卓上の料理を見て、くったくのない笑顔を見せる。

「いただいてもよろしいのですか」

室内にはふたりのほかに人の気配はない。夫人は外出しているらしい。ならば側仕えの童女に与えても咎められぬだろう。

「どうぞ」

呉笑星は童女に栗の甘団子を出してやった。

料理は夫人が戻った際にまた作り直せばいい。童女は上品に笑むと、椅子に腰かけた。袖で口許を覆って甘団子を食べる。育ちのよい子だ、と思った。

——この子はだれだろう。

夫人の連れ子なのかもしれない。戦帰りで慌ただしかったとはいえ、安慶緒に委細を尋ねておくべきだった。

茶を差しだしながら、呉笑星はさりげなく問う。

「あなたはどなた？　奥さまの御身内？」

童女は可憐な眼をしばたかせた。堂の外から声が掛かる。

「奥さま、粽をお持ちしました」

戸から従僕が姿を現した。配膳の者が別に来るとは、家令からも聞いていない。呉笑星は男を問い質(ただ)した。

「奥さまはご不在です。お食事はどなたからの言いつけです？」

「それは……」

従僕は言いよどむ。

「厨では粽なんて作っていないけれど、どこのものなの」

「戦で店を閉めていた老舗(しにせ)が再び商いを始めたので、家令の命で買い求めて参ったのです」

「なるほど」

話の筋は通っている。だが何かが引っ掛かる。

呉笑星は男が掲げた皿から粽をひとつ取った。包んでいる葉を開いて、粽をひとかじりする。

あっ、と男が口を開いた。すぐに言葉を呑んで俯いている。

もち米が程よく炊けていて、餡(あん)の味もにおいもおかしなところはない。だがわずかにちりりとした刺激が舌に残る。そっと口から出した。

「さすが老舗ね。特別な混ぜ物がしてあるみたいだけど、いったいどこのお店なのかしら」

呉笑星が問うやいなや、男は皿ごと粽をぶちまけた。

つめたい光が見える。とっさに蹴りあげた。短剣が弾けとび、童女が小さな悲鳴を上げる。男が身をひるがえす。呉笑星の伸ばした手が届かない。脱兎のごとく男は堂の囲いを抜けて行く。

「そいつをつかまえて！」

呉笑星が叫ぶと、たちまち警固兵が立ちふさがった。逃げられぬと思ったのか、男はその場に崩れる。舌を噛んだらしい。

「その粽に触れてはいけません。毒が入っています」

室内に散らばった粽から離すように、呉笑星は童女の手を引いた。

粽に混ぜてあるのはおそらく植物から採った毒だ。無味無臭で人を死に至らしめる毒である。

「口にしていましたが、あなたは平気なのですか」

ええ、と呉笑星は笑って見せる。

「ほんのひと齧りですし、すぐに出しましたから」

角抵で服や靴に毒を仕込んでくる力者がいるから、朱鳥団の力者はみな薬師の指導を受けている。呉笑星も、ある程度は毒に耐性をつけていた。

童女はなにか考えるようにまつ毛を伏せていたが、呉笑星の顔を見上げる。

「礼をいいます」

幼い風貌に似合わぬ威厳のある物言いに、呉笑星は虚をつかれたようになる。

首のあたりがすっと冷えた。自分はとんでもない勘違いをしているのかもしれない。

「もしやあなたは――」

安慶緒の妻なのか。

呉笑星は自ら名乗っていない無礼に気づく。

「失礼をいたしました。わたしは厨で働いている呉笑星と申します」

堂の外では、男の遺体を検める者や主人へ報せに行く者、家令を呼びに行く者の声が飛び交っている。

夫人は容儀を正し、戸のほうを見やった。

陽の光を浴びた夫人の瞳と髪は藍黒色をたたえ、肌は透くほどに白い。ちいさな面には小ぶりの鼻や唇が添えられて、燕のようだった。

くちばしを思わせる口唇が開く。

「わたくしの名は李麗といいます。唐朝の皇太子の娘です」

二

夜明け前だった。

暗がりのなかで、かろうじて大襦の端が揺れているのが見える。

「どうして肝心なことを教えてくれなかったの」

呉笑星は史朝義に腕を引かれながら、その後を追った。

「そりゃ護衛は引き受けたけれど、実際に刺客が来るなんて思ってなかったわよ」

男の背に向けて詰るものの、「ん」「ああ」などと生返事ばかり返ってくる。

李麗が襲われてすぐに、呉笑星は安慶緒と話をしたいと家令に申し入れた。だが主は屋敷を不在にしていて機会に恵まれない。

昨夜遅くに史朝義が屋敷を訪ねてきたので安慶緒の居どころを訊きだそうとしたが、また夜明け前にくると言い置いてすぐに去ってしまった。

――それにしても、なぜこんな朝早くに。

昼間は軍議やらで忙しいということなのか、夜明け前に連れ出した理由を史朝義は語ろうとしなかった。仕方なく、呉笑星は朝餉を細月に任せて屋敷を後にしたのである。

史朝義の愛馬にふたりで乗って、洛陽城外の駐屯地まで来た。幕舎で話すのかと思えば、さらに歩きで野道へ連れ出される。

ほかの将校に聞かれてはまずい話、ということなのだろう。

「ここ、下り道になるから気を付けて」

手を引いてくれるから迷わず進めるが、松明（たいまつ）もなしに薄闇の中を進むのはやはり足もとがおぼつかない。一方、史朝義の動きは危ういところがない。闇のなかでも動ける鍛錬をしているのか、そもそも目のつくりが違うとしか思えなかった。

闇の先から白い息が流れてくる。

ふしぎと寒いとは感じなかった。城内は凍えるほどに冷え込んでいたが、左右から野道を覆う枝房のせいなのか、頬に触れる大気はどこかやさしい。

「すまなかったね」

白い息とともに史朝義の声が投げかけられる。

恨みがましい声が口をついて出た。

「せめてわたしだけにでも、夫人の素性を教えてくれれば良かったのよ」

ばつ悪げな声が、前から響く。

「黙っていてごめんよ。私もまさか安家の屋敷に刺客が忍び込むとは思わなかったし。話が漏れて夫人の素性が知れ渡るのだけは避けたかった。安家と史家のごく限られた者しか知らないことだから」

背後の草むらから、つぐみらしき鳥の声が聴こえている。

「どうして唐朝の皇族が安家の妻に？」

だれに聞かれるというわけでもないのに、おのずと問う声が密やかになる。

「あの人は永義郡主（えいぎぐんしゅ）といって、れっきとした唐朝のひめでね」

史朝義はしずかに語る。

「もとは慶緒の兄、つまり安家の長男である安慶宗の奥さんだったんだよ」

叛乱を起こす前の安禄山は、唐の皇帝の寵臣だった。それで唐朝は皇族のひめを安家の長男に降嫁したのだという。こういった場合、皇族の中から身分の低い娘を選び、皇帝や皇太子の娘に仕立てて嫁に出すものらしい。だが李麗は母の身分こそ低いものの、まごうことなき皇太子の実子だという。それだけで皇帝の安禄山への寵愛のほどが知れる。

「でも安将軍が挙兵したときに、長安にいたその長男は処刑された。夫人も一緒に殺されるはずだったのを、どうやったのか安家の者が逃がしたらしい」

とすると、刺客は唐朝のひめとの婚姻をよく思わぬ父子軍の者か――。

そこまで考えて、呉笑星は首をかしげた。安家の者ですら李麗の素性を知る者はごく少数だ。もしやという思いが胸に湧き起こる。

「まさかとは思うけれど、あの刺客は唐朝の？」

「おそらくね」

湖が近いらしく、進む先から次第に水のにおいが漂ってくる。

「身内でしょうに」

「あのひめは安慶宗とともに処刑されたことになっているから、唐朝としては生きていられると都合が悪いんだろう。なにより、唐の皇帝や皇太子にとって、子や孫にあたる娘が賊軍の妻になるというのは耐え難い屈辱らしい」

つまり唐朝の名誉を守るために、李麗の命は狙われた。

少し間があってから、低い声が聴こえてくる。

「父や兄が死ねば、その妻を残った男が守る。安史の二家は家族ぐるみのつきあいだから、あの夫人は安家の次男か、さもなくば史家の長男の嫁にって話になっていたんだよ」

そうか、と呉笑星は思い至る。

「あの子は朝義の奥さんになっていたかもしれないのね」

ひとりごちると、前を行く男が軽く笑声をこぼす。

「それはないよ。慶緒はああ見えて生真面目だから、彼女を養う責任が次男の自分にあると思ったみたいだよ。唐朝のひめだろうと、もう安家の家族だから」

安家は家族を大事にする。父子軍があれほど強靭な結びつきを保てているのは、身内を大切にする安禄山の姿勢の賜物だ。

頭上を覆っていた枝の茂みが途切れた気配があり、急に開けた場所に出たのを感じた。前面が暗がりに覆われていて、闇のなかへ放りだされたような心地がする。ただ水音と湿ったにおいで、すぐそこに湖が迫っていることが分かった。

ふいに史朝義に腕を引かれ、呉笑星は導かれるまま岩らしき塊に腰を落とす。

男は呉笑星の隣に座り、話を切りだした。

「兄者衆のことだけど、捕虜の中にいないか探している。もう少し待ってほしい」

呉笑星はうつむき、ありがとうと小さく告げる。

洛陽の戦では、叛乱軍の勢いがすさまじく、唐将は民や麾下の兵を楯にして逃げたと聞く。何万という兵が死んだというから兄者衆が生きている見込みは小さい。

「息災だといいのだけど。唐がこんなに弱いと思わなかったわ」

叛乱軍に対してなぜ兵を挙げたのかと思う一方で、唐に対してはなぜ防ぎきれなかったのかという怒りがある。

「唐の民は、刃を向けられてはじめて私たちの存在に気づいたという仕儀でね。つくづく思ったよ。見えぬ者に対して、人は備えることができない」

唐の人々にとって辺境で戦う者たちは、それほど取るに足らぬ存在だったのだろう。ゆえにどの城も武器を整えておらず、押し寄せてきた大軍に降伏するしか術がなかった。

「朝義、正直に言ってほしいの」

呉笑星はずっと考えていたことを問うた。

「朝義が洛陽まで来たのは、お父ちゃんや兄者衆の無事を確かめるためでしょう?」

力者団の一員といっていいほど、史朝義はよく呉笑星のもとを訪ねてきていた。

これまでともに過ごした日々を思えば、挙兵前に力者団に根回しをしてこないというのは、目端の利くこの男らしくない。

やや間があり、史朝義は明かしてくれた。

「この挙兵は極秘裏に進められたから、私が決行を知らされたのは前日だったんだ。私は力者団が洛陽にいるものと思い込んでいたから、急ぎ洛陽にある史家の別荘へ使者を送った。でもそのあとに、笑星から朱鳥王の訃報が届いてね。こちらへ来てみてよかったよ。まさか笑星が兄者衆と離れているとは思わなかったから」

やはり、と呉笑星はうなずいた。今、河北の戦線から離脱するのは好ましくないのだろうに、史朝義は案じて駆けつけてくれたのだ。

ようやく東の空が白み始めてくる。

元々灰がかった史朝義の瞳が、透いた薄明かりのせいでより淡く見える。

史朝義は居住まいをただして、呉笑星に向き直った。

「笑星に挙兵のことをちゃんと話しておきたいんだ」

そう史朝義が口にしたとたん、その背後で鳥が急に飛び立ち、枝葉が小刻みに揺れた。

呉笑星は顔を上げ、目に入った光景に息を呑んだ。

ひとすじの朝陽が射しこみ、それがみるみるうちに広がっていく。いつの間にか赤々とした光が湖上を照らし出していた。

こんな景色を呉笑星は見たことがない。

燃えさかる炎のごとく、水面から朱色の靄(もや)が立ちのぼっている。目の前にあるのは湖であって沸泉(ふっせん)(温泉)ではないから、湯煙ともまた違う。目を刺すようなきらめきを含んだ雲霧が、湖上で湧きあがっている。風で揺れるたびに、火の粉が舞っているように見えた。

「すごい。朝義、見て」

興奮を隠せず、隣の男の大襦をつかむ。見上げると、史朝義が目を細めて呉笑星を眺めていた。その面ざしを目の当たりにして、呉笑星はようやく腑に落ちる。

この光景を見せるために、この男は自分を夜明けに呼び出したのだ。

「知っていたのね」

「気象を読むのは将の務めだから」

寒気が温かい湖へ流れ込むことで、こういった景色が見られることがあるのだという。ふたたび湖上へ目を向けると、黄金とも見まがう朱が、呉笑星の眼裏まで熱するようだった。

史朝義が声を落として言う。

「洛陽の惨状を見ただろう」

そう言われて、湖のはるか先にうっすらと洛陽城がそびえていることに気づく。遠い洛陽に湖上の雲霧が重なって揺らいでいた。

洛陽についたとき、その変わり果てた街並みに驚いた。今でも屋敷の外へ出ると、街には死体を焼く臭いが満ち、血に染まった雪が道端に残っている。

「父子軍は楽土を夢見て兵を挙げたのに、自らの手で華やかな都を廃墟にしてしまった。慶緒はこの流れを変えて、初心に立ち戻ろうとしている。私はあの男がやろうとしていることを手伝って、ともに大義をなしたいんだ」

「大義……」

呉笑星がつぶやくと、史朝義はおだやかな、それでいてどこか哀しい声で告げた。

「居どころを奪われた者たちに巣を。だれもが穏やかに暮らせるように。それが私たちの挙兵の大義だ」

私たちの、といっても、史朝義は事前に挙兵を知らされていなかった。

それでも叛乱を起こした史家の長男として、大義を掲げた。おのれを納得させ、仲間と同じ夢をみた。

だが思ったとおりにならなかった。実際には志したものと真逆になった。

言い訳も許されない。多くの人の命を奪ったことに対する慙愧(ざんき)。自責の痛みが呉笑星の胸にまで流れ込んでくる。

「挙兵のこと、話してくれてありがとう」

風に煽られて縒(よ)れた赤い靄が翼のかたちをなし、朝空に昇るように空へ溶けていく。呉笑星はそれを指さした。

「火輪の翼」

明朗な声で言うと、史朝義が息を呑む。

「朱鳥は死地から甦る不死鳥、何度でも昇る太陽の鳥。闘志さえ絶やさなければ、どんなに難しいことだってきっとできる」

茂みの奥から、朝を告げる鶏の声が聴こえている。

「約束をしましょう。わたしは角抵をやる。あなたは戦をはやく終わらせる。どちらも、だれかの居どころを守ることにつながると思うから」

分かった、と史朝義が静かな声で応える。胸の前で両手を重ね、鶏の声が聴こえるほうへ向けて礼をした。

「ではあの朝鳥に誓おう。この史朝義は呉笑星との約束を必ず守る。生きてまた呉笑星に見える」

その言葉に、呉笑星ははっとする。この人はすぐに戦へ戻る。つまりこのまま会えないという事態もありうる。急に胸が苦しくなった。

そうだ。自分には史朝義に伝えなくてはならない言葉がある。

ご武運を？　生きて帰ってきて？

どれもしっくりこない。ずっと伝えたかった言葉、言わなければ後悔する言葉があるのに出てこない。

いやそれは嘘だ。分かっているのに、舌が空回りして言い出せなかった。

胸の痞えをごまかすように、呉笑星は岩をまさぐる。青の大襦を摑んでいた。

「そういえば、これって何の鳥なの」

口が違う話題を振っていた。

史朝義は大襦を引き、刺繡を呉笑星の手にひろげる。

「子どもの頃、あなたの息子になりたいと朱鳥王に無理を言ったことがあったんだ。私が生まれたのは貧しい村で、自分の子を殴るのなんて当たり前、服一枚欲しいからってわが子を売るような親ばかりでね。その村の出身である自分がいやで、朱鳥団の子になりたかった」

初めて聞く話だった。

いつも史朝義はふらりと朱鳥団に来て、気づくといなくなっていた。朱鳥団にいないときの史朝義がどんな暮らしをしていたのか、その過去も本人が語らないので詳しくは知らなかった。

「でも朱鳥王から、その村には以前、鴛鴦（おしどり）と呼ばれる子煩悩で仲のいい夫婦がいたはずだって教えられて。どこの村の出かなんて関係ない。お前も鴛鴦になれる。一歩踏み出すだけでいいんだって。いつでも朱鳥団においでとあの人は言ってくれたんだよ」

「これって鴛鴦だったの？」

二羽いるのはつがいということらしい。雄が鴛で、雌が鴦ともいわれ、それは雌雄が互いに呼ぶ鳴き声に由来していると聞いたことがある。

そう、と史朝義はこそばゆそうに笑う。

「朱鳥団は日輪を象った朱の不死鳥を大襦に縫っているだろう。あれを真似して、私は鴛鴦を縫ってもらった」

史朝義が口を一文字に引いて、目を閉じた。

のらりくらりとしているこの男が、まじめな話をするときに見せる癖だ。切れ長の目がゆっくりと開いた。

「憧れていたよ。朱鳥王に認めてもらって、笑星と一緒になれたらって」

不意な言葉に、呉笑星は目を瞬く。

「からかっているわけではないよ。朱鳥団は私にとって温かい巣だった。よりどころで、大切な居どころだった。でももう叶わない」

まさか朱鳥王が亡くなるなんて——。

声にならない心の吐露。ひと筋の涙が男の頬を伝った。

最後に史朝義の涙を見たのがいつか、思い出せないほど遠い。自分よりも年上の幼馴染、いつも飄々としている男の涙は意外で、呉笑星の胸を強く揺さぶった。心の内に白い泡立ちが生じ、水面が立ち騒ぐ。呉笑星は思わず自分の身を押さえた。

「兄者衆だけでも私が見つけ出す。必ず笑星の元へ送り届けるから」

そう語りかけた史朝義が、呉笑星の顔を見て瞠目する。

「笑星？」

「ごめんなさい」

呉笑星の瞳から涙が溢れていた。

父が亡くなったときも兄者衆が出征したときも、心が焼けたようになって一滴も涙が出なかった。それが今、史朝義の涙を見たとたんに次々と流れてくる。呉笑星は声をあげて泣きだしていた。嗚咽のとまらぬ身を、史朝義が青い大襦で覆ってくれる。どれほどそうしていたことか。ようやく涙が止まると、呉笑星は手の甲で頬をぬぐって顔を上げた。

「笑わないでね。わたしも憧れているのよ」

今なら偽りない言葉で言える。相手の顔を見つめて、はっきりと告げた。

あなたの妻となり、できることなら母親にもなってみたい。

「だから朝義、その……死なないでよね」

史朝義の顔に驚きの色がひろがる。ややあって目許をほころばせた。

気づけば、ふたりの吐く白息まで暁の色に染められている。

ふつふつと滾る雲霧から、ちぎれた靄が翼となり次々と飛び立っていく。力づよい羽ばたきの音が、耳の奥で響いた気がした。

安慶緒を探していると伝えると、史朝義は呉笑星を幕舎へ連れて行ってくれた。

朝靄の中をふたりで歩いていく。

「初めて会ったときのことを覚えているかい」

唐突に訊かれて、呉笑星は戸惑う。

角抵が始まればいつも周囲に子どもがあふれていたし、誰とどのように出会ったかまでは覚えていない。ましてや、史朝義とは幼い頃から兄妹のように過ごしてきたから、あまりにも記憶が遠いのだった。

「そういえばわたしたちって、どこで出会ったんだっけ」

腕を組み、首をかしげる。

史朝義は真似るように腕組みをして、白い歯を見せた。

「教えない」

ならば訊かねばいいのにと思うものの、忘れている負い目があるので責められない。

記憶にあるとすれば、出会った当時、史朝義を女児と見間違ったことだ。顔だちがやさしい上に痩せて頼りなげだった。呉笑星だけではなく、他の子もかれを女児だと思い込んでいた。

幕舎は、十ほどの天幕が並んでいた。

青の大襦はその間を通り抜けていく。煮炊きをしている者がいると思えば、鍛錬をしている者たちもいる。それぞれの朝を過ごしていた将兵たちは、すれ違う都度史朝義に礼を向けてくる。

史朝義は中ほどにある天幕に近づくと、出入り口の垂れ幕に手を掛けた。ところがなにを思ったのか、天幕に背を這わせるようにして、口許に人差し指を当てて見せる。

「それだけはお許しください。朝義さまがおられぬと、河北の史家軍は持ちません」

軍議というほど物々しい気配はなく、雑談めいた声が聴こえてくる。将校らが身内の談義をしているようだった。

「だがあれを河北へ戻したくない。潼関を落とすために必要だ」

我を通そうとする低い声は安慶緒のものだ。

屋敷で姿を見ないと思ったら、史朝義の天幕に寝泊まりしていたらしい。滞在先はここだったかと合点して見上げると、史朝義がうなずき返してくる。

天幕のなかでは、相手の将校が負けじと言い返していた。

「むろん、潼関を落とすのがどれほど肝要かというのは承知しております。しかし、河北の地は広大です。しかも范陽は挙兵の地であり、われわれにとっては本拠といえる場。背後を奪われては、長安へ進攻している軍を割いて河北へ差し向けねばならず、父子軍は分散しかねません」

つらつらと述べたてる声がしばらく続いたかと思うと、安慶緒も食い下がる。

「范陽から父子軍が南下したとき、極寒の黄河を渡るのに難儀してな」

どこか懐かしむような風情で語りだす。

「黄河を渡るのなら夜のうちに藁や丸太を投げこんでおけと、朝義から挙兵時に言われていたのを思い出した。おれはそのとおりに麾下の将へ命じて、鉄騎たちは翌朝固く凍った川面のうえを楽々と渡れたというわけだ。おれはいつもこうやってあいつに助けられている」

史朝義は腹に左腕を当てて、身体を折るようにしてうつむき加減にしている。先ほどから、空いた右手でこそばゆそうに頬をさすったり顎を撫でたりしていた。

「あれが史家の親父の駒だというのは分かっている。大局をみれば河北に置くのが道理だというのも。だがな、せめてひと月の間だけでもそばに置きたい」

あの安慶緒が先ほどから、だが、だがと、まるで駄々っ子のごとくごねている。

——そういえば。

呉笑星は過去を思い返す。

これまで自分が大過なく過ごしてこられたのも、史朝義のおかげだ。

いつだったか、洛陽へ向かう道中で食糧を運び忘れたことがある。その場にいなかったにもかかわらず、史朝義は次の駅での手配を済ませてくれた。興行で嫌がらせをしてくる者たちの顔が見えぬと思ったときは、裏で話をつけてくれたりもした。

助けたことを表立って言わないから、だいぶ経ってからその事実に気づく。呉笑星が数々の出来事を思いかえしていると、荒々しい音を立てて垂れ幕が開いた。

目を剝いた安慶緒の顔が、そこにあった。

「戻っていたのか」

体勢を戻した史朝義が朗らかな声で応える。

「たまには褒められるというのも悪くないね」

友の厚い肩を叩いて、史朝義は天幕へ入っていく。安慶緒は苦虫を嚙みつぶしたかのような表情をしている。

天幕のなかは思いのほか広々として、史朝義が側近と寝起きしている居所のようだった。談義していたのは、安慶緒ともうひとり、史朝義の側近らしき将校である。史朝義は慣れた様子で中へ進み、安慶緒と将校、呉笑星の三人に机まわりの席を勧めた。

「そこまで求めてくれているのに申し訳ないのだけどね。建国の儀が終われば私はすぐに河北へ戻る」

史朝義の隣の席で所在なげにしている呉笑星に、角ばった顔の将校が不審げな視線を向けている。顔を痣だらけにしている女を訝（いぶか）しく思う気持ちもよく分かる。将校はなにか問いたそうにしていたがそのまま口を噤（つぐ）んだ。

「慶緒は買いかぶりすぎだ。私が負け戦をやるのは知っているだろうに」

すると、将校がすかさず異論をはさむ。

「ですが、それは兵力の温存など戦略あってのこと。後になってあそこで負けておいて良かったのだと思うことばかりで……。お父上にも朝義さまの意図がご理解いただけず、私はどうにももどかしい」

この将校はよほど史朝義を買っているらしい。その口が称賛すればするほど、安慶緒の面ざしに未練がましいものが増していく。

「どうしても戻るというのなら、対潼関の考えを訊いておきたい」

安慶緒は机上を睨む。洛陽を中心に西は長安、東北の范陽までを描き表した地図が敷かれていた。潼関は長安と洛陽の二都の半ばほどに位置し、難攻不落の地といわれている。今は唐軍が陣取っており、かの地を落とせなければその先の長安を攻めることは叶わない。

ふむと史朝義は顎を引いて首をかたむけ、考えるふうにしている。対面に座る安慶緒の顔を見据えた。

「今父子軍は、潼関の地で足踏みをしているだろう」

大橢から腕を伸ばして、地図上のある一点を指し示す。

興行で長安に向かう際もかならずこの潼関を通り、その路の狭さに難儀したものである。険しい山脈と川に挟まれた隘路（あいろ）が続くので、この地に陣を敷かれては、まっとうな手法では攻め落とせない。

「父子軍は強い。だが、潼関戦においてはその強さはあまり意味をなさない。ではどうするか」

史朝義は指を鳴らして、地図の上の長安を指した。

「唐朝の悪癖を利用すればいいんだ。唐がどういう国だか忘れてはいないだろう？」

安慶緒は何かに気づいたかのような顔をする。過去に、安慶緒と史朝義は唐のあり様について語り合ってきたらしい。目を光らせて史朝義を見た。

「今、潼関を押さえているのは唐将の哥舒翰（かじょかん）だ。あれは遊牧民族出身の胡将で、宰相の楊国忠とは折り合いが悪い」

ご名答とばかりに、史朝義は手を打つ。

「哥舒翰が唐を守りきったら皇帝はあの将に宰相位を与えるつもりらしい——。その手の噂を長安で流せばいい」

前のめりになっていた安慶緒が、なるほどと背を起こした。

「哥舒翰がおのれの身を脅かすと分かれば、楊国忠はあらゆる手を使って将軍を失脚させる。おれたちは生じた隙を突けばいいというわけか」

我が意を得たりというふうに、史朝義がうなずく。

「前線には、目端が利いて柔軟な動きのできる崔乾祐を置いておけ。あれなら機を逃さぬ」

しかし、と安慶緒が眉宇を寄せた。

「どのように流言をたてる。長安は潼関の先にあるのだぞ」

「捕虜を手厚くもてなして、噂を流布できたら望外の報酬を与えると言い含めるんだ」

史朝義の口調が密やかに、そして熱を帯びたものになる。

意表を突かれたかのごとく、安慶緒は目を見開いた。

「捕虜を殺すなとお前が言いまわっていた理由はそれか」

史朝義は首を左右に振る。

「策略のためだけではないよ。われわれはいささか殺し過ぎた」

安慶緒も将校も目をそらさずに、史朝義の言葉に聴き入っている。

「とくに黄河を越えてから進攻した都市の死者数は異常だ。城内の半数以上の民を失った地もある。人の数が減るということは、これまで当たり前にできたことができなくなり、当然のようにあったものが無くなるということだ。慶緒、忘れるな。われわれは唐の民を苦しめるために挙兵したのではない」

四人のあいだに沈黙が横たわる。

将校が音を立てて息を呑み、窺うように史朝義の顔を見た。

「先ほどの朝義さまの策ですが、楊国忠はそこまで愚劣な男なのでしょうか。仮にも唐の宰相なのですから分別というものがございましょう」

いわんとすることは呉笑星にも分かる。国が亡んだら自分の命とて危ないというのに、わざわざ長安を脅かすようなことをするだろうか。

だが史朝義はきっぱりと言い切った。

「それが楊国忠であり、唐という国だ。胡将が出世しておのれが失脚することだけは耐えられない。あらゆる手をつかって胡将の成功を阻もうとする」

そうやって唐を自滅させるのが互いに死者が少なくて済む、と史朝義は付け加えた。

その顔は呉笑星の知らない、多くの兵の命を預かる将の顔だった。

史朝義は「それから」と身を乗りだし、声を潜める。

「潼関が落ちたら最後、唐には抵抗するだけの兵力がないらしいという造言も長安の民に吹き込んでおくんだ。実際に潼関を抜いた後、いかに迅速に長安を落として皇帝の首を取るかが勝敗の要になる。そのときまでに、どれだけ民の戦意を喪失させておけるかということだね」

数手先を読んで動けということなのだろう。

史朝義の話は、軍事を知らぬ呉笑星にも分かりやすい。

なぜ史朝義がこの場に自分を同席させたのか、呉笑星には分かった。

この戦を終わらせる。そのための具体策を呉笑星にも示してくれたのだ。

「慶緒、くどいが忘れないでほしい。唐の民は、ゆくゆくはわれらの国の民になる。民の数は国力に等しい。兵に無用の殺戮を許すなよ」

重く受け止めた様子で、安慶緒は黙している。

史朝義は場に圧し掛かる空気を払うように、手を打った。

「さあ、それはそれとして。笑星がね、奥方のことで慶緒に小言があるそうだよ」

急に名指しされて、呉笑星の背が伸びる。

「小言ではないのですが」

この座に力者がいることすら場違いだというのに、発言を求められて呉笑星は慌てる。

寡黙な主人は、目で話を促した。

「聞こう」

意外なことに史朝義の配下の武将も呉笑星を咎めない。

「では私は朝餉の支度を。四人分でよろしいですな」

むしろ話がしやすいように席を外してくれた。

呉笑星は懐かしい心地に包まれる。ここは朱鳥団と似ている。父の元で力者たちは年齢や格にかかわらず気安く交わった。

呉笑星は主人に対して遠慮なく話を切りだす。

「奥さまが刺客に襲われたのはご承知ですか？」

どこからか、朝餉の羹（あつもの）の香りが漂ってきていた。

三

池に張った氷が、まばゆい光を散らしていた。

「麗さま、外をご覧ください。とてもきれいですよ」

呉笑星は楼閣の欄干から身を乗りだして、李麗を呼ぶ。

洛陽城の西北隅にある宮城に、新しい国の文武官が集まっている。呉笑星はその様子を楼閣の三階から眺めていた。

建国の儀を無事に終え、父子軍の将校や兵たちが酒宴に浮かれている。広間に入り切れない者たちが外まであふれ、宮殿前の園庭は将校たちでごった返していた。

呉笑星にとって、目に入るなにもかもが珍しい。

宮城は天子の居所であり、ふだんであれば呉笑星のような庶生（庶民）は入れない。李麗の護衛として、特別に入城を許されたのである。

庭から視線を南へ移すと、黒銀の甍を戴く荘厳な宮殿が層をなしている。

その南には官人たちの詰める官庁街の甍が連なり、さらにその先の霞んだ遠方には民の暮らす各坊が広がっている。

これが殿上人の見る景色かとため息が漏れた。

「麗さま、あちこちに鶏が掛けられていますけど、あれは何かの呪いなんでしょうか」

宮殿の廂や柱に、血抜きした鶏が掛けられているのだ。

呉笑星が振りかえると、李麗は赤一色の婚礼衣装に身を包み、物憂げな表情を浮かべて腰かけている。唐のひめだった李麗には、きらびやかな宮殿は珍しくもないのだろう。

遅れて問いかけに気づいた様子で、背を伸ばした。

「ごめんなさい、鶏がなんですって」

「宮殿に鶏が掛けられているのはなぜだろうと思いまして」

ああそれなら、と李麗は微笑んだ。

「宮廷の迎春の呪いですね。陽光に弱い悪鬼を祓うために掛けるのです。朝を告げる鶏は太陽の象徴ですから」

へえ、と呉笑星は感嘆の声を漏らす。

――何だか朱鳥団の不死鳥と似ている。

朱鳥団の意匠は、太陽を象った赤い鳥だ。

言われてみれば、村でも魔除けとして鶏や朱鳥の絵を飾る家を見かける。人は鳥に太陽の力を見るものらしい。

李麗が小さくため息をつく。婚儀を前に気が張っているのかもしれない。

呉笑星は李麗のそばへ行き、片膝をついた。

「ご安心ください。ここには刺客も入ってこられません。それに護衛は頼もしい武人ばかりです」

呉笑星たちが控えているのは宮殿の東北に設けられた別閣だ。

朝からこの別閣に入って李麗の傍らに控えていたから、呉笑星には正殿で行われた建国の儀の様子は分からない。

――朝義はどこにいるのかしら。

宮城に入れば会えるものと思っていたのに、姿を見せない。あれでも史家の長男だから忙しいのだろう。

「花嫁っていったってねえ」

ふいに二階から女の嬌声が聴こえてくる。同じ楼閣に歌や琵琶を演奏する妓女たちが詰めていた。

「まだ子どもじゃないの」

「若さまは年上好みなのにねえ」

含みのある笑い声が聴こえてくる。

呉笑星は大きく咳払いをした。聴こえているぞと牽制したつもりだが、あちらは花嫁の耳に入るようにわざと言い立てているらしい。

女がさらに大音声で意地の悪い言葉を投げてくる。

「あんなねんねではねえ。形だけの妻なのでしょう?」

どっと笑い声が起こった。李麗は十二歳だというから、嫁ぐ年齢にはなっている。ただ、小柄な身体とあどけない顔だちのせいでより幼く見えるのだ。

女たちは安家の若君が得体のしれぬ女を妻にするので妬んでいるのだろう。花嫁の素性は、限られた者しか知らされていない。

「下世話な話を気になさることはありません」

怒りをあらわにする呉笑星に、李麗はかえって恐縮したふうに顔を振った。

「よいのです。気にしておりませんから」

細い手が赤い裙(スカート)をきゅっと握る。

「安禄山の挙兵の報せがあったとき、わたくしは死を覚悟しました。でも夫の安慶宗が身を挺して逃がしてくださった。今とて、唐朝のひめなど厄介でしかないものをこれだけの護衛をつけてくださって」

李麗は美しく整えられた爪を見つめる。

「わたくしは唐朝には戻れません。ここがわたくしの居どころです」

唐朝では、李麗は安慶宗と一緒に処刑されたことになっているという。唐の皇籍から除かれ、最初から李麗というひめなど存在していなかったかのように手続きがなされたとも聞いた。

実の孫であり娘を、唐の皇帝や皇太子は自分の名誉のために殺そうとした。幼いこのひめは、家族から向けられた刃をくぐり抜けて今ここにいる。

「わたしなどより、ずっとずっとご立派だわ」

思わず感嘆の声が口をついて出た。

そんな呉笑星を見て、「まあ」と李麗が口許をほころばせる。年相応の笑顔だった。

呉笑星は居ずまいをただし、あらためて寿(ことほ)ぎの言葉を告げる。

「麗さま、本日はまことにおめでとうございます」

「ありがとう。心から礼を言います」

そう告げた唇も瞳も小さく品が良い。藍黒色の黒い髪と雪を思わせる白い肌を見つめるうち、やはりこのひめは燕に似ていると思った。

「麗さまは愛らしい燕のようですね」

「まあ、それではこの国と同じですね」

――新しい国の号は「燕(えん)」。

詔(みことのり)により、安慶緒は晋王(しんおう)に封じられた。それに伴って李麗は晋王妃となる。安家に嫁いだ娘が新しい国号の鳥に似ているのは、縁起が良いことと思えた。

急に部屋の外が騒がしくなる。迎えが来たらしい。

「では参りましょう」

呉笑星は魔除けの赤布を李麗の顔に被せる。

護衛も兼ねて、花嫁の介添えを仰せつかっている。晴れやかな心持ちで、花嫁の手を引く。廊で控えていた警固兵が戸を開けた。

戸口を出ると、ちょうど階(きざはし)から廊に上がってくる一行がある。その中心にいる男が目に入った途端、呉笑星は全身を雷に打たれたかのようになった。

ごっそりと肉が削げたような右頰の傷、その頰を痙攣させる癖。

容赦なく福の母を殺した男、福の腹を斬った男。

花嫁の前であることも、相手がどんな立場にあるのかといったことも、全部頭から吹き飛んだ。

——この男。

考えるよりも先に身体が動いていた。急に突進してきた女に、将校たちが武器を構える。

「何者だっ」

捕らえようとする将校の手を躱す。二人、三人の腕をすり抜け、呉笑星の手が頰傷男の胸倉に伸びる。指が届かんとしたとき、目の前で白銀が閃いた。

呉笑星はすばやく後ろに飛び退る。胸から腹へと、太刀筋が紙一枚というところで通りすぎる。後ろへ倒れ込み、数人に抑え込まれた。

「福に謝れ！」

呉笑星は暴れながら、頰傷男に叫ぶ。

男は呉笑星のほうを見ようともしない。右頰を引きつらせて問うた。

「お前はだれだ？」

とぼけているのではない。呉笑星を覚えていないのだ。

「孟津で福の母を殺しただろう」

怪訝そうにしていたが、「ああ」と思い出したふうに眉を上げる。

「目のまわりの痣……あのときの力者か。それがなぜここにおる」

李麗の警固兵が、恐縮した様子で答えた。

「晋王妃の護衛でして……」

頰傷男は、大仰に眉を寄せる。

「力者、はて力者に護衛などできるのか」

侮りをたっぷりと含ませて、男は配下の将校たちに「のう？」と同意を求める。

「角抵は子どもの遊びだ。小遣いをもらって帰れ」

「人殺しに言われたくない」

呉笑星は吐くように叫んだ。

「殺さねばおのれが殺される。それを知らずに生きてこられたとは幸せなことだ」

男の右頬が再び引きつる。凄みのある声が呉笑星に向いた。

「貴様、生きることを舐めているのか」

男の手が刀の柄を握り直す。

殺される。

だが本能が告げている。口を噤むな。全力で抗え——。

「そんな考え方しかできないとは憐れだ。あなたも戦で人が変わった口か」

孟津で世話になった野ねずみ夫人の顔が呉笑星の胸をよぎる。

「戦は人を変えて居どころを奪う。でも角抵は人の居どころを作る。人殺しが偉そうに言うな」

男は口辺を歪め、一歩踏み出す。つま先の角度、腰の溜め、腕の伸び具合。瞬時に次の動きが頭に入ってくる。

——読めた。

呉笑星は立ちあがりながら刀の切っ先を蹴る。刀が弾け飛ぶ。将校らの腕を払い、男の胸倉をつかむ。懐に入り、投げ飛ばす——。

だが、頭に描いていたとおりにならない。

呉笑星は背から床に打ち付けられていた。

頭が真っ白になる。背の痛みも感じない。力者の自分がこの鼻持ちならない男に投げられた。その事実が一瞬理解できなかった。

動きが読めるのが呉笑星の強みだ。それが完全に封じられ、逆に先手を打たれた。

「珍しいな。利き手は右で、利き目は左か。話には聞いたことがあるが、初めて見たわ」

取り巻きの将校らが、呉笑星を後ろ手にして手錠をかける。

手錠は錆びているのか、触れただけで痒みが生じた。

「内地で人がましくいられるのも、だれかが辺境で戦っていてくれたおかげだということが分からぬとはな」

刀を拾う男の手が視界の端に見える。

「戦は絶えぬ。自分の代わりに殺してくれた者がいるから安穏と暮らせる。お前は手を汚さずに、人を殺していたようなものぞ」

男がゆっくりと近づいてくる。頭上で刀の切っ先が光る。

今度こそ殺される。呉笑星が目をつむったときだった。

「閣下」

将校のひとりが声をあげた。

呉笑星が目を開くと、将校たちが揃って廊の先を見ている。戸口の前で、赤布を取った李麗が顔を蒼白にしていた。

頬傷男は剽(ひょう)げた様子で笑う。

「これはわしとしたことが。花嫁に血を見せるのは忍びない」

男が刀を収めると、将校たちは李麗を階下へ案内する。

「待て！　逃げる気か」

呉笑星は身体を起こす。

間接にでも人を殺しているなどと言われて黙ってはいられない。男の背に向けて叫んでいた。

「戦は朝義が、史家の若さまが終わらせてくれるもの」

男の足が止まる。将校たちが肩越しに苦々しげな顔を寄こす。

一瞬の沈黙があり、将校のひとりが「将軍」と頬傷男を促した。

「陛下がお待ちです」

その声を合図にしたかのように、一行はふたたび歩みだす。頬傷男はわざと大音声で配下の兵に命じた。

「その女、腕が腫れておるようだ。手錠を外してやれ」

情けをかけられたのだと分かり、呉笑星は憤慨する。

「待てと言っているでしょう」

立ちあがったところで、呉笑星は後頭部に拳を食らった。

「この莫迦め。相手は史将軍ぞ。命が惜しくないのか」

部屋の前に控えていた李麗の警固兵が顔を真っ赤にしてまくし立てる。

「史将軍って――あの史家の？」

史思明。安禄山と並ぶ双璧。父子軍の英雄。

「そうだ、安史の二聖のおひとりだ。慶事の前で命拾いしたな」

呉笑星は人の姿がなくなった廊の先を振りかえる。

福の母を殺した男、福の腹を斬った男。

その男が史家の頭領だという。

呉笑星は警固兵の腕にしがみついた。

「つまり朝義の父親ってこと？」


安慶緒と李麗の婚儀は滞りなく進められた。

あれだけの騒ぎを起こしたというのに、呉笑星が花嫁の介添えから外されることはなかった。

だれも呉笑星を咎めない。それどころか呉笑星が婚礼の場に遅れて入ったことさえ、史思明は気づいていない様子だった。

あの男の目には呉笑星の姿は映っていない。実際、呉笑星は数多（あまた）いる兵や使用人の内のひとりに過ぎなかった。史家の頭領にとって力者は取るに足らない存在なのだと思い知らされる。

めでたい場なのに、呉笑星は内心、腸（はらわた）が煮えくり返る思いでいた。

自分の存在が見向きもされないからではない。

史思明は刀を手放した上で、あえて角抵の技で呉笑星を投げた。力者の自分が角抵の技でまったく歯が立たなかった。

その上あの男は、殺さずを旨としている力者に対して、「お前は手を汚さずに、人を殺していたようなもの」などと非難した。

――それじゃ、直接人を殺すより質（たち）が悪いじゃないの。

なぜこれほど苛立つのか、理由は自分でも分かっている。

史思明の言葉に思いあたる節がある。自分の性根を暴かれたような居心地の悪さ。これまで信じてきたものを揺さぶられたようになって、胸に不安が生じたのだ。

よりによってあの男が朝義の父親だなんて――。

呉笑星は頭を抱える。

史朝義は、自分のことをあまり話さない。思えば、彼から家族の話を聞いた記憶がなかった。

――初めて会ったときのことを覚えているかい。

史朝義が唐突に訊いてきたことを思い出す。

あの問いには、特別な意味があったのではないか。

いつからどのように自分は史朝義と交友するようになったのか。思い出そうとしても何も頭に浮かばない。兄者衆に訊けば分かるかもしれないが、戦に出てしまっている。

――あなたの息子になりたいと朱鳥王に無理を言ったことがあったんだ。

洛陽城外の湖で、史朝義はそう明かしてくれた。

つまり、実父の史思明に不満を抱いていたに他ならない。

呉笑星はおのれの頬を叩く。冷静になれ。

――あれは朝義の父親であって、朝義ではないもの。

史朝義は戦が起こるや、呉笑星や朱鳥団を案じて駆けつけてくれた。あんな男とは似ても似つかない。

「上の空で警固が務まるのか」

投げかけられた言葉に、呉笑星は我に返る。

宮城内にある宮殿前――。

日が暮れて、あたりは闇に包まれていた。口から漏れる吐息は白く、手が強張るほど冷え込んでいる。そんな寒さも忘れるほど考えにふけっていた。

闇の中から現れた人の姿が、松明の明かりで照らし出される。

安慶緒だ。背後には数人の将校を従えていた。

「申し訳ございません」

慌てて呉笑星は椅子から立ちあがる。

安慶緒も李麗も今夜は屋敷には戻らずに、宮城内で過ごす。寝所として整えられた宮殿の前で、呉笑星は李麗の警固に当たっていた。

このていたらくで刺客に襲われたらひとたまりもない。ほかにも護衛はいるとはいえ、呉笑星は心から詫びた。

「旦那さま?」

戸が開き、小さなひめが顔を出した。

「どうぞお入りになって」

「ここでいい」

安慶緒は呉笑星が座っていた椅子にどっかと座る。すぐにこの場を去るつもりなのかと思いきや、麾下の兵らに命じて宮殿の前で火を熾させる。

「おれは明日、潼関へ向かう。せめて今夜はここで守る」

「でしたら中へお入りになっては……」

呉笑星が宮殿へ入るよう勧めても、安慶緒は頑なに動かない。

「兄上が亡くなって二月も経っておらぬ」

李麗の前夫である兄安慶宗に遠慮しているらしい。

もしくは、閨をともにするにはまだ幼いと思っているのかもしれない。

「ですが大切なお身体ですのに、お風邪を召されます」

案じる妻に、安慶緒は短く言い放つ。

「戦場ではいつものことだ」

だからといってわざわざ極寒の屋外で警固することもないだろう。

そっけない安慶緒に、李麗はわきまえたふうに胸の前で手を重ねた。

「分かりました。旦那さまに感謝申し上げます」

その優雅な笑み、聞き分けの良さに呉笑星は胸が痛んだ。気丈にふるまってもまだ十二歳。夫婦になったのだから、茶くらい一緒に飲んでやればいいのにと思うが、この無骨な男にはそんな芸当は期待できそうになかった。

戸が閉まると、安慶緒は呉笑星を見上げる。

「朝義も明朝、洛陽を発つ。部屋を用意してある」

ご案内します、と麾下の兵が呉笑星のそばに控えた。

その部屋へ向かえということらしい。

「朝義は昼間どこにいたのですか」

呉笑星が問うと、安慶緒の目が泳ぐ。

「本人に訊け」

顔に浮かんだ動揺が隠しきれていない。史朝義に何かあったのだ。だがこの男から聞きだすのは難しそうだった。

「ご厚意に感謝します」

呉笑星は兵の案内に従って宮殿から離れた。

「史家の若さまは昼間姿が見えなかったようだけど」

松明で足元を照らして先導する兵に、呉笑星は尋ねた。返ってくる答えは淡々としている。

「私には分かりかねます」

「では史家の皆さまは今どちらに？」

「それは――」

史家は東にある東宮（とうぐう）の宮殿で宴を続けているという。

「寄ってもいい？」

兵は一瞬顔に迷いを見せる。

「女人には不向きかもしれませんが」

「構わないわ」と告げると、兵はうなずいた。

東宮の宮殿は遠かった。皇太子のために作られた区域なのだと兵が教えてくれる。門をいくつか通って、やっと目的の地にたどり着く。

もう夜も遅いというのに、男たちの喧騒が塀の外まで聴こえていた。

「唐の皇族どもは血筋を重んじる」

史思明の声だった。

呉笑星は茂みに身を隠し、宮殿の様子を窺う。

建物の戸を開け放ち、史家に仕える将兵たちが酒盛りをしている。酔って池に落ちる者までいる。

男たちの中心に頬傷男――史思明はいた。

「われわれも血を大切にするが、その意味するところが違う。わしとお前たちとに等しく流れるの

りと思え」


は、戦う者の血だ」

史思明は機嫌よく、麾下の兵に語っている。

「戦わぬ者に居どころ無し。唐の書生どもはわれわれを羊使いの野蛮人と罵るが、この血こそを誇りと思え」

宮殿の屋根や柱が揺れて見えるほど、兵が沸きたつ。

史思明の背後で童子がうつらうつらしている姿が見えた。化粧をしているから、童の踊り手なのだろう。

将校のひとりが童子を咎めた。母親らしき女がひれ伏して詫びる。

場の昂りに水を差されたとでも思ったのか、史思明は苦々しげに口許をゆがめた。

いけない、と思った瞬間、史思明の刀が女の首を斬った。血がしぶき、童子が声をあげてわめきだす。

童子の泣き声が耳に障るとばかりに、史思明は大げさに耳を塞いでいる。

だが泣き声はすぐにやんだ。

童子の小さな身体が刀に貫かれている。

「えっ」

その刀を繰った男の姿に、呉笑星は目を疑った。

男は微笑を浮かべ、史思明へ拱手の礼を向ける。

肩に流した長髪に青の大襦。その男は自分がよく知った幼馴染の姿をしている。

──朝義。

史思明はよくやったとでも称えるふうに息子の背を叩く。

見たくない、逃げだしたい。しかし足が動かない。

――居どころを奪われた者たちに巣を。

そう、史朝義は呉笑星に語った。

戦になっても、極力人を殺さぬ道を選ぶ。そんな男が幼馴染であることが誇りだった。一緒に生きるならこの人がいいと思った。

その史朝義が何のためらいもなく泣きわめく童子を刺し殺した。まるでわずらわしい虫を潰すかのように。

父子軍は家族を重んじる。父に命じられれば幼子も斬る。良く知っているはずの幼馴染が、遥か遠くにいるように感じた。

「朝義さまに声を掛けてからお部屋に向かいますか」

そばで控えていた兵の声に、呉笑星は小刻みに首を横に振る。

それからどうやって部屋まで歩いたのか、覚えていない。

呉笑星は火鉢で温められた部屋でひとり椅子に座っていた。

遠くで新年の爆竹の音がしている。耳に膜が掛かったようにぼんやりと聴こえた。

「笑星?」

顔を覗き込んでいるのは史朝義だった。立ちあがったはずみで、椅子が大きな音を立てて転がった。

史朝義が部屋に入った気配に全く気づかなかった。史家の酒盛りは終わったのだろうか。もしくは宴から離席したのかもしれない。

鼓動が速まり、指先まで痛い。そんな呉笑星の様子を気にしたふうもなく、史朝義は倒れた椅子を戻した。

「明朝発つつもりでいたのだけれど、急に今夜出立することになって。ゆっくりできなくて申し訳ない」

史朝義の頬に痣がある。きっとあの宴席の喧騒でぶつけたのだろう。

男はくつろいだ仕草で寝台のへりに腰かけた。首元の結び目を緩め、青の大襦を脱ぐ。

呉笑星は立ったまま、史朝義と対峙した。

「朝義は史家から、大切な家族から離れられないわよね」

われながら唐突な問いだった。だがなにを措いても今知りたい。

寝台の男は灰色の目をしばたかせていたが、少し考えるふうにうつむく。

顔を上げて、はっきりと答えた。

「離れられない。家族だからね」

「さっき東宮で史家の酒盛りを見ていたの」

あんな残虐な、と言おうとして呉笑星は口を閉ざした。言わずともおのれが何をしたのか覚えているだろう。

史朝義の顔が、はっきりと分かるほど青ざめる。

「父に、会ったのか」

声が震えている。動揺で呼吸が上がっているようだった。これほど狼狽する史朝義を見たことがない。

「会ったわ。孟津で初めて会って、今日あの頬傷男が史家の頭領だと知ったの」

「孟津？」

史朝義は眉根を寄せている。どうやら父が孟津に立ち寄っていたことは知らなかったらしい。

「あの人は、孟津で福の母を殺した」

史朝義の右腕が細かく震えている。それを隠すように、もう片方の腕で押さえ込む。

呉笑星はそんな史朝義を見おろしたまま続けた。

「わたしたちは相いれない。朝義は知っているでしょう。力者は人を殺さない」

この男は、なんと答えるのか。

言葉を待つ間がやたら長く感じる。口中が痛みを感じるほど乾いていた。

史朝義は瞬きを繰りかえし、目を逸らした。

「むろん私は軍に身を置いているから人を殺すこともあるよ」

胸が落胆で染まる。こんな居直った言い訳をこの人の口から聞きたくなかった。

呉笑星が後ずさると、史朝義が慌てて腕を摑んでくる。

「ちゃんと話そう。私の事情を――」

呉笑星は男の手を振りほどく。

「笑いながら子どもを殺す事情？」

母親は非礼を詫びただけ。童子も夜が更ければ眠くなるのは当たり前で、殺されるようなことは何もしていない。

「そんなもの聞きたくない」

呉笑星は、寝台に脱ぎ捨てられた大襦を史朝義に投げつける。

「笑星、待って」

言葉を続けようとする男を、部屋から追い出した。

鍵を閉めて膝からへたり込む。耳を塞いで、呉笑星を呼ぶ声をやりすごす。遠くから再び爆竹の音が聴こえる。その弾ける高音が史朝義の声をかき消してくれた。正月や慶事に竹を焼き、節を破裂させて邪気を祓うのだ。

新しい国の開闢だった。

佳宵(かしょう)の翼

一

「頼むよ笑星。秘訣を教えてくれ」

福のこめかみに血が滲んでいる。呉笑星と取っ組み合ううちに、かすり傷ができたらしい。

洛陽城の天津橋(てんしんきょう)前——。

北をあおげば、高々と皇城(こうじょう)の城壁がそびえ、その上には蒼茫(そうぼう)たる天がひろがっている。

南を見やれば、洛水(らくすい)に掛かる朱塗りの天津橋のうえを荷車や人馬が行きかい、馬蹄から土が跳ねあがる勢いを見せている。

天津橋の欄干はところどころ折れたままになっていて、損傷はまだ生々しい。戦の傷跡の残る街の隅々から、若草が萌えて悩ましいほどの芳香を放っていた。

大気がうなり、荒々しい夏の風となって旗をはためかせている。

赤や橙の糸で縫いこまれ、金の糸で縁取られた朱い鳥——。

唐土に名をとどろかせた朱鳥団の旗である。

安家の口利きにより、呉笑星は洛陽でもっとも人通りの多いこの地で角抵の興行をゆるされた。

力者団の名は《朱鳥団》。

だが力者は呉笑星と福のふたりしかいない。足をとめて観戦する者もおらず、単に稽古の場と化していた。

「力者ってのはさ、ただ立っているだけなのに何かがおいらと違う。どうしたらそんな風になれる?」

汗と血にまみれた顔で、福が食い下がる。

呉笑星は答えに窮した。

福がいうには、朱鳥王をはじめ立ち合いに出ていた力者たちは佇まいが違う。孟津で史思明を前に立ち合いを演じたときも、呉笑星に同じものを感じたという。

「経験、じゃないかな」

佇まいといっても、呉笑星には福がなにを指しているのか分からない。だが福が違いを感じたのだとしたら、それは失敗や敗北を重ねて身に着いたものではないだろうか。

福が口をとがらせた。

「何でも教えてくれるって言っただろ」

「べつに出し惜しみしているわけじゃないけど」

あらためて訊かれると思いつかないものだ。

福が目に入った汗を拭っている。そのしぐさを見て、頭にひらめきが降りた。

「ひとつ分かったかもしれない」

呉笑星は、福に両手で鶏卵の大きさの円を作らせる。その円を福の目の高さまで上げ、自分は福の前に離れて立った。

「今、わたしの顔が円の真ん中に見えるでしょう? 左右それぞれ片方の目で見てごらん」

福が左目を閉じる。次に右目を閉じたとたん、ひゃっと声を漏らした。

「右目を閉じたら、笑星の顔が手の丸から外れてしまった」

なるほど、と呉笑星は指を鳴らす。

「福は右が利き目なのね」

「利き目？」

そう、と呉笑星は福に近づく。

「利き手っていうでしょう？　目にもよく使うほうがあるのよ」

「へえ」と福が驚嘆の声をあげた。

力者であれば当然のように身についている目の使い方が、この子はまだ分からないのだ。

「力者は自分の利き目を意識して動く。それから、相手がどこまで見えているのかも考えて戦うの」

「具体的にはどうするんだ」

呉笑星は福の真横に立って前を向く。

「例えば、こうしていると福は自分が見られているって思わないでしょう。でもわたしは福を見てる。視界全体に意識を置いているから」

「そんなことを考えて角抵を取っているのか」

「考えるんじゃないの。意識せずにやれるようにならないと」

実際の立ち合いになると考えて動く余裕などない。

ならさ、と福が顔を曇らせた。

「笑星は年末からしばらく右目の腫れが引かなかっただろ。見え方がいつもと違ってたんじゃないのか」

「自分の手のうちを晒すようだけどね、わたしは利き目が左なのよ」

利き手は右で、利き目は左だ。父に言わせると目と手で違うのは珍しいらしい。正月の騒動の際、史思明も驚いていた。おかげで突きを繰り出すときは、右手の拳の流れと左目が一直線に合うように身体をそらさなくてはならない。

ふだんの動作ではほとんど支障はないが、瞬時の判断が勝敗を分けるようなときは、どうしても不利になる。

「きっと、そういう細かな意識だったり、技の積み重ねだったりで違いが出るんだと思う」

目の使い方など、当たり前すぎて気づかなかった。福が訊いてくれるおかげで自分の気づきにもなる。

福が「もうひとつ」と人差し指を向けてきた。

「朱鳥王がさ、悪役に徹することとってあっただろ。背から立ちのぼるようなあの独特の空気はどうやったら身に着く？」

食い入るように呉笑星を見ている。

「それはわたしもまだ分からない」

呉笑星は固く唇を結ぶ。

「孟津で福と立ち合いを演じたとき、わたしが敵役にまわったでしょ。あんなふうに観客を煽ることはわたしにもできる。でも本当の悪役ってのはあんなんじゃない。お父ちゃんが悪役に徹したときって何か違うのよ」

とても憎らしい。それでいて哀しい。

「どうしたらそんな悪役ができるのかって訊いたことがあるの。お父ちゃんが言うにはね、自分の中にある感情を引きだすんだって。過去に経験した怒りとかやるせなさとか。そういう負の感情」

きっと父は娘の見えないところで苦労をしてきたのだ。

「わたしだってまだ子どもなのよ。とてもあんなふうには出来ない」

下積みは長いが、まだ一人前とは言えない。

正月の宮城で史思明に投げられた感覚が、身体に蘇る。呉笑星の動きは、あの男に読まれていた。

呉笑星はぼそりとつぶやく。

「わたしの演技(ふり)も未熟なのよ」

福が腕を組み、考えるふうに唸る。

「角抵ってさ、ただの演技じゃないだろ。かといって殺し合いでもない。その兼ね合いが難しいって思うんだ」

お父ちゃんの受け売りだけど、と呉笑星は断りをいれて福に語る。

「角抵の技に目つぶしってあるでしょう?」

拳を突き出し、指を払ってすばやく福の瞼を撫でる。

「おわっ」

福が瞬きをして、二、三歩後ずさった。

「ね?」と呉笑星は両手を広げて見せた。

「実際に相手の眼球を突かなくても、瞼をちょっと撫でるだけで、相手の隙は作れる。本当に眼球を潰しちゃったら、その人は一生目が見えなくなっちゃうもの。相手を傷つけなくても戦える。それが角抵なのよ」

光が射したように、福の顔が明るくなる。

「それ、すごく分かりやすいな」

相手を殺したり傷つけたりするのが目的じゃない。闘志のぶつかりあいだと父は教えてくれた。

「さて、今日はもうお屋敷に帰ろうか」

厨を仕切っている細月から、明日の宴席の仕込みを頼まれている。

「おいら、裏庭の掃除を頼まれているんだった」

福が思い出したように言って、朱鳥の旗を畳みはじめる。

呉笑星と福は今も安慶緒の屋敷に滞在している。

正月に史朝義と別れて以来、翌月になっても春が過ぎても、青の大襦が呉笑星の前に現れることはなかった。

あれほど強く拒否した手前、史朝義のつてで世話になった安家で暮らすのは筋が違う。頭ではそう思っていても、呉笑星はまだ角抵で稼ぐことはできず、屋敷に預けている小さな子たちを養うこともできない。

戦場に出ている安慶緒と言葉を交わす機会もなく、結局これまでどおり屋敷で過ごしていた。

――人がましくいられるのはだれかに守られているからだ。

くやしいが、史思明の言葉どおりだ。

兄者衆の捜索も思いどおりに進んでいない。洛陽の目立つ場所で角抵をしていれば、兄者衆のだれかと会える。そんな期待があったが、行きあう気配もなかった。

捕虜の中に兄者衆を探すと、かつて史朝義は言ってくれた。あの約束は今も生きているのだろうか。兄者衆の消息が分からぬまま、すでに半年が経とうとしている。

史朝義が任されている河北の戦は、苛烈を極めていると聞く。あの男になにかあったのか。不安が胸をよぎるが、安家の者に史朝義の安否を尋ねるのはためらわれた。

――せめて話くらいは聞いてあげればよかった。

呉笑星は正月に話を聞かずに追い出したことを後悔していた。

「押し引きになると、おいらは弱いんだよな。体重なら笑星とたいして変わらないのにさ、びくともしないのはやっぱり重心のせい？」

往来を進む間、福はずっと話し続けている。今は角抵に打ち込む福の存在がありがたかった。

屋敷のある区域に差し掛かったところで、呉笑星は背後から腕を掴まれた。

振り返ると、懐かしい顔がある。

「岩さん！」

「こりゃ驚いた。似てると思ったが、本当に笑星じゃねえか」

右肩の下がった姿勢に、前歯の欠けた口。初老の男が目を丸くしていた。

洛陽で角抵をするときに世話してくれる興行者で、みずから判者もやる角抵狂いだ。前歯が一本ないのは、力者を傷つけようとした観客を止めて頭突きをくらったからで、仲間内では岩の名で通っている。

その節ばった手に、呉笑星は飛びついた。

「生きていたんですね」

洛陽に落ち着いてから少しずつ旧知の住まいを当たっていったが、だれにも会えずにいた。やっとひとり見つけることができた。

「そう易々とくたばるもんかよ」

破顔すると、欠けた歯がむき出しになる。

「こんなことになっちまってなあ。みんな、呉笑星の立ち合いを楽しみにしてたのによ」

そう言ってもらえるのは、嬉しくもあり切なくもあった。

「生きていれば、角抵はできる。頑丈なことだけがわたしの取り柄だもの」

呉笑星の言葉に、岩の瞳が強い光を帯びた。

「あんたに見せたいものがあってな。すこし顔を貸してくれるか」

二

「安家のお屋敷ねえ」

岩と呉笑星は並んで通りを進んでいく。

天津橋前で角抵をしていた頃は真上にあった太陽が、西に傾き始めていた。

気を遣ったのか、福は「積もる話もあるだろう」などと言って先に屋敷へ戻っている。

それほど岩の口ぶりは思わせぶりだった。見せたいもの、というのは北市（ほくし）にあるらしい。

「でも、世話になるのは今だけよ。角抵で稼げるようになったら出ていくつもり」

「角抵で稼げるように……か」

岩はへへっと薄い笑みを浮かべる。

「笑わないで。これでも色々あったんだから」

「あの笑星が立派になったと思ってな。子どものころから面倒みてきたんだからよ」

ふと、岩の家族はどうしているのかと疑問がわく。妻と力者の息子がふたり、それから呉笑星と同じ年ごろの娘がいたはずだ。

この情勢で、家族の安否を問うのは憚られる。すると岩のほうから切り出した。

「息子どもは戦から帰ってこなくてな。洛陽中の力者が兵に取られたからな」

朱鳥団の兄者衆と同じように、国が募った義勇軍に応じたのだという。

「街に残ったご家族は？　皆さんどうされてますか」

岩は顔が広いから、他の力者の家族とも繋がりがあるはずだ。

「みんな似たようなもんさ」

右下がりの肩を、岩は軽くすくめた。

「でもよ。笑星が女でよかった。あんたまで戦に取られたら、朱鳥王の角抵の技が絶えちまうからな」

それでも、呉笑星が父の技をすべて習得しているわけではない。藁にもすがる思いで、岩に頼んだ。

「朱鳥団の兄者衆を探しているの。もし手がかりがあったら教えてくれる？」

「そりゃもちろんだ――」

岩が頼もしげに巻き舌で答える。高い塀で覆われた建物の前で足を止めた。

塀の向こうには三階建ての建物がそびえている。

「岩さん、ここは？」

「来な」

岩は短く言って敷地へ入っていく。呉笑星も後に続いた。建物の戸を開けて驚いた。中は広々とした劇場だった。

岩の案内で中央の舞台へ進んでいく。丸い舞台を囲むように、一階から三階まで幾段もの客席が並んでいる。

「ここはな、歌や踊りで客を楽しませるところだ。ここの座長に頼み込んで角抵をやらせてもらうことになった」

岩が舞台のへりによじ登る。

「ここで？」

呉笑星は一階席から三階席までをぐるりと見まわした。

「悪くないわね」

角抵の立ち合いは往来や広場が多い。

劇場というのは珍しいが、どの席からも見やすい。屋外の場合、立ち合いの場と観衆のあいだを区切らないので、互いの息遣いが近いのが良いところだが、客に怪我を負わせるなど事故が多くなる。この劇場のように客席と距離をとれば、客の乱入もある程度は防げる。雨の日でも角抵を楽しめるのも利点だろう。

「あんた、やってみねえか」

舞台に腰かけた男が、片眉を上げて言った。

「ここで朱鳥王仕込みの角抵をよ」

呉笑星は即答した。

「やる」

むしろ前のめりになって答えていた。迷う余地などない。

岩が大きく手を打った。

「話は決まりだ。あんたのお披露目ができなかったのがずっと心残りでな。おれはあんたのためにとっておきの大襦を作って待ってたってのによ」

胸の底から熱いものがこみ上げてくる。

戦時下で対戦相手を探すのも苦労するだろう。観客も簡単に集まるとは思えない。それでも胸に希望の光が射したようだった。

「となりゃ、動くのは早い方がいい。座長に話をつけよう」

岩はすぐさま劇場から呉笑星を連れだす。

劇場を所有している一座は、かつて岩の世話で朱鳥団が寝泊まりしていた長屋を住まいにしているという。

さっそく長屋の敷地へ向かうと、若い男女が木陰に卓を出して碁を打っていた。姉弟らしく顔が似ている。ともに二十代に見えるが、男が兵役に出ていないのは足が不自由ゆえか。立ちあがり一歩こちらに近づいた際、右足を引きずるようにしていた。

女は呉笑星に劣らず体格がいい。この女が座長だという。

「ここで待っててくれ」

岩は呉笑星を置いて、女と長屋へ入っていく。

「一座の方ですか」

呉笑星は男に話しかける。が、男は椅子に戻り、対話を拒否するように碁盤を睨んだ。

手持無沙汰になって呉笑星は長屋を外から眺める。どうやら姉弟のほかに人はいないらしく静まりかえっている。

すぐに岩と女が戸口から出てきた。

「笑星、話はまとまった。ここに名を書いてくれ」

折りたたまれた紙きれを差しだす。

「なんて書いてあるの」

文字の読めない呉笑星のために、岩が一言一句説明してくれる。

「一座の力者になること。報酬は座長と話し合いの上であらかじめ決めておくこと」

食べ物の名前や簡単な字なら分かるが、複雑な言葉となると呉笑星はほとんど読めない。岩に読んでもらい、すべてを確かめたうえで呉笑星は記名した。

「詳しいことはこの人に聞いてくれ。おれは判者やほかの仲間に声を掛けてくる。またここで落ち合おう」

岩は女と目配せすると、少しの間も惜しむように庭を出ていった。

女が、先ほどまで座っていた椅子を顎で指す。

「そこへ座んな。身体を確かめる」

力者として身体が作れているかということだろうか。それならば自信がある。

呉笑星が椅子に腰かけた途端、背後から両手を摑まれた。なにごとかと振り返る間もなく、背でがちゃりと金属の音がする。後ろ手に拘束されたのだと理解したときには、女が呉笑星の足首を押さえていた。頭が混乱して動きが遅れる。声をあげる間もなく、鎖のついた錠で両足首を繋がれていた。

――油断した。

「何のつもりだ」

女はひらひらと呉笑星の前に紙を見せる。

「この紙はね、主のために誠心誠意身を粉にして働くって誓約が書かれている。あんたはそこに名を書いたんだよ」

「岩さんを騙したのか」

女は抑揚のない声で、面倒そうに言った。

「岩は身よりのないやつを見つけてくる役目だ。仲間だよ」

呉笑星は頭を石で殴られたようになった。

そんなはずはない。

岩に世話してもらった立ち合いの光景が、つぎつぎと頭に浮かぶ。力者想いで、自分の報酬を削ってまで後進を育てようとしていた。息子を力者に育てたほど角抵を愛していた。

その岩が呉笑星を売ったという。

「あんたはね。北市の南を流れる漕渠(そうきょ)（運河）に送られる。一生、舟の中で荷を運ぶんだ」

漕渠には全国から一万艘の舟が集まる。そこの人足になれということらしい。

呆然としていると、強い力が呉笑星の髻を摑んだ。男が呉笑星を椅子から引きずり下ろす。左右の手錠を繋ぐ鎖がじゃらりと音を立てた。

――こいつ。動けるのか。

足が使えぬとおもって油断していた。

「騒いでも無駄だよ。戦でだれも他所(よそ)まで気が回らないからね」

男が火を焚き始める。

「なにをするつもりだ」

だが姉弟は呉笑星など目に入っていないかのように碁を打ち始めた。

地面に転がったまま、呉笑星は悪態を吐き続ける。金属が直接肌に触れて、手首が痒くなってきた。

「なんだこいつ病気じゃねえか」

男がようやくこちらに目を向けた。足首は襪（足袋）が覆っているから影響ないが、手首は腫れてきている。

「身体が動けばいいいさ」

碁石を置いた女がそっけなく言う。

「わたしは安家で世話になっている者だ。いなくなれば騒ぎになるぞ」

脅したが、姉弟は動じた様子もない。女が短く息を吐いた。

「うるさいねえ」

碁を打っていたふたりが同時に立ちあがる。

男は庭の端にあった麻袋を手に取った。

「何番？」

「五の四、いや五の五ね」

女が答えると、男は五、五と繰り返し唱えながら、麻袋から鉄の棒を取りだす。それは鏝だった。

棒の先に数字が象られている。それを火で熱し始めた姿を見て、呉笑星は絶句した。

「何をするつもり……」

女は呉笑星を転がしてうつ伏せにする。上から押さえ込んで、甲が上になるように右手を固定した。

「あんたはこれから五の船で五番と呼ばれる。元の名は忘れるんだね」

淡々とした女の声が頭へ降ってくる。押さえ込む力がいっそう強くなった。

「やめろっ」

肉の焼ける臭い。下唇を噛みしめて耐えた。一回、二回と手の甲に焼き鏝が押しつけられる。顎が濡れているのは、唇が切れたせいだろう。

「やっと静かになった――」

女が呉笑星の身体を離した時だった。

――今だ。

呉笑星は飛び跳ねて起き上がる。膝の屈伸の勢いを活かして、女の後頭部に頭突きを食らわす。腰を曲げて反動をつけ、後ろ手に繋がれた手錠の鎖を女の首にかけた。

焼かれた右手の感覚がない。それでもちゃんと動いている。心のうちで安堵した。

「動くな。こいつが死んでもいいのか」

呉笑星は男に向けて叫ぶ。

女は呉笑星の背で苦しそうにもがいていた。殺すつもりはない。死なない程度に首を圧迫している。呉笑星は拘束具のついたままの足で踏ん張った。

「すこしでもおかしな動きをしたら、くびり殺す」

悪党でも姉の命は惜しいらしい。男は焼き鏝を地に置いて手を挙げる。

「まず、岩の居どころを教えなさい」

男は顔を縦に震わせ、北市の一角を伝えた。

その目に涙が浮かんでいる。偽りを言っている様子には見えない。

「姉貴をはやく離してくれ。死んでしまう」

「ならばわたしの足の鎖を外せ。変なことは考えるなよ。こんな首、一瞬で絞め殺せるんだからな」

男は姉の危機に動転しているらしく、つまずきながら呉笑星のもとへ駆けてくる。両足首を拘束している金具に鍵を挿した。

「次はそこの卓に手錠の鍵を置いてこの庭から去れ」

「頼む、姉貴だけは――」

哀願する男に、呉笑星は突きつけるように言った。

「十を数えるうちにやるんだ」

呉笑星が一、二、と数え始めると、男は卓に鍵を置いて走り去る。

男の姿が見えなくなってから、呉笑星は女を離した。

せき込む女の足を蹴り飛ばし、卓の鍵に飛びつく。手錠の鎖が長いおかげで、後ろ手でもひとりで外せそうだった。だが利き手を焼かれたのがつらい。肘まで痺れて鍵を持つ手が震えている。それでも何とか手錠を解き、すぐさま逃げ出した。往来をひたすら駆ける。身体が熱を持ったようにあつい。

全身から汗が噴き出していて、顔を濡らしているのが汗なのか涙なのか分からなかった。

呉笑星の胸を荒らしているのは、怒りではない。激しい戸惑いだ。

おれもあの姉弟に騙されたんだ――。

前歯の欠けた口からそう言ってほしかった。

岩の姿を求めて、呉笑星は北市を走る。

北市は洛陽で最も賑やかな市場だ。今はかつての面影もなく、往来が寂しい。人通りのない道を呉笑星はひたすら駆けた。

教えられた家屋に着くと、崩れた塀から庭へ忍び込んだ。

偽りを教えられたのかと警戒したが、家屋から知った声が聴こえてくる。岩の声だ。

腐敗臭が鼻をかすめ、家屋へ近づくほどにそれは強まっていった。呉笑星は袖で鼻を覆って、茂みから室内の様子を窺う。窓から右肩下がりの背が見えた。

——岩さん。

立ちあがり、岩の名を呼ぼうとしたときだった。

室内から、「あー、あー」となにかを呪うような唸りが聴こえてくる。若い娘の声だ。

「痛い——」

寝台に横たわる娘の背を岩が謝りながら撫でている。

「ごめんなあ」

娘が病なのだ。それも重症。腐ったような臭いは病のせいらしい。

「お前さん、なんとかならないのかい」

いらだった声は岩の妻のものだ。娘は痛みに耐えかねたのか、急に暴れ出した。寝台が激しくきしむ音がして、あまりの壮絶さに呉笑星は身を固くする。

ややあって、物音が収まった。

「痛み、引いたか」

やさしく問いかける岩の声に疲れが見える。

「お父ちゃん、私のこと……もういいから」

聴こえるかどうかというほどの細い娘の声が聴こえてくる。

「いいわけなかろう。お前はおれのすべてだ」

「だって……薬を買うお金もない」

「おれだって、それくらいの甲斐性はあるさ」

岩の太いため息が呉笑星の耳まで届いた。

「金はあるんだ。だが薬屋に薬がねえ」

呉笑星を売った金を持って薬屋へ走ったのだろう。だが金はあっても薬が買えなかったらしい。

「もう少しの辛抱だ。洛陽に舟が入るようになればすぐに買いに行ってやる。食べたいものはないか。なんでも買ってきてやるぞ」

なだめるように岩が言った。

そのときだった。「あれ？」と妻の声が庭へ向く。

呉笑星は即座に腰を落とす。心臓が激しく波打ち、その音が耳にうるさい。庭へ近づいてくる人の気配に、足が動いていた。茂みの裏を駆け抜けて、路上へ出る。

——あんなことになっていたなんて。

戦のせいだ。

岩の娘が苦しんでいるのも、岩の人が変わったのも。岩が呉笑星を騙して売ったのも、今自分が激しい戸惑いで、手足がばらばらに離れたかのようになっているのも。

全部全部、戦のせいだ。

吐き気に耐えられず、呉笑星は路上に嘔吐していた。

金物に触れたせいで手首がこれまで見たことがないほど厚く腫れあがっていた。焼き鏝を当てられた右手の甲は水ぶくれができている。だが痒みも痛みも感じない。

汗で濡れそぼった身体を引きずるようにして、人通りの少ない往来を進んでいく。

――こんなに質屋が多かっただろうか。

以前、このあたりは酒肆(しゅし)が多くて活気があった。それが今は質屋ばかり目につく。

その中でも大きな店構えの前で、呉笑星は立ちどまった。

目に映ったのは、鮮やかな赤。見事な朱鳥が縫いこまれている。

呉笑星は息を呑み、その大繻に手を伸ばす。

日輪を象った不死鳥。その横に縫われた文字に触れて指が震えた。難しい字は読めずともこの三文字は分かる。

呉笑星――。自分の名だった。

三

「ただいま、帰りました」

呉笑星が厨へ入ると、夏の西日が降り注いで、厨の壁も鍋もすべてがとろみのある琥珀色に染めあがっていた。

だれもいない。

下処理をした根菜や果物が笊に収まって並んでいる。明日の宴の仕込みは、すでに済んでいた。

「細月姉さんと丹丹がやってくれたのね」

福を崇拝するひょろりとした少年、丹丹は数日おきに宮城の厨房へ通っている。

いつか力者団が大きくなったとき、うまい賄いを出せたらと思い立ったらしい。炊事の基礎から学ぶべく、安家の家令に師を探してもらったのである。

丹丹の両親は、洛陽に出かけたきり戦になって行方が知れない。洛陽に来てから皆でその足取りを探ったが、いまだに見つかっていなかった。

——みな、どこへいったのかしら。

右手の焼印は手巾で隠しているが、手首の腫れが目立つ。

細月にはできるだけ心配を掛けたくない。今のうちに手当をしてしまいたかった。

火傷の薬とかゆみ止めをもらいに、呉笑星は母屋へ向かう。

粘つくような西日を背にうけ回廊を進んでいると、人の争う声が聴こえてくる。福の声だと分かり、声のするほうへ駆け出した。

庭も厨と同じ夕暮れに染まっている。行く手に夕映えの濃い一角がある。ひなげしが身を寄せており、その花弁の朱色に負けぬくらい福が顔を赤くしていた。

対峙しているのは、十数名の警固兵だ。

長い耳に、黄みがかった髪色という変わった風貌の男が兵を従えている。

「黄兎隊長……」

李麗の護衛隊長で、その風貌から黄兎と呼ばれている。

呉笑星の姿を見つけて、李麗が駆け寄ってきた。

「笑星、何とかしてください」

「どうなさったのです？」

今にも泣きそうな顔をして李麗は訴える。

「わたくしが悪いのです」

日が傾いて涼しくなってきたので屋敷の外を少し歩きたい。そう、李麗は屋敷に戻った福に頼んだという。気分転換に屋敷の塀の外を一周する程度のつもりだったらしい。それで黄兎には告げるまでもないと、福は屋敷の者には告げず、ふたりだけで外へ出ようとした。

それを黄兎に見咎められた。軍人の黄兎にしてみれば福はまだ子ども。勝手をするなと叱責し、ふたりの諍いが始まったのだという。

「分かってやれよ」

福がため息交じりに言い放つ。

「ほんの少し外の空気を吸いたいってだけだろ。あんなおっかなくて陰気な旦那さまなんだ。外にも出たくなるさ」

呉笑星は慌てて間に入る。

「分かったような口をきかないの」

安慶緒は長安への進攻で屋敷を不在にしていることが多い。たまに屋敷に戻っても夫婦は食事も寝室も別だ。福は自分と歳の近い李麗に同情を寄せているようだった。

「すみません、わたしから言って聞かせますから」

呉笑星は黄兎に詫びる。

黄兎は日頃から力者を軽んじる向きがあり、特に福に対してはそれが顕著だった。福も面白くないらしく、黄兎には事あるごとに突っかかる。

「わしは、勝手をして奥さまを命の危機にさらすなと言っている。その上、晋王への侮辱とは」

黄兎が呆れたふうに眉をひそめる。

「猿芝居とは言い得て妙だ。猿がよくわめく」

角抵を揶揄して猿芝居と言う者もいる。

福は呉笑星を背に押しやり、大仰に首をかしげた。

「猿ってのは、ああそうか。ご自分のことを仰っている」

相手を煽るのは角抵のときだけにしてほしい。黄兎の目立つ容姿は、兎だけではなく猿だの犬だのと陰口のもとになっていた。

黄兎はつとめて冷静に返す。

「角抵などまっとうな軍人のすることではない。わしは力者を奥さまの護衛隊に入れたつもりはない」

なぜそこまでと思うほど、黄兎はかたくなに福を護衛隊から排除しようとする。

一方で、女の呉笑星は重宝されていた。

男の警固兵は夫人の寝所に入りにくいからで、夜に李麗になにかあったときのために、呉笑星は李麗の堂に近い物置小屋で寝起きしている。

「黄兎隊長は旦那さまの深い信を得ていると自負していらっしゃる。ですが、もしそうならば戦場の旦那さまのおそばに取り立てられているはずですよね」

そのへんにしておけ、と呉笑星は福にめくばせする。だが、福の目には呉笑星の姿など入っていない。

「その古びた棍もそうです。力者よりよほどお強いんだろうなあ」

福の目が、黄兎の腰に挿した武具に向いている。

黄兎は三本の棒を繋いだ三節棍を肌身離さず持っていた。

実際に使っているところを見たことはない。邪魔だろうに、いつも腰に挿している。

福の挑発など耳に入っていなかったかのように、黄兎は淡々と告げた。

「奥さまに万が一のことがあってはならん。お前は屋敷で大人しくしていろ。繰り返しになるが、お前を護衛隊に入れたつもりはない」

突き放すように言って、黄兎は短軀をひるがえした。

福は大きなえくぼをつくり、にっこりと笑む。これはまずいと呉笑星が踏みだしたときには遅かった。

福の手が黄兎の肩に掛かる。振り向いた黄兎の頬に、福の拳が入った。

「ちょっと、福！」

立ち合い以外での喧嘩は禁物だ。

武人だけあって黄兎はよろめきもしない。殴られた頬を撫で、首元をさすっている。よい大人が衆目の前で暴れはすまいと思いきや、黄兎は無体を働いた少年に拳で応えた。

少年の身体が後方へ飛ぶ。

黄兎隊の者たちまで参戦して、福と殴り合いを始めた。

「笑星、何とかしてください」

李麗にせがまれて、呉笑星は福を止めに入る。

「福、力者が角抵以外で人を殴っちゃだめだって」

男たちの間で揉まれ、手に巻いていた手巾がずり落ちる。

「なっ」

福が目を剝(む)いた。

「笑星、どうしたんだそれ！」

火傷で水ぶくれのできた手の甲が、むき出しになっていた。

李麗が小さく悲鳴を上げる。侍女たちに震える手で命じた。

「家令にいそぎ医者を呼ぶように言いなさい」

「大丈夫です。こんなの、寝れば治りますから」

呉笑星は取りなしたものの、その場が騒然となった。

「なにがあったんだ。昼間会ったあの男のせいか？　手首も腫れているじゃないか」

福がうろたえた様子で呉笑星の腕を摑んでいる。

その隣で黄兎が呆れたように言った。

「すぐに冷やせ。これだけの火傷でよく平然としていられる」

思わずへらりとした笑みが呉笑星の口に浮かぶ。

「皆さん大げさです。少しへましただけですから」

火傷痕を見られたのは不本意だが、この場が収まったのは良かった。

駆けつけた医者が薬を塗布し、屋敷の者たちが手厚く介抱してくれた。

「今日は休んで。明日の宴も丹丹がいるから大丈夫」

呉笑星が寝起きしている小屋まで、細月が食事や痛み止めの薬湯を運んでくれた。

「どうしてこんな酷い火傷……角抵のせいなの？」

薬を塗り直し、布で固定しながら、細月は細い目に涙を浮かべている。この女には火傷痕がよほど衝撃だったらしい。

事情を話す気にもなれず、呉笑星は「色々とありまして」と言葉を濁す。

「笑星、角抵はもうやめたら？　怪我したり、痛い目にあったり碌なことがないじゃない」

この手の忠告は、これまでもよく聞かされた。

女の子が顔に傷でも作ったら大変だ。怪我をしたら足を引きずるようになるんだぞ。

「どうしてみんな角抵なんて見るのかしらね。人を痛めつけたり乱暴したりするところを見て何が楽しいのか分からないわ」

呉笑星を案じてのことか、いつもより細月の語調が強い。

ただでさえ死と隣り合わせの戦の時世で、荒々しい角抵を忌避する気持ちも分かる。流行らないと言われればそれまでだ。

それでも、呉笑星は角抵をやめたいとは思わない。逆になぜ自分はここまで角抵に惹かれるのだろう。改めて考えるとよく分からなかった。

小屋にひとりになって、呉笑星は長い息を吐く。

ここには潤沢に薬がある。食べるものもあって、人はやさしい。自分は恵まれているのだと思う。

この火傷とて命を取られたわけでもなし、痕が残ってもかまわない。焼き鏝を見せられたときも、これで相手に隙ができると前向きに捉えたほどだ。

痛みに対しても恐怖に対しても人より耐性がある。

そんな呉笑星でも、胸にぽっかりと穴が空いたようになっていた。

病の娘を前に憔悴しきった岩の姿が、しこりのごとく呉笑星の心に残っている。

寝床にしている藁の上で、呉笑星は小さくこぼした。

「お父ちゃん。角抵をするのってとても難しい」

ふいに目が覚めた。

いつの間にか、眠りいっていたらしい。

上半身を起こすと、戸の向こうで夜気が揺れた気がした。

だれか人がいる。福や丹丹ではない。彼らであれば足音でわかる。呉笑星は枕元に置いた短刀を手にした。

息を潜め、戸のほうへ足をしのばせる。小屋には星明かりが射し、目も暗がりに慣れているから、動くのに支障はなかった。

戸に続く壁に背を当て、様子を窺う。

ゆっくりと引き戸がうごく。一歩踏み入れた姿に、呉笑星は愕然とした。

「朝義……」

現れた姿はあまりに意外で、まだ自分が夢の中にいるのかと疑った。

長髪を左肩に結わえ、珍しく黒の胡服(こふく)に身を包んでいる。大襦こそないが、史朝義その人の風貌に、呉笑星は駆けよった。

「こんな遅くにどうしたの。戦は――」

長身の男は、正面を向いたまま、後ろ手で戸を閉める。

切れ長の眼が、呉笑星のほうへ向く。夜闇のせいか、すこし焦点が合っていないような気がした。

「目をおかしくしたの？」

次の瞬間、呉笑星の身体は史朝義の腕のなかにあった。腰を抱き寄せる男の手に力がこもる。こんなふうに抱かれたことがないから戸惑った。

きっとなにかあったのだ。

「朝義、あの……正月はちゃんと話を聞いてあげられなくてごめんなさい」

　素直な言葉が漏れる。堰を切ったように言葉が続いた。

「家族が大事だって言ったでしょう。離れられないって。わたしはあなたの話に耳を傾けるべきだったと思うの。よかったら聞かせてくれる？」

　史朝義は肩をすくめるようにして、呉笑星の髪に顔をうずめた。深く息を吸いこみ、ゆっくりと長息する。汗を掻いているから恥ずかしさがまさった。身を離そうとしたが、うまく力が働かない。史朝義の腕はさほど力を入れているわけでもなさそうなのに、呉笑星の身体は男の懐のなかで囚われたように動かなかった。

　それでやっと男がなにかに耐えていることに気づく。

「朝義？」

　男の顔を差しのぞく。双眸の奥に見えたおぞましいものに背筋が凍った。

　考えるより早く、拳が男の横腹を打っていた。

　だが強(したた)かに打ちつけたはずの拳は宙をきり、呉笑星の身体は羽毛のようにふわりと浮く。背から地に落ちたところを、史朝義の右手の指がそっと押さえた。

　胸の正中(せいちゅう)を指一本で押さえられているだけにもかかわらず、全身が石のように重く動かない。

　つめたい瞳が呉笑星に迫る。もう隠そうともしない。底の見えぬほど昏(くら)い殺意をそそいでくる。

　男の手が頬を撫で、顎をつたって喉元に触れた。指先に力がこもるのが分かる。動脈を押さえられ、頭が白くなっていく。

　このままでは死ぬ——。

　そう思っても声ひとつ上げられない。眼前が白一色で覆われていき、呉笑星の意識も白濁に溶けていった。


「笑星」

ゆらゆらと淡い光の揺れる視界で、だれかがこちらを覗きこんでいる。その影が次第にふっくらとした頬と卵顔の形をなしていく。気づけば福と丹丹の案じ顔が並んでいた。

「起きてこないから心配になって」

福に抱き起こされ、呉笑星は自分が戸口の近くの床で倒れていたことに気づく。夜が明けていた。

「すごい熱だ。こんなところで寝転がってちゃ駄目だろ」

呉笑星は、胸の前で手を握ったり開いたりしてみる。

身体のあちこちが痺れたようになっていた。

「ごめんね。悪い夢をみたみたい」

夢だったのだろうか。屋内を見渡しても、史朝義がいたという痕跡が見当たらない。自分の身体ではないようなぼやけた感覚を抱えたまま外へ出ると、いつもと変わらぬ風景がある。爽やかな朝の風に、ひなげしの花がそよいでいた。

その日、呉笑星宛てに文(ふみ)が届いた。

河北の捕虜の中に兄者衆を見つけたのですぐに釈放して洛陽へ送らせるというもので、差出人は史朝義だった。

——兄者衆が生きている。

思いがけぬ喜びに、呉笑星の身体が震えた。

やはり史朝義が現れたと思ったのは夢だったのだ。思い煩うことが多くて、悪夢を呼んだのかもしれない。

遠くないうちに兄者衆に会える。史朝義とも話ができる。呉笑星は、数刻おきに晋王府の表門を窺うようになった。

「あれは――」

砂塵を巻きあげて屋敷へ近づいてくる一団に胸が高鳴る。だが、姿を現わしたのは兄者衆ではなかった。

血の臭いを纏(まと)った黒い兵装の一隊。安慶緒の隊が、戦場から帰還した。

四

「笑星、急げ」

先を走る福の背を、呉笑星と丹丹が追う。

安慶緒は屋敷に着くなり、李麗を私室へ呼んだ。呉笑星ら側仕えの者にも同席を命じたという。

福が立ち止まり、呉笑星はその背にぶつかりそうになる。

屋敷で最も日当たりのよい一室の前だった。

戸は開け放たれ、広々とした室内が目に入った。枠に瑞獣を彫りこんだ縁起物の木窓から、湿気を含んだ熱風が流れ入るままになっている。

安慶緒は兵装をとかぬまま、前屈みになって木彫りの椅子に腰かけていた。

卓を挟んで夫の真向いに李麗が端座し、その背後に黄兎が控えている。

「来たか」

一瞥もせず、安慶緒は呉笑星らに声を掛ける。

屋敷の主人はなんの前置きもなく続けた。

「潼関を落とした」

あの潼関が陥落したという驚きと、「であればなぜ」という疑義が呉笑星の胸に湧き起こる。

——潼関を抜いた後、いかに迅速に長安を落として皇帝の首を取るかが勝敗の要になる。

かつて、史朝義は安慶緒にそう伝えていた。安慶緒も長安がいかに重要か分かっているはずだ。

無作法は承知で、呉笑星は主人に問うた。

「それはまことにめでたき事。ですが、なぜ旦那さまは洛陽へお戻りに？　まだ長安は陥落しておりませんよね」

安慶緒は不快げに片方の眉を上げた。

しかし口が止まらない。責めるような口調で言い立てていた。

「潼関を落としたとなれば、その勢いで長安を攻め落とすべきです。間を置けば置くほど、唐に迎撃の備えのときを与えてしまいましょう」

市井では、安家の次男——安慶緒が愚鈍な将であるとの噂が広まっている。

その状況にあって、好機を逃して唐の皇帝の首を取り損ねたなどとなれば、もっともなことだと民は言い立てるだろう。

だが呉笑星にはこの主が愚かだとは思えなかった。

安慶緒は顔を背け、そっけなく言う。

「ほかの将が長安へ向かっている」

「呉笑星、分をわきまえよ。晋王には陛下に報告せねばならぬこともある」

童子にはわからぬ話だとでもいわんばかりに、黄兎がたしなめた。

場に長い沈黙が流れる。安慶緒は居心地が悪そうに押し黙り、李麗は窓の外へ視線を向けた。裏庭では兎のひげを思わせる細かな白い花弁が天に向き、薄紅に染まったその先が風にそよいでいる。熱のこもった風が吹くたび、桃の果実にも似た甘い香りが部屋まで流れてきた。

夜合花（ねむのき）が植えられているのは、ここが屋敷の主人の部屋だからだ。夜合花は夫婦の和合の象徴でもある。といってもこの夫婦は寝室を別にしている。この部屋も、たまに安慶緒が帰還した際に使っているに過ぎない。

李麗は甘い色の花弁から、夫へ視線を戻した。

「元日の初夜、戸を隔てて、あなたはわたくしに楽土を作るのだと語ってくださいましたね」

十二とは思えぬ落ちついた口調で短く告げた。

「わたくしはあなたを信じて待っております」

大人びた風情に、安慶緒が気圧されたような顔をしている。

「旦那さまの邪魔をしてはいけません。みな、失礼しますよ」

小さな夫人は胸の前で手を重ね、小さく揖の礼を取った。目を伏せて、部屋を去っていく。黄兎、福、丹丹が後に続いた。

呉笑星がその後を追おうとしたときだった。低い声に呼び止められる。

「呉笑星」

安慶緒は額に手をあて、頭痛でもこらえるように目を閉じている。あらためて見ると、戦の疲労のせいか面やつれがひどい。

「向後、燕という国もおれもどうなるか分からん。麗を頼んだ」

気遣いの言葉であれば、直接妻へ伝えればいいのに――。

呉笑星は喉まで出かかった言葉を呑む。だれかを介せねば心情を伝えられぬのが安慶緒という人なのだろう。

「お言葉のままに」

呉笑星が応えると、部屋の外で伺いを立てる者がいる。客人が訪ねて来ている、というふうな話が呉笑星の耳にも入った。

「正堂に待たせますか」

「面倒だ。ここへ呼べ」

命じた男の目元は、いつになく翳っていた。


「洛陽へ引き返してくるなんてどうかしてる」

だれに言うとでもなく、福が唾を飛ばして非難する。

「がきが知った口をきくな」

李麗の前を先導していた黄兎が振り向き、睨みをきかせた。

だが、呉笑星には福の気持ちも分かる。潼関が落ちた――ということは、以前史朝義が安慶緒に授けた策が利いたのだ。その機を逃すなど正気とは思えない。

李麗が足を止め、皆のほうを振りかえる。

「旦那さまがご自身の意志で洛陽へ戻ってきたわけではないのは明らかです」

確信をもって言う李麗に、呉笑星はすかさず問うた。

「それはどういうことでしょうか」

周囲をはばかるように、李麗が目を伏せる。

「隊長もみなも堂へいらっしゃいませんか」

含みのある物言いをして、再び歩みだす。呉笑星と福は顔を見合わせて、後に続いた。

堂に入ると、呉笑星は窓を開けて風を入れた。夏鳥の鳴き声が、蒸した室内へ沁みていく。呉笑星が窓辺で振りかえると、黄兎が戸口に立っていた。互いに出入り口を押さえたのは不測の事態に備えて、また立ち聞きを警戒してのことだ。

李麗が椅子に腰かけると、福と丹丹がそばに控えた。

「何からお話ししましょうか」

李麗は思案するようにうつむく。一同を順に見まわし、切り出した。

「わたくし、ふしぎに思っておりましたの。燕はいまだに皇太子が定まりませんでしょう」

呉笑星は、あ、と声をあげそうになった。

戦況が落ちつかぬからだと思っていたが、たしかに建国して半年も経つのにいまだ立太子の運びにならない。戦功、生まれ順、どれを踏まえても安慶緒が皇太子になるのが順当で、迷う余地はないはずだ。

「陛下はまだ幼い末子の慶恩（けいおん）さまを皇太子にと口にされているそうです。その母君の段氏（だん）がおのれの子を皇太子にせんと画策しているのだと。丹丹、そうでしたね」

はい、と李麗の傍らで控えていた丹丹が半歩ほど前に出る。

急に丹丹が訳知り顔で返事をするので、呉笑星は面食らった。福も驚きを隠せぬ様子で丹丹の顔を見つめている。

細身の少年は胸元で左右の細い指を絡め、みなを窺うように訥々（とつとつ）と語りだした。

「おそれながら、陛下はご病気でご判断が難しくなっておられるようです。宮城の庖人のあいだでは、陛下はもはや別人のようだという者もおりました」

なるほど——。

丹丹は宮城に出入りしているから、庖人や宦官の話が耳に入ってくるのだ。

「何の病だ？」

黄兎が低い声で問いを挟む。屋敷の警固に当たっている黄兎は、宮中のことには疎い。

「消渇（糖尿病）との噂で、目はもうほとんど見えず、いきなり怒り出したかと思えば呆けて人の話をきいていなかったりするのだと宦官がぼやいておりました」

「侍医は、医者はいったい何をしている」

立て続けに黄兎に問われ、丹丹の声が小さくなる。

「医師や薬師が充分な治療を施していましたし、厨でも、陛下の膳は細心の注意をして身体によいものをお作りしていたようです」

「ならばなぜ。たった数月でそれほど病状が変わるとは思えない。正月の建国の折にはお元気そうに見えたが」

「それはぼくにも分かりませんが……」

黄兎に凄まれて、丹丹は肩をすぼめる。

李麗の玲瓏とした声が堂内に響いた。

「お元気そうに見えた陛下が急に体調を崩された。ですがそれは陛下の体格を思えばありえぬことではありません」

安禄山は巨漢で、大きく前に出た腹を支えるための宦官がいる。厨で仕込みをしているときに、呉笑星は丹丹からそんな話を聞いた。

「ですが急なお加減の変化に、陛下は旦那さまを疑っていらっしゃる」

先ほどの安慶緒の昏い面持ちが、呉笑星の胸裏をよぎる。あの男は、薬を盛ったのではないかと父親から疑われているのだ。

李麗はさらに続ける。

「そういった事情が見えてくると、いろいろと気づくことがあるものです。安慶緒が愚鈍だという噂は耳にしたことがあるでしょう?」

黄兎のこめかみがぴくりと動く。

「たしかに旦那さまは陽気なご気性ではありませんが、洛陽に入城したとき、将校のうちで民にもっとも人気があったのは旦那さまだったと聞いております」

血に塗れた積雪のなか、家を焼けだされた者たちに食糧を分け与え、救援に当たったのは安慶緒だった。その仁心(じんしん)に洛陽の民は心を打たれたという。

呉笑星にも話が読めてきた。

「その衆望がいつの間にか、まったく逆の風聞として流れるようになった」

昂ってきたおのれを沈めるかのように、李麗はいったん息をつく。

「黒幕は皇太子の座を狙う安慶恩の派閥だとわたくしは思っています」

李麗の顔に苦渋の色がにじむ。

「家令によれば、旦那さまは唐の皇帝の追討をあらかじめ陛下へ願い出ていたそうです。いっぽうで弟君の派閥は長安が取れればそれで充分、無用な戦をするなと反論した。それで結局、陛下は追討の詔を出せずにいる」

安慶緒は弟の勢力によって皇帝と民双方からの信を失い、動きを封じられている。その上、先んじて長安へ進攻している燕軍に対しても、唐の皇帝への追撃は命じられていない。

——いったい何てこと。

呉笑星は絶句する。燕は跡目争いのせいで好機を逃そうとしている。これではいつまで経っても戦が終わらない。

李麗の言葉はさらに呉笑星の心を乱した。

「潼関が落ちたと知った唐の皇帝は、近々長安を捨てて逃げるでしょう。そうなれば、いつまで経っても勝敗がつかず、燕が唐に勝つのはむずかしくなる」

ところが、李麗の語った展望に、黄兎はぴんとこなかったらしい。

「皇帝の逃亡はありえぬかと。現に長安では皇帝が親征の詔を出し、義勇軍を募っているという話ですから」

疑問を呈す黄兎に、李麗はゆるりと頭をふる。

「一瞬で天地が返るようなあの感覚は、唐の宮中にいた者にしか分かりません。いざおのれの身が危ういとなると、唐の皇族はこれまでの秩序やら建前やらが日を浴びた雪のように融けて無くなってしまう」

李麗の心身には、唐の皇帝や皇太子に殺されかけた経験が刻まれている。呉笑星には李麗の言葉がもっともらしく聞こえた。

「目立たぬように少数の兵を従えてこっそり長安を抜ける。そんな皇帝たちの姿がまざまざと目に浮かぶようです」

李麗が、膝の上で自身の手を強く握りしめる。

「今であれば唐の皇帝をたやすく討ち取れるのに」

安慶緒もそれが分かっていて動けないのだ。

――この頭をかち割ってやりたい。

不用意に安慶緒を問い詰めたことを、呉笑星は心から悔いた。

「元日の夜、戸越しに旦那さまが語ってくれました。燕国という巣をつくり、居どころのない者たちのための楽土を作るのだと。わたくしはね、あの方ならそれができると思っているのです」

一度口を引き結び、李麗は秘密を打ち明けるかのごとく吐露した。

「口数は少なくてもね、言葉の端々から分かります。あの人ははやく戦を終わらせたいの。戦が長引くと、民は田畑も作れないし、家族一緒に過ごせないんですもの」

李麗の面ざしに深い嘆きの色が浮かんだ。

「悔しいわ。ここまで分かっているのに、わたくしには何もできない」

李麗の言葉は小さな棘のように、呉笑星の心に刺さった。

「失礼いたします」

堂の外から、女の声が投げかけられる。細月の声だ。

戸口で控えていた黄兎が外へ出ていく。

「こちらに呉笑星はおりますでしょうか」

堂の中まで声が聴こえてくる。どうやら自分に用があるらしい。呉笑星は李麗に断りを入れて外へ出た。

「細月姉さん、何かご用事ですか」

呉笑星の姿を見て、細月が駆け寄ってくる。

「笑星、これ」

細月は呉笑星に赤い大襦を差しだした。寝起きしている小屋の壁に掛けていた父の形見だろうか。それにしてはずいぶん新しい。受け取った大襦を呉笑星は手許で広げる。

真っ赤な大襦。見事な朱鳥の刺繍。そして、呉笑星の三文字――。

「裏門を掃いていたら、男の人が近づいてきてこれを笑星に渡してくれって」

「その人は今どこに?」

細い目を閉じて、細月は首を左右に振る。

「この大襦を私に預けた途端に去っていってしまったのよ」

聞き終えぬうちに、呉笑星は裏門へ走り出していた。

通りに出て辺りを見回す。だが目当ての姿がない。人通りの多い左手へ進み、横道と交差するたび左右を見渡した。

「あ……」

柳の葉の流れる横道に右肩が下がった後ろ姿を見つけた。人をかきわけて、その背へ叫んだ。

「岩さん!」

岩は振り向きもせずに駆け出す。晋王府の周辺なら呉笑星のほうが詳しい。柳通りはこの先一本道で分岐もない。呉笑星は迂回して通りの先へ向かう。

柳通りから大通りへ出る突き当りの植え込みに、呉笑星は身をひそめた。大襦を握りしめて待ち伏せていると、岩が駆けてくる。

その襟を横からむんずと摑む。

暴れる岩の腕を背へねじり、動けぬように押さえた。

「逃げないから放せ」

岩の腕が細い。再会したときには気づかなかったが、以前よりもずっと痩せている。これ以上押さえつけていたら折れてしまいそうだった。

腕を離してやると、岩は舌打ちをして柳の根本にへたり込む。急に走って息が切れたらしい。

「なんだよ、謝れってんのか」

悪態をつき、岩はそっぽを向いた。冷たい態度を目の当たりにして、呉笑星は胸が潰れそうになる。今でも呉笑星の心にあるのは怒りよりも戸惑いだった。

「娘さん……重い病なんでしょう」

迷いに迷って、呉笑星は家族の話を切りだす。

岩は呉笑星と目を合わせようともしない。問いには答えず、ひとりごつように愚痴を漏らす。

「だれも金を貸してくれなかった。そりゃそうだよな。みんな自分の家族を食わすので精一杯だもんな」

その口端がゆがむ。

「でもよ、あんたを売らなくても金はあったんだ。もう何人もほかの角抵仲間を売ったからな」

「えっ」

驚きが口から漏れる。ならばなぜ自分にあんな仕打ちをしたのか。

往来を眺めながら、岩は薄ら笑いを浮かべる。

「おれの娘は死にかけているってのに、同じ年ごろのあんたがぴんぴんしてる姿をみたら、憎くてなあ」

どこか一部だけでも、以前の岩のままでいてほしい。そんな思いがまだ呉笑星の心の内にある。

祈るような心持ちで訊いた。

「ならどうしてこの大襦をお屋敷に？」

「あんた、時々天津橋で小僧と角抵をやってるだろう。あれを偶然見ちまった」

岩は拳を握り、おのれの心臓のあたりを小突く。

「ここにあった魂をおれは売った。でもちょっとだけ残ってたらしい」

屋敷に届けられた大襦は、質屋で売られていた物だ。岩が質屋から買い戻したに違いない。

「あんたが勝ったときのために大襦を作っておいてほしいって、朱鳥王から頼まれていたからな」

話はここまでだ、と岩は立ちあがる。呉笑星に背を向けて歩き出す。

「待って」

呉笑星は岩の腕を掴んだ。

「名入りの大襦、とても嬉しい。わたし、この大襦を着けて角抵をやる。岩さんの好きな投げ技も取っ組み合いもやるから――」

少しでも角抵の魂が残っているのなら、元の岩に戻ってくれるのではないか。一縷の望みをかけて、呉笑星は懇願する。

「約束するわ。この大襦を着けて、わたしは最高の角抵をやる。だから岩さんに観てほしいの」

だが、その細い腕のどこから出るのかと思うほど強い力で、岩は呉笑星の手を振り払った。

「ああいいねえ、あんたがやる最高の角抵ってやつを見てみたいもんだ。この大乱が起こる前、たとえば一年前のおれなら、そう思っただろうよ」

苛立ちを露わに、岩は唾を路上に吐いた。

「今のおれにそれを言うか。父子軍は洛陽を壊した。だれかれ構わず医者まで殺して、物流を断った。そしてあんたはその父子軍の親玉の家で飯を食ってのうのうとしていやがる。角抵なんて気分じゃねえんだよ。分かったか。もうおれは角抵狂いの岩には戻れないんだ」

総身から力が抜けていくのが分かった。

岩と呉笑星の関係も、もう戻らないのだ。

「それならせめて娘さんに薬を。痛みが和らぐと思うから」

屋敷の家令に頼めば、薬を手配してもらえる。

だが、岩の顔が歪む。哀しげに頬を引きつらせた。

「もう死んだよ。最期まで苦しんでな」

言葉を詰まらせた呉笑星を横目に、岩は身をひるがえす。右肩下がりの背が雑踏の中へ紛れていく。

呉笑星が幼いころから面倒を見てくれた人だ。生きがいだった角抵を捨て、最愛の娘まで喪った。そんな岩を支えたいと思うのに、自分が役立てることが何もない。

呉笑星は拳を握りしめた。

「今じゃなくてもいいの。いつでも岩さんが戻ってこられるように、わたしは最高の角抵をするから。朱鳥王みたいになってみせるから！」

真新しい大糯を高く掲げる。だが岩は振り返らなかった。

五

呉笑星が土鍋の蓋を開けると、茸の香りが立ちのぼった。

茸で出汁を取った粥を李麗は好む。そのほかに胡餅も焼き、長芋のすいとんも用意した。主食三種に、蓮の花と豆腐の汁物、羊肉の炒め物、蓮根の魚肉詰め、麩の佃煮、梅蜜をかけた冷菓子に五色の蒸し菓子。小鉢に少しずつ、彩りよく盛りつけてある。

卓の上に並んだ夕餉に李麗が目を丸くした。

「ずいぶんと豪勢ね」

ふだん、李麗は料理を少ししか口にしない。もともと小食らしいが、倹約のためでもある。室内の灯火も、高価な蠟燭(ろうそく)ではなく油を使っていた。

「いったいどうしたのです？　なにか祝い事でも？」

品数が多いのは、むろん意味があってのことである。呉笑星は箸を取るよう促した。

「まずは冷めぬうちに召しあがってください」

いつもと違うのは品数だけではない。宮廷料理に似たものをこしらえてみた。

自分が作ると力者団で作っていたような大味の料理ばかりになる。唐の郡主の口になじむ料理を食べさせてやりたいと前々から思っていたのだ。宮城の庖人は唐の頃から仕えている者たちばかりと聞いて、丹丹に頼んで宮廷料理を教えてもらった。

「美味しい。これを笑星が作ったの？」

宮廷料理を食べたことがないから、どの程度再現できたかは分からない。だが、いつもと違うというのは気づいてもらえたようだった。

夕餉を終え、呉笑星は膳を下げて茶を出す。

「福を同席させてもよろしいでしょうか」

李麗は部屋付きの侍女を下がらせ、代わりに福と丹丹を呼んだ。しばらくして戸を叩く音がする。

「失礼します」

李麗は見張りとして丹丹を堂の外に立たせ、福を招き入れる。

どこか落ち着かぬ様子の李麗を前に、呉笑星と福は並んで拱手の礼をした。

呉笑星は意を決して切りだす。

「麗さま、わたしと福と、しばらくお屋敷を離れてもよろしいでしょうか」

小さな藍黒の瞳が、呉笑星と福を交互に見る。

「なにをするつもりなのです」

李麗は不安げに瞳を曇らせる。呉笑星は声を潜めた。

「麗さまはおっしゃいましたでしょう？　今が唐の皇帝を討ち取れる好機なのにと」

これまでの秩序やら建前やらが日を浴びた雪のように融けて無くなってしまう——。

そう李麗は言った。ふだんは宮殿の奥で禁軍の精鋭に守られている皇帝が、数少ない供と長安城外へ出る。好機はまさに今だ。

「わたしたちで皇帝を捕らえます」

呉笑星ははっきりと言い放つ。李麗が啞然とした顔をしている。

はやくこの戦を終わらせたい。

その想いは日に日に募っていく。

——戦は人を変える。

戦がなければ、岩のあんな姿を見ずに済んだ。

運よく呉笑星は安家で不自由ない暮らしをしているが、呉笑星とていつ岩のように困窮してもおかしくない。岩の姿は明日の自分の姿だ。

「お料理はわたくしへの餞別(せんべつ)ということ……」

言葉を失っている李麗に、呉笑星は語りかけた。

「莫迦なこととお思いでしょう？　失敗したらと思うと恐ろしいです。でも指をくわえて戦を終わらせる好機を見逃すなんて耐えられない」

「いくら何でも無茶です。大体、今から駆けつけて間に合うものなのかどうか。なにより皇帝は精鋭の将軍たちを連れています」

李麗がきゅっと小さな唇を結ぶ。

呉笑星たちに余計なことを言ったと悔いているようだった。

「麗さまが気に病まれることはありません。唐朝の事情をよく知る麗さまと身体だけは丈夫な力者のわたし。たまたまふたりが同じ屋敷で一緒になった。天がそう差し向けたように思いませんか？」

だが李麗は首を横に振る。

「笑星は利き手の火傷だって治り切ってないのですよ」

呉笑星は「五五」と焼かれた手の甲を叩いて見せる。

「支障ありません。荷運びさせるために捕らえたんですから、賊も手が動かなくなるほど強くは焼かなかったんでしょう」

手に残った焼印はやはり目立つ。特に細月が気にして、少しでも薄くできないかと薬を塗ったりして手を尽くしてくれた。だが呉笑星にしてみれば、手は動けば十分だ。もったいないので、今では薬も断っている。

福が力のこもった声で李麗に説いた。

「おいらもついていきますから、笑星に無茶はさせません」

無茶をしそうなのは福のほうだ、と思ったがとりあえず黙っておく。

呉笑星ひとりで洛陽を出るつもりだったのに、同行すると福が言いだしたのだ。

「どうせ天津橋で角抵をしてたってだれも見ちゃいません。屋敷にいても護衛隊に入れてもらえない。今のおいらたちは虱みたいな存在だもんな」

福は陽気に笑い飛ばす。でも、と福は目に光を宿す。

「やってやろうじゃねえかって思ったんです。だれにも見向きもされない力者が、この戦を終わらせる」

言いながら、福は自分自身の言葉に興奮したようだった。

呉笑星は一言一言を刻むように、李麗に告げた。

「力が足りないと分かっていても、やらなきゃならんというときがくる。亡き父はそういって、わたしを鍛えました。たぶん、今がそのときだと思うんです」

李麗は口を閉ざしたまま、呉笑星を見つめている。小さな吐息を漏らし、眉を緩めた。

「ふたりとも、考えを改めるつもりはないようですね」

分かりました、と静かにうなずく。

「では、少しでも望みのある手段を取りましょう。禁軍の精鋭を侮ってはいけません。あなたたちふたりだけで皇帝を捕らえるなんてまず無理です」

李麗はそう言って、戸棚から腕輪を持ちだした。

淡い翠の色で、玻璃のように透ける石でできている。

「これはわたくしが安家に嫁いだ際に、唐の皇帝から下賜された翡翠の腕輪です。国宝級の価値がある。これを皇帝に見せて、李麗の使者だと名乗るのです。停戦交渉の仲介を李麗が申し出ていると伝えるの。今から文をしたためるからそれを渡して」

「えっと、それはつまり……」

呉笑星は人差し指で頭を掻く。

「もちろん停戦交渉なんて偽りです。要は足止めよ。唐の官人や宦官は一枚岩ではない。逃げるべきと考える者と交渉をすべきだと考える者で議論になる。それで少なくとも一日は足止めができます。長安のすぐ近くに皇帝が留まっているとなれば、さすがに燕軍とて放っておかないでしょう。あなたたちは危ないと思ったら、李麗の元へ戻るといってすぐに退散すること。万が一、燕軍の将兵に問い質されたときのために、安家の牌（はい）も身に付けておきなさい」

企てに現実味が出てきた。李麗から具体的な算段を聞いて、いかに何も考えていなかったのかを思い知らされる。

「ぜひ、その手でやらせてください」

前のめりになった呉笑星と福に、李麗は渋い顔を見せる。

「これでも充分危ないのですよ。唐朝の一行に話を持ちかけたとたんに手打ちにされるかもしれないのですから。無謀すぎて止められるでしょうから、旦那さまのお耳には入れません。まずは自分の身を守ると約束してくれますか。でないとわたくしは承服できません」

呉笑星と福は、幼子のように何度もうなずく。

「それから道中の手配はわたくしにさせて。まさか屋敷の者たちに黙って出ていく気ではないでしょうね。それではかえって騒ぎになるわ。通行証の手配は？」

委細を問われ、呉笑星と福は言葉に詰まる。

屋敷を出れば何とかなると思っていたが、てんで甘かったらしい。

「では屋敷の者たちには、しばらく鍛錬に出ると偽りを伝えておきましょう」

屋敷を抜けだす手立てを、李麗が考えてくれた。

洛陽城を出てから街道を進み、長安の戦場に近づいたところで大きく北に迂回する。皇族として長安住まいの長かった李麗は、長安城の禁苑(きんえん)（天子の庭園）やさらに北の地理にも詳しい。通行証の手配も李麗が家令に頼んで済ませてくれたのである。

三日後の早朝、呉笑星と福は馬で屋敷を抜けた。

晩夏にしては霧が深い。見通しが悪く、ゆっくりと馬で進んでいく。

一刻（約十五分）も駆けぬうち、屋敷のほうから追ってくる馬蹄の音に気づいた。

それも一騎ではない。十騎はいるように思える。

「あのおっさんに感づかれたか」

福が舌打ちをする。

横道に入り、下馬する。街路樹に隠れ、追手をやり過ごすことにした。

「呉笑星、福。隠れてないで出てこい」

聴こえてきた声は黃兎のものである。企みを察して、連れ戻しに来たらしい。

どうやってこの場を切り抜けるか。屋敷を出たばかりでさっそく捕まったとあっては情けない。

ところが霧の奥から投げかけられたのは、意外な言葉だった。

「奥さまからの命だ。不本意だが同行する」

呉笑星が福の顔を覗くと、案の定、面を曇らせていた。

「なんであいつが付いてくるんだよ」

福の不平を右の耳から左の耳へと流し、呉笑星は馬のおとがいを撫でる。

厩に繋がれた馬はどれも上等で選びがいがあった。

「麗さまも余計なことを……」

黄兎は、十余名の精鋭を伴って、呉笑星と福に随行した。おかげで黄兎隊の保護のもと、すんなりと長安のすぐ手前まで進むことができたのである。

呉笑星は馬の首をやさしく叩き、横の房へ進む。大きな厩で三十もの馬房が設けられていた。

「この駅だって、黄兎隊長のおかげで使えたんだから文句ばかり言わないの」

唐には主要地を結ぶ陸路があり、一定の里程に駅が設置されている。

要塞のように壁で囲まれ、中には駅舎や公用の馬が整えられていた。道中は野宿するつもりだったが、黄兎の手配で長安の一つ手前の駅で呉笑星たちは一晩を過ごした。長安に入る前に馬を替えることができるのもありがたいことだった。

「福、連れ戻されなかっただけでも感謝しなくちゃ。無謀なことをやろうとしているんだから」

「それくらい分かってらあ」

呉笑星の後をついて歩きながら、福は小さく吐き捨てる。

蝿が飛び交い、馬の尾がそれを払うかのように揺れていた。

「でもここからは、あの隊長頼みってわけにはいかねえぞ」

唐と燕との境界を越えるからだ。

「大丈夫よ。散々麗さまと示し合わせてきたもの」

唐の領域に入れば、李麗から託された翡翠の腕輪と文が頼りだ。さらに朝廷で味方してくれるであろう相手、逆に警戒すべき相手の名も李麗から聞いて頭に入れてある。

――うまくやらなくては。

混乱に乗じて、唐の朝廷に入りこむ。

急に厩の中が翳った。顔を渋くした黄兎が、戸口に立っていた。

「駄目だ。とても長安には入れぬ」

呉笑星は黄兎の元へ駆けよって問う。

「籠城戦になったのですか」

黄兎はこの駅につくなり、配下の兵に戦況を探るように命じていた。

「いや、燕軍はすでに長安へ入城している。唐は無血で開城したそうだ」

長安は燕軍の勢いにいさぎよく降参したという。

「闘わずして長安を落としたということですね。では肝心の唐の皇帝は?」

呉笑星の問いに、黄兎は一瞬口ごもる。

「すでに長安を出奔したという報がある。西征したそうだ」

西征といっても西方には敵はいないのだから、つまりは逃げたということになる。

「麗さまの言ったとおりじゃないか。燕軍は燕軍で唐の皇帝を追ってないんだろ」

福が勝ち誇ったように鼻をすする。

予想どおりに情勢が動いている。そう思うと呉笑星も胸の昂揚を抑えられなかった。

「この機を逃してはいけません。すぐに駅を発ちましょう」

呉笑星は一番近くの馬房に入り、馬に鞍を乗せる。

「城内には入れぬと言ったろう」

間髪入れず、呉笑星は黄兎に言い返した。

「県庁、いえ望賢宮（ぼうけんきゅう）へ向かいます」

「は？」と黄兎が怪訝そうに眉を寄せる。

長安には入れぬと言った先に、宮殿へ向かうと言われて面食らったのだろう。

「望賢宮は長安城内ではなく、城から西へ出て渭水（いすい）を渡った先にある離宮です。今から向かえば日が暮れる前に着くはず」

呉笑星は李麗から、当たるべき地を頭に叩きこまれている。

皇帝は妃嬪（ひひん）を連れて逃げるゆえ、そう遠くまでは進めない――。それが李麗の見立てだった。当てはいくつか教えられたが、勘が望賢宮だと告げている。

「長安城を北へ迂回するというのか」

「禁苑のさらに北、馬で走れる道を教わりました。みなに馬の手配を」

黄兎は頷き、配下の者たちに出立の支度をさせた。

呉笑星らは、街道から離れて北へ進んだ。見当が外れたらと不安もあったが、長安の西に出たあたりでそれは払拭された。皇族の西進は目立つ。行く先々の民に訊くと、みな進んで唐朝の者たちの行程を教えてくれた。

「この一帯の食い物を巻きあげていったんでさあ」

呉笑星たちが燕側の者だと悟ると、民は恨みつらみを吐いた。

あらかじめ食糧を用意していかなかったのか、唐朝の西奔は取るものも取り敢えずという様だったらしい。想定していたよりも里程はあったものの、見込んでいたとおりその日のうちに望賢宮に着いた。

「一歩遅かったようだ」

黄兎が手下の兵に宮殿内を探らせたが、すでに唐朝の一行は離宮を離れた後だった。庭に散らばる果物の皮が乾いており、この地を発ってから少なくとも一日は経っているようだった。

――急がなくては。

「今夜はこの離宮で休み、明朝はやくに出立しよう」

黄兎の仕切りで、隊の者たちが寝泊まりの支度を始める。正堂を寝床にし、黄兎隊が交代で庭や門の見張りに立つことになった。

燭台を灯した机上で、呉笑星は黄兎に明日の進路を説明する。

戸口で胡坐をかいて外をみやっていた福が、小さく鼻を鳴らした。

「今、追撃すればたやすく唐の皇帝の首が取れるってのに。この千載一遇の機を、燕軍はみすみす逃してるんだもんな」

背後に両手をつき、肩越しに黄兎へ言葉を投げた。

「手柄を横取りするなよな。あんたはおいらたちの手伝いなんだからな」

「福」

呉笑星が咎めると、「小便」と福は戸を閉めて出ていった。

「すみません。あれでも隊長に感謝しているんです。あの子、素直じゃないから」

実際、黄兎がいなければこれほど順調に進めなかっただろう。

「感謝などいらん。がきはがきらしくしているべきだ」

呉笑星はおもわず瞬きを繰りかえした。突き放すような物言いなのに、語尾に優しい余韻がある。もしかすると、この男は福を気に入っているのではないか。護衛隊に入れようとしないのは、子どもの福を死と隣り合わせの役目に関わらせたくなかったからではないか。

呉笑星は急に目が冴えたようになった。この武人は安慶緒と同じで、自分の感情を素直に表すのがきっと苦手なのだ。実際、この道中についても最善の手を一緒に考えてくれている。無謀だと、頭ごなしに咎められると思っていた呉笑星にとって意外なことだった。

「隊長は、いつから旦那さまに仕えるようになったのですか」

黄兎は前に傾けていた上半身をゆっくりと起こす。

「数年前だ。わしはこの見てくれのせいで隊伍の者たちから嫌がらせを受けていた。それで雪山に取り残されて死にかけたとき、背負って宿営まで運んでくださったのが晋王だ」

黄兎の目が燭台の炎を見つめる。

「道中、凍えるわしのために火を焚いてくださった。だが、なかなか火がつかなくてな。燻(くすぶ)っている薪をみて、おのれのようだといった晋王の横顔が忘れられん」

以前から安慶緒は、うまく立ちまわれる性分ではなかったのだろう。そのときのことを思い出したかのように、黄兎は口許を緩める。

「それで、男ふたり意地になって半日掛かりで火をつけた。あの酔狂も忘れられん」

顔を引き締め、黄兎は机上の地図を畳んで懐に入れた。

「何ごとも、晋王の妨げになるのであれば止める。逆に益になるのであれば援ける。それだけだ」

お前たちの企てもな、と言われた気がした。

李麗も然りだが、黄兎も悔しいのだろう。

いわれもなく主の悪評を立て、その志を邪魔する者がいる。もどかしさに耐えかねているのに違いなかった。

「明日、唐朝の一行に追いつく。今日ははやく寝ろ」

黄兎は呉笑星を壁際に追いやる。

呉笑星は固い床に身を横たえた。机上で揺れる燭台の炎を見つめる。

自分たちが唐の皇帝を足止めし、燕が天下を平定する。それが叶えば挙兵以来、半年以上も続くこの戦が終わりになる。

――うまくいくだろうか。

標的の近くまで迫ったのだと思うと、落ちつかない。

何度か寝返りを打っているうち、外からくぐもった音が聴こえた。

最初は、福がまた揉め事でも起こしたのだろうと思った。だが鼻をかすめた血の臭いに、呉笑星は飛び起きる。

駆け出した黄兎とともに、戸を大きく開け放つ。

最初に目に飛びこんできたのは、見知った男の姿だった。

「朝義――」

なぜこの男がここにいるのか。

庭の中ほどに、史朝義が立っている。いつもの青の大襦は着けておらず、長い髪を肩のあたりで結わえている。黒の胡服の裾は濡れているようだった。

轟と風がうねり、庭木の葉叢が音をたてて暴れる。雲が流れ、眩いほどの月星の明かりが庭に降りそそいだ。銀の光が、地に倒れる者たちの姿を浮かび上がらせる。

「なんだと」

黄兎が目を剝く。

首を斬られた兵四人が、庭の端に横たわっていた。

「朝義、怪我は？」

呉笑星は史朝義のもとへ走り寄る。襲ってきた敵を史朝義が追いはらってくれたのだと思った。あと数歩という間合いに入ったときだった。「呉笑星！」という叫びとともに、背後から強く右腕を引かれる。瞬時に左腕が焼かれたように熱くなる。

黄兎が引き寄せてくれなかったら、左腕一本失っていた。史朝義が斬ったのだ。血に染まった刀を片手に舌打ちをする。

「史家の若さま、気でも触れましたか」

黄兎は呉笑星の前に立ち、刀を構える。騒ぎを聞きつけた兵が前庭に集まってきた。黄兎は配下の者たちに声を張る。

「油断するな。ひとりでこれだけをやれるわけがない。ほかに手下がいる」

黄兎の背に焦りが滲んでいる。

「朝義、どうして」

呉笑星の問いは豪風に掻き消えていく。

史朝義は、敵を追い払ったのではない。兵を殺した張本人だ。

兵のひとりが史朝義に斬りかかる。史朝義が首を薙ぎ、糸が切れるように兵が倒れた。次々と仕掛ける兵らも、瞬時に地に重なっていく。まるで妖術でも見せられているかのようで、史朝義はわずかに刃を返しただけで約十名の命を奪っていった。

複数で襲撃してきたのではない。史朝義ひとりで殺した。

「笑星、いったい何事だ」

腰のものを抜きながら、福が飛びこんでくる。

「呉笑星、小僧と逃げろ」

黄兎が刀を構えて立ちふさがる。だが呉笑星には行き違いがあったとしか思えない。史朝義が自分たちを襲うわけがない。声を絞りだした。

「朝義、わたしよ。笑星よ。いったいどうしたの」

史朝義の目が呉笑星のほうへ向く。視点の定まらぬ瞳。肌の裏を虫が這うような悪寒に襲われる。

標的はわたしだ——。

福がなにか叫んでいるが聴き取れない。心臓が打ち騒いで耳にうるさかった。

「笑星、はやく逃げろ」

福に頬を叩かれて、ようやく音が耳に入ってくる。逃げるどころか、膝が笑ってうまく踏み出せない。

一歩、二歩と史朝義が堂へ近づいてくる。立ちはだかる黄兎の背に呉笑星は叫んでいた。

「黄兎隊長も逃げて！」

だが黄兎は史朝義と対峙したまま動かない。その手が腰に挿した三節棍に伸びた。

初めて見る黄兎の構えに、呉笑星は息を呑んだ。

黄兎は棍を振りまわして敵に迫っていく。棍は独楽（こま）のような速さで、史朝義が放った匕首（あいくち）を次々と弾き飛ばした。うち一本が黄兎の目許をかすめて棍の勢いが弱まる。その隙をついて、史朝義が黄兎の間合いに入る。敵の刃が黄兎の首に届かんとしたとき、短軀が沈んだ。

回転する三節棍を黄兎が手刀で打つ。棍は鞭のようにしなり、相手の刀に巻き付く。刀が空（くう）を飛んだ。黄兎が再び棍を放つ。棍は槍のごとき形をなし、敵の胸の急所を強かに打った。

変幻自在、まるで意思を持つ武具のように、黄兎は棍を操っている。

史朝義が後ずさったところへ、すかさず福が矢を射込む。

「すごい……」

ふたりの連携に、笑星は感嘆の声を漏らした。

黄兎は三節棍を構え、福は次の矢を番えている。

「小僧、やるじゃないか」

「隊長の三節棍、ばかにして悪かった」

福の放った矢は地に叩きつけられてしまったが、十数名を切り殺した男を相手に、ふたり掛かりで渡りあえている。呉笑星の足の先にようやく力がこもった。

「悪いが小童扱いはせぬぞ。使える手下がもうおらぬ」

「分かってらあ」

ところが史朝義は薄ら笑いを浮かべている。

「身体慣らしはここまでだ」

史朝義が袖を引くと、突如、黄兎がうめき声を上げた。急に膝から崩れ落ちる。

「隊長どうした――」

史朝義が飛び道具を使ったらしい。駆け寄ろうとした福の動きが止まり、顔のあたりからしぶくものが見えた。

「福！」

倒れる福の姿に、呉笑星は頭のなかでぷつりとなにかが切れた気がした。

史朝義が呉笑星のほうへ近づいてくる。呉笑星は刀を抜いて駆け出す。肚から獣のような呻きが漏れる。

一太刀斬りつけたところまでは周囲が見えた。気づいたときには、呉笑星は背から壁に叩きつけられていた。刀を握っていた右腕を史朝義の革靴が踏みにじる。

「死ね」

声もやはり史朝義のものだ。

これまでか、と身体を固くした瞬間、風を切る音がした。視界が大きく開ける。

起き上がると、辺りに矢が散らばっていた。だれかが史朝義に向けて矢を放ったらしい。

熊のごとき人影が、次々と呉笑星の前に立ちふさがる。威風のある懐かしい佇まいに、呉笑星は安堵で腰が抜けそうになった。

松明を持った者が最後に現れ、五人の厚い肩背をくっきりと照らし出す。

「雷兄さん？」

呉笑星が名を呼ぶと、中央にいた巨漢が振りかえる。

「やっと追いついたぜ」

朱鳥団の兄者衆のうち、もっとも呉笑星が懐いていた兄貴分だ。その熊のような雄々しい身体つきと一本に編み込んだ顎ひげを見まがうわけがない。

「おれが現れるのを待ちわびたろう」

なぜ兄者衆がここにいるのか。呉笑星が問う前に、大男は教えてくれた。

「仔細は安家の可憐な夫人から聞いたぜ」

雷は、李麗と会ったのだという。

「急いでお前らの後を追ったんだ。この宮殿に来てみて当たりだった」

雷は太い首を横に傾ける。

「ところで分からねえんだが、なんで史家の若さまとやりあってんだい」

どう答えていいのか、呉笑星にも分からない。

「若さまは范陽からおれたちと旅してきた。洛陽に着いてからも、一緒にお前を追ってきたんだ。二手にわかれて、あの人は今県庁にいっているはずなんだが」

あれは朝義じゃない――。

呉笑星は立ちあがる。史朝義に似た男は、定まらぬ眼差しをこちらに向けていた。

雷が、肩越しに言葉を投げてくる。

「逃げろ。お前に何かあったら、黄泉にいった朱鳥王に顔向けできねえ」

そのときはじめて、雷の右袖がそよいでいることに気づく。

「雷兄さん、腕……」

雷は振り返りもせずに答えた。

「戦でな。でもちゃんと帰るってお前と約束したろ」

「約束なんていいから、逃げて」

呉笑星は叫んでいた。

「あいつは強い。その身体じゃ無理よ」

庭では兄者衆が松明を分けあい、胡服男を威嚇しはじめた。胡服男は火が怖いのか、斬りかかってこない。

「そう言ってくれるなよ」

呉笑星を守るように立ちはだかっていた雷が、顔だけこちらに向けた。

「お前が独り立ちしたら、朱鳥王はだれかと縁づかせようとしてたんだぜ」

「それって……」

巨漢が呵々と笑う。

「少なくとも相手はおれじゃねえ。でもそいつを倒して、お前を嫁にするんだって決めてた」

雷が右肩を上下させる。

「だがもう抱く腕もねえ。その上、動くと腐って死ぬらしい」

「そんな身体なのに、なんで来たのよ」

分かるだろう、と雷は仲間と胡服男へにじり寄っていく。

「傷に脅えて死ぬなんざまっぴらだ」

男は背中越しに吼えた。

「逃げろ、笑星！」

五人の力者たちは、植え込みへ胡服男を追い込んだ。力者衆が松明で照らすと、胡服男の背後が燃えるごとく華やかな桃色に染まる。紫薇（さるすべり）が豊かな花房を辺り一面に垂らしていた。

胡服男は、兄者衆に火で煽られて後ずさる。

――この男、ほんとうに火が怖いんだわ。

豪風が庭を攫った瞬間、胡服男は植え込みへ姿を消した。

「笑星はここで待ってろ」

雷たちは胡服男の後を追って、庭から出ていく。

「深追いはしないで。用心して」

松明を持った男たちが去ったとたん、庭に静寂が訪れた。

雲海が蠢き、雲の合間から月星が地上に淡い光を落としている。

「いったい何だってんだ」

呉笑星の背後で、福が悪態をつく。

「唐の皇帝まで、あと一歩だったってのに」

悔しさをぶつけるように太腿をなんども拳で打つ。福の顔が赤くしぶいたと思ったのは、頬を斬られた故だったらしい。顔から襟元までを赤く染めていた。

黄兎が呉笑星の傍らに駆け寄り、斬りつけられた左腕を縛り上げる。

「隊長も怪我をされているでしょう？　わたしは後でいいですから」

だが黄兎は手を止めようとしない。重い息を吐いた。

「あれは史家の若さまではない」

「わたしもそう思います。だいたい……」

呉笑星の言葉をさえぎるように、黄兎が手をかざす。

力者たちが去っていったのとは別の方角、庭の奥から葉擦れと人の足音が聴こえる。福の背後の茂みから長身の男が現れた。

とっさに呉笑星は叫ぶ。

「福、危ない！」

振り向きざま、福が短刀を抜く。長身が避(よ)けて福と前後入れ替わる。

長髪を流した高い背が、福と呉笑星の間を遮っている。月星の明かりを帯びているのは、見慣れた青の大襦だった。

――朝義。

呉笑星がその名を呼ぶより先に、福が相手へ一太刀を放つ。遠い。あと一寸というところで躱された。

史朝義はおのれの刀の柄を押さえたまま、顔に驚きの色を湛えている。

「笑星は来るんじゃねえ！」

福は叫び、左から右からと立て続けに史朝義へ斬りつける。荒い太刀筋を、青の大襦はためらいがちに躱していく。

「福、いったいどうしたんだい」

「裏切りやがって。こんなに殺して涼しい顔してやがる」

福が吐き捨てたとたん、男の動きがとまった。福の刀の切っ先が相手の腕をとらえる。刃は続けて男の脚を裂き、地に赤い飛沫が散った。

されるがままになっている男の姿に、福が狼狽をあらわに問うた。

「なんで避けないんだ」

大襦の男は斬られた腕を押さえ、口を一文字に引き結んでいる。

なにかがおかしい。この場にいるだれもが当惑しているのが分かる。

植え込みの間から、史朝義の愛馬の青が姿を現した。負傷した主を気遣うように鼻先を男の背に寄せている。

皆が動けずにいるところへ、覚えのある声が投げられた。

「来たか、兄者」

振り返り、呉笑星はおのれの目を疑った。

紫薇の濃い桃色が妖しげに揺れ、そこへ漆黒の胡服をまとった男が佇んでいた。長い黒髪を肩のあたりに結わえて、こちらに粘りのある眼差しを向けている。胡服男が戻ってきたのだ。

「ふたりいる」

福が信じられぬという声を漏らし、一歩後ずさった。

胡服の男と大襦の男、ふたりとも同じ顔をしている。

胡服男は舌打ちをした。

「なんてことだ。ちびの分際で兄者を斬るとは」

福が「あっ」と小さく声をあげた。

まじまじと刀を握るおのれの手を見る。今、自分が斬った相手は顔なじみの史朝義で、襲撃してきた男とは別人だと肚に落ちたのだろう。手にした刃がてらりと赤い光を放っていた。

「まあ、間違えるのは無理もないがな」

茫然としている者たちの前で、胡服男は薄笑いを浮かべている。

「弟……なの？」

呉笑星は恐る恐る史朝義に訊いた。

双子の兄弟がいるなどという話は聞いたこともないが、洛陽の屋敷に胡服の男が現れて以来、もしやという考えは頭の片隅にあった。

呉笑星の問いに史朝義がぎこちなくうなずく。馬の青が主のそばで耳を伏せ、胡服男を全身で威嚇していた。

「すまねえ、おいら——。若さまが笑星を、おいらたちを殺そうとするわけないのに」

福は史朝義のそばに駆けつけ、傷を負った上腕を縛ろうと試みる。しかし、史朝義は胡服男からかばうように福を自身の背後へと押しやった。

「青に乗って逃げるんだ。笑星も急げ」

史朝義が唸るように告げる。胡服男は口の端に残忍な色を刻んだ。

「おれから逃げられるかな」

男が右腕に触れると、袖から光るものが飛びだした。避けきれない。目をつむったが、黄兎が刀でそれを弾いてくれた。

呉笑星は地に散らばった細い針を見やる。男は、針を飛ばす暗器(あんき)を袖に仕込んでいるらしい。針は掌の長さがあり、これを食らったらただでは済まない。

「笑星、相手にするな」

史朝義の叫びを無視して、呉笑星は胡服男と対峙する。

「兄者衆は無事なんでしょうね」

胡服男は答えない。

松明を持つ兄者衆を、おそらく望賢宮の外で撒いてきたのだろう。あの兄者衆がそう簡単に殺されるわけがない。

「あなたを朝義と見間違えるなんてわたしもどうかしていたわ。朝義はこんな残虐な殺し方はしないもの」

「お前はほんとうに分かっていないな。殺すのなんて、兄者のほうがうまいんだよ」

胡服男が近づいてくる。動きはゆったりと見えるのに速い。いつの間にか眼前に男の姿があった。

——来る。

つま先に力を込めたとき、視界が大きな影で覆われた。月星に照る真っ青な大襦。史朝義が敵の刃を払っていた。

「なぜお前がここにいる、黒蛇(こくじゃ)」

史朝義は胡服男を黒蛇と呼んだ。その口調は親が聞き分けのない子をなだめるようである。黒蛇も、子が大人に説き聞かせるふうに言いかえした。

「范陽にいるはずの弟がいるんでびっくりしたかい。なんでかって、おれは鶏じゃないから、柵の外にも出るんだよ」

ふたりの声はまったく同じで、やり取りを耳にしていると頭が混乱する。

史朝義は長髪を括り、黒蛇と同じ左肩に流した。

同じ風貌の者同士が斬り合いを始める。両者とも、身体の重みが感じられぬ軽やかな動きだ。そんな場合ではないのに、呉笑星はふたりの身のこなしに見入っていた。

混乱を払うふうに、福が自分の頭を拳で叩く。呉笑星の隣で細い声を漏らした。

「そいつはいったいだれなんだ」

「おれがだれかだって」

黒蛇が生き生きとした声で答える。

「兄者とおれはふたりでひとり。同じ顔、同じ声、おれは兄者がいないと生きていかれない」

かたわらにいる呉笑星がやっと聴き取れたほどの福のつぶやきを、黒蛇の耳は拾えるらしい。その上、流れる雲が月星をさえぎっても、ふたりは目が見えるかのように刃物を振るっている。

黒蛇は、隙を見ては呉笑星に斬りかかろうと迫る。その都度、史朝義が阻む。何度もそれが繰り返される。

この男がなぜここまで自分にこだわるのかが、呉笑星には理解できなかった。

「なぜわたしを殺そうとするの」

闇の中で金属の音が弾け、双子の兄弟は身を離した。

史朝義の刀は奪われ、黒蛇の手にある。

福に斬られた傷が痛むのだろう。怪我を負っている分、史朝義が不利だった。

「お前が邪魔だからだよ。呉笑星」

黒蛇は、二本の刀を手で弄（もてあそ）ぶようにして語る。

「お前さえいなくなれば、兄者は昔の兄者に戻ってくれる」

星光が史朝義の背に射し、鴛鴦の刺繍が際立つ。傷が深いのか、史朝義は肩を上下させていた。

「兄者とおれは不遇の双子だ。父が土地の有力者の娘を娶（めと）った際に、狭い家禽の庭へ閉じ込められた」

　はじめて耳にする、史朝義の生い立ちだった。

「兄者は殺しの腕を磨き、おれは兄者から手ほどきを受けて、父に存在を認めてもらった。以来、兄者が史家の長男として表で動き、おれは裏で人を殺すということをやってきた。兄者の境遇など呉笑星は知りもしなかっただろう？」

　史朝義から家族の話を聞いた記憶がない。呉笑星は、史朝義の背にある二羽のつがいを見つめる。

「兄者はどんな武器でも使えるが、剣技は神がかっている。本気で突きを繰り出すと、傷の周りが痣になって一生消えない。この技を使える者は兄者以外にはいない。兄者は特別なんだ。それなのに」

　黒蛇は次第に激昂していく。

「挙兵時、兄者は河北の戦を任されていた。だが父の命に背いて、呉笑星を援けに洛陽へ向かった。それで父の逆鱗に触れた。せっかく洛陽にいるというのに、建国の儀への列席も認められず、棒の罰を受けていたのだぞ」

答え合わせをするように、今まで不可解だったことが明らかになっていく。

建国の儀の日、「朝義は昼間どこにいたのか」と呉笑星は安慶緒に尋ねた。安慶緒が動揺を見せたのは、おそらく史朝義が列席できなかった事情を知っていたのだろう。

あの夜、部屋で会った史朝義の顔には痣があった。宴席の喧騒でぶつけたのだろうなどと思ったが、とんでもない勘違いだ。あれは父親に打たれた痕だった。

呉笑星は確信を持って訊いた。

「元日の夜、東宮での史家の宴にいたのはあなただったのね」

「そうさ。父の機嫌を取るために、おれが宴に出たんだ」

何の罪もない母子を斬った男、あれは史朝義ではなかった。黒蛇だったのだ。

わたしはなんて勘違いを――。

呉笑星は震える指でおのれの口を押さえた。

「あれで懲りたかと思えば、兄者はまた父の命に背いて力者どもを洛陽へ連れ出した。お前のためにだ。今は河北の戦が厳しい。戦功をあげて父の覚えをよくすべき時なのに」

なぜ黒蛇の憎悪が自分に向いているのか、呉笑星はようやく理解した。

「ついこの前、洛陽の安家のお屋敷でわたしを殺そうとしたのもあなたね」

あれは夢ではない。黒蛇だ。

「そうだ。だが殺す直前になって、兄者の前で殺してやろうと考え直した」

さあ、と両腕を広げる。

「兄者に決めてもらおうじゃないか。おれかお前か、どちらを選ぶのか」

水を打ったように場が静まり返る。

茂みの奥から、ふくろうの声が忍ぶように皆の間を抜けていく。

喉から声を振りしぼり、史朝義が黒蛇に懇願した。

「黒蛇よ、私を困らせないでほしい。黙って引くんだ」

「兄者。おれを選ぶと言ってくれ。火の粉は次から次へと史家に降りかかる。安禄山は病でもう長くない。死した後は父上が燕の皇帝になる。兄者は皇太子になるんだ。おれはそのためだったら何でもする」

「陛下に万が一のことがあれば、慶緒が継ぐ。帝位など私は望んでいない」

兄弟の問答を聞くうち、かつておのれが史朝義に向けた問いが耳の底で響いた。

――朝義は史家から、大切な家族から離れられないわよね。

呉笑星は父親の史思明を指してそう訊いた。

――離れられない。家族だからね。

だが史朝義は弟を想いながら答えていたのではなかったか。

史朝義は呉笑星の元へ駆けつけるため、二度も父の命に背いた。そんな史朝義でも、双子の弟から離れられない。

――わたしのせいだ。

ちゃんと自分が話を聞いていれば、こんなことにならなかった。

あと少しで唐の皇帝に手が届くというときに、黄兎隊の兵を死なせ、福や黄兎に怪我をさせてしまった。

ふくろうの短い声が、夜の底を打ち続けている。

「若さま」と、唸るような声が薄闇に響く。

振りかえると、福が肩をいからせていた。

「その人殺しと大事な笑星。どっちを取るかなんて決まってる。はやくそいつを倒してくれ」

黒蛇の眼がすうと細まる。

調子を取るように一語一語を強めて言い放った。

「殺さなければ殺されるのだぞ、ひな鳥。殺し合いで頂点に立った者が世を統べるのだ。安禄山の死後は愚物の安慶緒を抹殺して、史家が取って代わる」

「この奸物めが」

まなじりを震わせる黄兎を、黒蛇が鼻で嗤った。

「なにが奸物か。古今東西、殺しつくして為政者はその座を得た」

「お前だけは生かしておけぬ」

黄兎が低く三節棍を構えた。雲が大きく途切れ、あたりがいっそう明るくなる。黄色の髪が、月星の明かりを帯びて金に冴えわたった。

三節棍の先が矢の速さで黒蛇へ向かう。黒蛇は刀で応じると見せかけて、暗器の針を飛ばした。黄兎の肩に刺さる。横に逸れた黄兎の背後から、福が飛び掛かった。かろうじて黒蛇が福の刃を防ぐ。ひとりでは勝てない。ふたり掛かりで立ち向かおうとしている。

「小癪な」

黒蛇が苛立たしげに悪態をつく。

「駄目だ。黒蛇を相手にするな」

史朝義が叫んだ途端、黒蛇が地を蹴る。

呉笑星に向けて刀を繰りだしてきた。史朝義が前に立ちふさがる。

だが黒蛇は身体をそらし、袖の下の暗器を福に向ける。狙いは福だ。

「福、避けて！」

福の動きが遅れる。その前に飛びこんだ影がある。黄兎だ。三節棍を振ったが間に合わない。その身体に、針が立て続けに打ち込まれる。呉笑星は目を見開いた。

黄兎の口から、ごぶりと血が零れる。

「隊長！」

呉笑星と福が同時に叫ぶ。黄兎の元へ駆け寄った。

「黒蛇、なんてことを……」

史朝義が弟に斬りかかる。兄弟の斬りあいがふたたび繰り広げられる。

黄兎は膝をついて倒れ、立ちあがってはまた崩れる。

福が右から、呉笑星が左から黄兎の身体を支える。

手当して助かる負傷ではない。打ち込まれた針が臓腑のあちこちを貫いている。

それでも黄兎は三節棍を手に、黒蛇のほうへ立ち向かっていこうとする。

「晋王を害するものは……許さぬ」

福が声を絞るようにして黄兎に言った。

「なら、なんでおいらを庇うんだよ。あんたの主は安慶緒……晋王だろ！」

血走った目が福に向く。口角を上げると、長い耳が揺れた。

「がきは、がきらしくしているべきだ……」

たまりかねたように福が叫ぶ。

「おいらはもう……がきじゃない！」

「そうだったな――」

福に向ける黄兎の眼差しがやさしい。語を継ごうとして、「ぐっ」と大量の血を吐いた。

「福」

「なんだ。苦しいか。横になるか」

震える手で、福が懸命に黄兎の背をさすっている。血で濡れた手が福の肩を摑んだ。

「わしが間違っていた」

慄くように福の茶色の目が瞬く。黄兎は福の手に三節棍を握らせ、渾身の言葉を向けた。

「お前はもうがきではない」

言い終えたとたん、武人の瞳から光が消える。

福が腰を落とし、黄兎の身体を抱き支えた。

「おい」

少年はうろたえて、頬を震わせる。

「なんでだよ。おいらなんか庇って死ぬのはおかしいだろ」

訴える福の声が、呉笑星の耳を過ぎていく。

――全部、わたしのせいだ。

呉笑星の歯の根が合わない。元日にちゃんと史朝義と話しあっていれば、こんな事態にはならなかった。黄兎は死なずに済んだし、黄兎隊を全滅させることも、福に怪我をさせることもなかった。

「笑星、逃げるんだ」

史朝義の声に、呉笑星はわれに返る。

音を立てて刀が呉笑星のほうへ転がってくる。史朝義の手から弾かれたらしい。腕を斬られて刀が握れないようだった。

「ちくしょう……」

雄たけびを上げながら福が疾走する。刀を手に、黒蛇へ立ち向かっていく。

「福も、来るんじゃない！」

史朝義は叫び、痛みに耐えるようにして膝を崩す。焦った様子で手に紐を掛け、刀を固定しようとしている。

呉笑星は迷わず史朝義の傍らへ駆けつけた。

「笑星、すまない。縛ってくれ。刀が握れればいい」

「分かった」

勢いよく答えたものの、呉笑星も左腕の傷のせいで、指が思うように動かない。紐を摑む指が滑った。

福が、黒蛇に立ち向かっていく。史朝義がその背に叫んだ。

「気をつけろ。黒蛇の目はほとんど見えない。音やにおいで動きをみる」

時おり目の焦点が合っていないような表情を見せるのは、それゆえらしい。

「明るすぎると目が眩む。陽を浴びると肌が焼けただれたようになるから、黒蛇は日暮れ以降しか動けない」

兄者衆に松明の火で迫られて逃げたのは、それが関係しているのだろう。呉笑星はあたりを見回す。悔しいが、火種になりそうなものが見当たらない。

弱所を暴かれても、黒蛇には余裕がある。

「目はともかく、耳と鼻は常人よりも利くぞ。呉笑星のにおいはしかと覚えたゆえ、一里離れてい

「……ても分かる。今日はあいにく月のものか。女はにおいが変わるから用心が必要だな」

福が斬りかかる。と見せかけて横に跳ねた。黒蛇の顔めがけて礫（つぶて）を投げる。すかさず敵の長身に飛びついた。

黒蛇には、じゃれてくる犬を弄ぶような余裕がある。取っ組み合っていたふたりは、ひとつの影になり、また離れたかと思うと、狂ったようにお互いに斬りかかった。

「福、駄目。引いて！」

この光景に見覚えがある。孟津で見た闘鶏だ。

白い星光の下、福の上着が羽毛のごとく飛び散るのが見える。やがて小さいほうの身体が襤褸布のようになって地に倒れた。

声にならない叫びが、呉笑星の全身を突き抜けていく。

「福！」

呉笑星は震える足で駆け寄り、五指で福の口許に触れる。まだ息がある。手当すれば助かる。

——逃げなくちゃ。

そう史朝義に持ちかけようと、呉笑星が振りかえったときだった。

初めて耳にするような史朝義のつめたい声が、呉笑星の耳朵を刺した。

「黒蛇、そこまでだ」

顔を上げると、史朝義が刀を手に立っていた。

「兄者はこの女を選ぶんだね。おれではなくて」

黒蛇が寂しげな声をこぼす。

「朝義、待って」

史朝義の背後で、紫薇の濃い桃色が燃えるように騒いでいる。

この男は本気だ。殺す気だ。あれほど余裕をみせていた黒蛇の身体がすくんでいるのが分かった。

孟津で見た闘鶏の光景が呉笑星の眼裏でちらつく。

――だめだ。

これでは兄弟同士の殺し合いになってしまう。

勝てぬと踏んだのか、黒蛇が身をひるがえす。

倒れていた福が黒蛇の足に飛びつく。

「逃がすもんか」

それは一瞬のことだった。

黒蛇の背に史朝義の刃が迫る。

――殺してはだめ。

呉笑星は、黒蛇と史朝義の間に身を投じた。

「笑星!」

福が叫ぶ。同時に黒蛇が去る足音が聴こえる。

腹のあたりが焼けるように熱い。痛みに耐えきれず、呉笑星は前屈みに崩れる。

目をあけると群青の天蓋が一面に広がっていた。

「笑星、なぜだ」

史朝義が呉笑星の帯を解き、血止めをしようとしている。その頬が涙で濡れている。呉笑星は微笑んでみせた。

「大切な弟なんでしょう? 殺してはだめ」

ふたたび上空を見上げると、一面にまぶしたような白銀の粒が瞬いていた。つめたい星芒（せいぼう）が連なって鳥の翼のごとき容（かたち）をなしている。

呉笑星はおのれの意識が深い底へ沈んでいくのを感じた。

＊

どれだけ香りが甘くても、腹を満たすことはない。

白木蓮（はくもくれん）が咲き乱れる庭は柵で覆われ、門扉には鍵が掛けられている。

鶏のために作られたこの小さな庭に、幼い史朝義は閉じ込められていた。

草花を食めば空腹はごまかせても、喉の渇きはやりすごせない。地に横たわっていると蟻が身体を這って肌を噛み、このまま自分の身体が土に還っていくような気さえした。

柵の外からは、自分と同じ年頃の子どもたちが遊びに興じる声が聴こえている。

大人たちの声がぼんやりと頭の奥で響いた。

「もう出してやってはいかがでしょう」

あたらしく父の妻となった人の声だ。土地の顔役の娘であり、父に惚れこんで正妻の座に収まった。だがそれは、あくまで正妻としての寛大さを表すためのふりで、本心からの言葉ではないのは明らかだった。続いて耳に届いたのは、父ではなく史朝義の実母の声だ。

「ほめてばかりでは強くなれません。今から厳しさに慣れさせなければ」

第二夫人の座に追いやられた母は、立場上そう言わねばならぬのだろう。

しばらく間があって、父史思明の声が聴こえた。

「軟弱な男は史家にはいらぬ」

父の側で、母が神妙な顔をしてうなずく姿が頭に浮かぶ。

軟弱といわれたおのれの命は今、消えかけている。

閉じ込められたきっかけは――とぼんやりした頭で振り返る。父は、史朝義が友人の息子に剣で負けたのが気にいらなかったのだ。二度と武芸など教えるものかと激怒し、鞭で史朝義の顔や背を打った。

そのときの恐怖が這うように身体を襲う。跳ね起きて地に額をつけていた。

「ごめんなさい。ぼくが悪いんです」

必死に詫びて、ふたたび自分に剣を教えてくださいと請うた。剣の稽古をつけてほしいわけではない。やらなければ家族から捨てられる。鞭よりも見捨てられるのが怖かった。

幻聴の聴こえるほうへ、史朝義は幾度も地に額を叩きつける。

頭を打ち付けているうちに目がくらむ。甘い木蓮花の香りが忌々しい。飢餓の苦しみは増すばかりだった。

このままでは飢えて死ぬ。

しかし幻聴が聴こえるばかりで、父も母も姿を見せない。父が厳しいのは息子を鍛えるためだと思っていた。命が危なくなったときは、救いの手を差しのべてくれると思っていた。でも違った。飢えても食べさせてもらえず、凍えても抱きしめてもらえない。

つまり自分は、親に愛されていない子だった。

――新しくできた弟のせいだ。

どこからか赤子の声が聴こえてくる。殺意が湧いた。あれを殺す。正妻が産んだ弟の声。かりに声の主が弟ではなかったとしても、これだけは言える。

——あれなら自分でも殺せる。

足が動いた。門扉が開くと思うから出られないのだ。柵を壊せばいい。網に組まれた竹の柵の節目に細い指を入れる。左右に裂こうとしたがうまくいかない。両手の五指をかたく組み、そのまま拳を叩きつけた。

指から血が噴きだす。溜まった鬱憤を吐き出すようで快感を覚える。この濡れた手で殺す。高揚感で身体が満ちた。

打ち壊して節くれ立った柵の竹は、自分の血で染まっている。邪悪な生きものの口を思わせる穴を通り抜け、外へ出たときには歓喜の声を上げていた。

泣きわめく赤子を見つけ、その首をひねってやろうとしたとき、全身どろにまみれた童子の眼差しに気づいた。この辺りでは見ない子だ。杏仁（きょうにん）（杏の種）を思わせるきれいな形の大きな瞳。背に赤い布をつけた変わった出でたちをしている。

それが当時七つだった呉笑星だった。

「赤子のあやし方を知らないの？」

史朝義が赤子を泣き止ませるのに難儀していると思ったらしい。よく見れば、目の前の赤子はみすぼらしいお包（くる）みに収まっていて、小皇帝のように豪奢な絹に包まれている自分の弟とはまるきり違っていた。

あれ、と史朝義はわれに返る。

——ぼくはなにをしようとしていたんだっけ。

急に憑き物が落ちたようになっていた。血まみれの手をそっと袖で隠す。

朱鳥団がちょうどこの村を訪れていて、呉笑星は力者から赤子の世話を頼まれていたらしい。赤子が寝ている隙に同じ年ごろの子らと角抵ごっこをしていた。

「赤子をあやすのは、こうやってやるんだよ。首が据わっていないからそっと手を添えて――」

呉笑星は赤子を抱きあげ、子守歌であやしはじめた。

牛の乳　羊の乳
あぶらをたっぷり煮詰めてね
干し棗と梨の皮
ゆるゆる煮詰めていい香り

聴いたことのない歌だった。菓子を作る歌らしく、聴いているだけで涎（よだれ）があふれる。ふしぎと赤子は泣き止んだ。

ぐう、と史朝義の腹の虫が鳴る。

「お腹空いてるの？」

小さな少女は、白い塊を割って史朝義の口に入れてくれた。それは酥の飴で、たったひとかけらで飢えた身体は痺れたようになり、そのまま卒倒した。

「ちょっと！　大丈夫？」

ひっくり返ったまま、史朝義はうわごとのようにつぶやいた。

「もうひとりいるんだ。あの子を助けて――」

双子の弟がまだあの鶏の庭で倒れている。

あの子にも飴をあげて。でないと飢えて死んでしまう。

ただならぬ事態が起きていると、幼い呉笑星は瞬時に悟ったらしい。

大きな瞳の左目だけがすうっと細くなる。

とたんに、史朝義は胸を穿（うが）たれたようになった。強い意志を秘めた眼差しが自分ひとりに注がれている。ほかのだれでもない、この自分だけに向けて。

「その子も助けてあげる。でもその前にまずはあんた。手も怪我してるじゃないの。すぐに仲間を呼んでくる」

呉笑星はそれまで一緒に遊んでいた子らを集め、大人を呼びに行かせる。

すぐに史朝義の元へ戻ってきて、世話を焼き始めた。

「水、飲む？　飴をもっと食べる？」

なにが欲しいのか、自分でも分からなかった。たくさんの子どもたちが史朝義の顔を覗き込んでいる。

「死なないで。もうすぐお父ちゃんが来るから」

倒れた史朝義を励ますように、呉笑星は大声で歌い始めた。

　牛の乳　羊の乳
　焦げないように弱火でね
　干し棗と梨の皮
　さっぱりさわやか香りづけ

ほかの子らも一緒になって、歌いだす。

その声が心地よい。うつらうつらしていると、強風が巻きあがる。地面から煽られて、子どもたちの口から悲鳴が上がった。

——温かい。

なにかに包まれたような心地よさがある。呉笑星が史朝義を覆って、暴風から守ってくれている。その背についていた赤い布が、空高く飛んでいくのが見えた。

第二部　朝凪（あさなぎ）

残紅(ざんこう)の夢

一

若葉が一面に萌えわたり、野面(のづら)が目にまぶしい。

陽春の匂いを払うように史朝義(しちょうぎ)が腕を伸ばすと、袖が風の音をたてた。武器を隠していないと示すためである。

「ずいぶんと厳重だなあ」

ぼやく史朝義を、警固兵が睨む。史朝義の身体をくまなく叩き、武器の有無を確かめる。

「天子の命を狙う輩が絶えぬゆえな」

なるほど、と史朝義は相づちを打つ。

生い茂った緑の向こうには川が流れ、その川の向こうには天子の居所がある。武器を持つ者は川を渡れぬ決まりとなっているらしい。

「燕(えん)の皇帝の首を取って唐(とう)へ持ち込めば、英雄になれるというわけですか」

「首が取れればな」

行って良しと、警固兵は史朝義の背を叩いた。

「あれ」とすれ違いざま、史朝義は警固兵に声を掛ける。

「背に紙きれが。今取りますのでそのままで」

史朝義は男の背から腰をさぐった。

「こんなものが貼ってありましたよ」

笑いをこらえるそぶりをして、犬らしき生き物の描かれた絵を警固兵に渡す。

「子どもの悪戯（いたずら）ですかね」

「きっと倅（せがれ）だ。五つになったばかりでな」

警固兵は頬を緩める。

「可愛いさかりですね」

まんざらでもなさそうに絵に見入る警固兵を横目に、史朝義はその場を後にする。関所を抜けて茂みの奥の川辺へ出ると、光で溢れる水面（みなも）が目に迫った。

ちょうど全艘が出たばかりらしく、舟乗り場の桟橋に小舟がない。魚が跳ねる音が耳に心地よかった。焼いて塩でも振ったらさぞ美味かろう。

練った小麦の焼ける匂いが史朝義の鼻をくすぐる。川原を囲むように細々と肆（みせ）が立っている。舟を待つ者たちが腹ごしらえをしていた。

回回豆（かいかいまめ）の胡餅（こべい）を見つけ、史朝義は店主に声を掛ける。

「二枚もらえるかい」

銀子を渡すと、店主は顔をしかめた。

「これじゃ足りない。三銭出しな」

「米一斗買おうってわけじゃない。私が欲しいのは胡餅二枚だよ」

ここは物価の高い長安（ちょうあん）や洛陽（らくよう）ではない。

鄴（ぎょう）という地方の城である。

洛陽から父子軍（ふしぐん）の挙兵の地である范陽（はんよう）へ向かう経路上にあり、河北（かほく）諸郡を望むにも便がよい。

「優男さんよ。今は戦の最中だ。銭がねえならよそで買いな」

店主は店じまいを始めるふりをする。

「分かった、分かった。銭ならあるよ」

仕方なく相手の言い値を渡す。不正に高くしているわけではない。これが今の相場なのだろう。

父子軍が挙兵して三年強。物の値段が跳ね上がっている。

胡餅を受けとろうとすると、丸々とした身体の婦人が割り込んできた。

「ちょいとごめんよ」

抗議の声をあげようとした史朝義を、婦人が先に制す。

「急いでるんだ。兄さん、それもらっていい？」

口では伺う体だが、手はすでに胡餅を懐（ふところ）に入れている。

史朝義が店主に払った額より少ない銭を店主に渡し、嵐のように去っていった。

「お客さんついてるよ。あと一枚残ってるから、今温めてやる」

二枚分の銭を払ったのにな、と思ったが口にしなかった。

店主は熱した窯へ胡餅を入れる。一枚少ない分、温めて出してやろうということらしい。

辺りを見回すとずいぶんと肆がまばらに見えた。戦時でなければ、もっと賑わっていたのだろう。

「景気はどうだい」

史朝義が問うと、店主はため息まじりにこぼす。

「安禄山（あんろくざん）ならともかく、皇帝が愚物の安慶緒（けいしょ）じゃな」

二年前の正月に、燕国は初代皇帝である英雄安禄山を喪った。息子の安慶緒が即位して燕は一度持ち直したものの、衰えは避けられず立て続けに長安、洛陽の二都を唐に奪われたのである。

燕は東へ撤退し、黄河を北に渡ったこの鄴に腰を落ち着けた。以来、鄴城の庁舎を天子の居所としている。

店主の背後で、妻らしき婦人が諦めたような声を上げる。

「来月には、この地にも唐の旗が立っているさ。九の節度使(辺境を治める将)が攻めてくるって話だよ」

婦人が広場の片隅を見た。馬車がならび、それぞれに燕国の警固兵が付いている。水路を通らずに天子の居所へ向かう荷車で、狩りで得た獣や魚、季節の青菜やらを運ぶのだ。

店主が妻に追従した。

「史家に見捨てられた安慶緒に勝ち目はないだろうな」

民の目からもそう見えるのか――。

史家が見捨てた、というのは事実だけみればそのとおりだが、実際に民の口からそれを聴くと心が痛む。

「そんなつもりではないのだけどね」

喉の奥でつぶやいた史朝義に、婦人が「え、なんだって?」と首を伸ばす。

「いや、腹が減ったなと思ってね」

もういい頃合いだ、と店主が窯から胡餅を取りだす。

温められた胡餅から湯気が昇っている。店主が顎ひげを撫でた。

「おれたちゃ嵐が過ぎるのを待つだけさ。唐でも燕でも、戦がはやく終わればどっちだっていい」

「違いない」

史朝義は笑って、胡餅を受けとる。

身をひるがえし、すぐ背後にいた小さな兄弟とぶつかりそうになった。

「おっと、ごめんよ」

兄弟は腹を空かせているらしい。指をくわえて、胡餅をまっすぐ見つめている。史朝義はあさってのほうを向いて頬を掻く。

どうぞ、と胡餅を差しだした。

「熱いから火傷(やけど)しないように」

立ちあがって、さりげなく広場の隅を見やる。荷を襲う者もおるまいと踏んでいるのか、それとも単に人手が足りないのか、警固兵の数が少なかった。

史朝義は馬車の裏にある茂みへ向かう。

舟乗り場に来たのは、舟に乗るためではない。

用があるのはこの公用の馬車だ。

茂みに身を潜め、革帯に仕込んでいた吹き矢に手を伸ばす。警固兵が馬の前を離れたところを見計らって、馬に矢を吹きつけた。嘶(いなな)いた馬のもとへ人が集まってくる。その隙に、史朝義は最後尾の荷車の下へ忍び込んだ。

しばらくして、馬車が前から順に動き出す。史朝義は荷車の底の木枠に手を掛けてしがみついた。

門をいくつか過ぎて、車輪が止まる。

天子の居所の敷地内に入ったのだ。周囲の気配が静まったのを確かめてから、史朝義は外へ這いずり出た。

「お前、何者だ」

警固兵が咎(とが)めてくる。

史朝義はへらりと笑って腰の牌(はい)を見せる。警固兵の身分を示すもので、舟着き場前で身を検(あらた)められたときにかすめてきたものだ。犬もどきの絵は、子どもの絵に見立ててあらかじめ史朝義が描いたものだった。

「怪しい音がしたので、荷車の下を確かめていたんです。気のせいでした」

「それなら構わんが」

警固兵は疑いもせずに、荷運びへ戻っていく。

その後ろ姿を見やり、史朝義は敷地内を闊歩する。堂々としていたほうが、かえって疑われにくい。派手な青の大襦(だいじゅ)に下ろした長髪とふだんは特徴のある姿をしているから、髻(もとどり)を結って地味な服装にしてしまえば、末端の警固兵は史家の長男だと気づかない。

中へ入れば元は役所だった敷地で、建物の配置も分かりやすかった。

厩舎(きゅうしゃ)でいくつか武具や道具を失敬し、裏庭へ回る。人目がないことを確認し、縄をつけた鉤(かぎ)を屋根へ投げた。屋根に上って縄を回収する。

昼過ぎの時刻、公務を終えた皇帝は私室に戻っているだろう。

ここからは側近が控える区域になる。史朝義の顔を知る者と鉢合わせてもいいように、黒の面紗(めんしゃ)で顔を隠した。

屋根を伝って政堂の裏の皇帝の私的な場へ忍び込むと、警固兵の数が急に増える。殿や堂の出入り口に目を光らせているようだが、屋根の上にいる賊にまでは気づいていない。

「警固が甘いな」

質素な造りの官舎があり、その前庭は山桜の薄桃色であふれている。

政堂から退出してきた男が、宦官を連れて官舎の前庭へ姿を現わす。

けぶるような春霞の中を歩く姿は、史朝義のよく知った男だった。

——燕国第二代皇帝安慶緒。

円領（丸襟）の袍にあしらった団龍紋がかろうじて天子の装いらしさを保っているが、生地の色は中華の天子がまとう黄赤ではなく黒一色で、華美な儀礼を嫌う安慶緒らしい服装である。

「もう少し気を引き締めてもらわないと」

史朝義は、腰の矢筒から一本の矢を取りだす。その鏃を皇帝へ向けた。これだけ近ければ命を奪うに充分だ。

だが矢を放とうとした瞬間、背後に物音が起こる。振りかえり、史朝義はおもわず声を漏らした。

「猪……？」

顔を猪の獣面で覆った武人が立っている。背丈が低く、子どものようにも見えた。

猪の獣面は鼻の大きさも耳の大きさも左右で合っておらず、毛なみは不気味なまだら模様で覆われている。

前庭に出ていた警固兵も屋根の上の賊に気づいた様子で、集まりだした。

獣面が突進してくる。違和感をおぼえ、考えるよりも先に身体が飛びすさっていた。獣面は考える隙を与えぬかのように、次から次へと突きを繰り出してくる。

やはり、うまく間合いが取れない。

——屋根の瓦のせいか？

史朝義は庭へ飛び下りる。だが、後から屋根を下りたはずの獣面のほうが先に地に立っていた。周囲の警固兵が手を出せぬほど、獣面はすばやく拳を繰り出してくる。史朝義も拳で応じるが、わずかに届かなかったり、踏みこみすぎたりしている。それが猪の面のせいだと気づくのに刻は要さなかった。顔の左右をいびつにし、波紋のような模様で遠近を狂わせているのだ。

史朝義は、攻撃を躱しながら腰の革帯に手を添わす。革帯に仕込んでいた吹き矢で、玉座にいる男を狙う。

「小手先だな」

知った声が聴こえたと思った刹那、吹き矢が獣面に遮られていた。

「見事だ」

史朝義は相手に賛辞を送りつつ、前に立ちふさがった獣面の脇をすり抜ける。振りきったつもりが、肩と腕が触れるほど近くに獣面が迫っている。蹴りを見舞うが、捉えたのはその残像ばかり。相手の姿態は風に溶けるように自在で、捉えどころがない。

皇帝まであと数歩というところで、獣面は史朝義の行く手を遮り、胴の急所を続けざまに突いてくる。長身の相手の利点を封じているのだ。息をつかせぬ速さで至近から攻められると、手足の長さが邪魔になる。

「そこまでだ」

若き皇帝の張りのある声が聴こえたが、獣面は攻撃をやめようとしない。

「やめだと言っておろう」

呆れの混じった声でたしなめられて、ようやく獣面は動きを止める。

いびつな獣の頭の背後に、厚い肩がのぞく。安慶緒がどこか懐かしむような眼差しをこちらに向けてきた。

「ずいぶんと荒々しいお出ましだ」

「正面から入るわけにはいかないだろう？　それにどれほどの護衛がついているのかを確かめたかったんだ。素晴らしいよ。こんな使い手が燕にいるなんて」

手放しで護衛の獣面をほめたつもりだったが、獣面の下から返ってきたのは突き放すような嘲笑だった。のそりと猪の面がゆれ、首がもげるごとく地に落ちる。

あらわになった顔立ちに、史朝義は目を細めた。

「これは見違えた」

日焼けした精悍な顔立ち。ふっくらとしていた頬は引き締まって、幼さが消えている。背はさほど伸びなかったようだが、大人の男の骨格になっている。史朝義をにらむ茶色の瞳は烈火を思わせた。

「福（ふく）、だいぶ腕を上げたね。恐れ入った」

皇帝は手をあげ、福以外の者たちに下がるように命じた。だが、だれもが躊躇した様子で動かない。

「その面紗の男は昔馴染みだ。案ずるな。側近の将校を呼んでくれ」

あらためて皇帝に促され、宦官や警固兵が場を辞していく。

前庭には皇帝と福、史朝義の三人だけとなった。史朝義はあらためて安慶緒の面ざしを見つめる。苦労したのだな、というのが率直な感慨だった。

まずはねぎらいの言葉を掛けるべきか。だがどんな言葉も苦難の大きさを思うと陳腐に聴こえる。史朝義は歩みより、皇帝の肩を抱いた。

「慶緒、再びまみえることができて嬉しい」

「お前は何年経っても変わらぬな。身軽でうらやましい限りだ」

何十年も会っていなかったかのような口ぶりに、史朝義は笑みを飛ばした。

「たったの二年じゃないか。慶緒が苦労しすぎなんだ」

青々とした春の香りがふたりの間を抜けていく。

回廊を渡ってくる複数の足音が聴こえてきた。

史朝義は面紗を取って、武人らを迎える。

「あなたは……」

武人らは前庭へ入るなり足を止め、史朝義の姿を見て絶句している。

かつて長安を落とした孫孝哲(そんこうてつ)、潼関(どうかん)陥落の功労者崔乾祐(さいけんゆう)らをはじめとした燕の名将たちだ。挙兵時からの古株ばかりで、安禄山が亡くなった際に半数以上の将が安家を去ったときも、この者たちは安慶緒のそばを離れなかった。

「中へ」

安慶緒が将校らを官舎へと促す。

福がなにか言いたげな顔を、史朝義へ向けていた。

「どうしたんだい」

小さく舌打ちをして福が言い捨てた。

「試すようなことをしないでくださいよ。しかも手加減なんかして」

肩をいからせて安慶緒の後を追っていく。その後ろ姿を見て、史朝義は胸を突かれたようになる。

その背に挿してあるのは、古びた三節棍(さんせつこん)だった。

「いやあ、すまないね。腹が減ってしまって」

軍議が終わって将校たちを官舎から送りだすと、皇帝は福に命じて煎餅（いりもち）や胡餅を出してくれた。官舎の広間は柱も調度品も古めかしいが、光が照り返して春めいた明るさで満ちている。その明るさの中で、若き天子はくだけた風情で穏座（おんざ）していた。安慶緒が座るのは素朴な木製の椅子で、玉座と呼ぶにはあまりにも質素だ。そして、その足元の床に直座りするおのれも無作法だった。

将校との談義を終え、史朝義はつかの間の春に酔いしれる。

「ところで奥方はお元気かい」

安慶緒が即位して二年が経つが、皇后が立ったという話を聞かない。

皇帝の背後に控えていた福が含み笑いを漏らす。答えぬ主に変わって、こそりと囁いた。

「ようやくお食事を一緒に召しあがるようになったばかりなんですよ」

「まさか、まだ寝所も別なのか」

呆れるあまり、立ち入った問いを口走っていた。福が首を縦に振る。

「麗（れい）さまはこの官舎の裏の堂で寝起きされています」

洛陽の屋敷にあったような堂を李（り）麗の居所にしているらしい。安慶緒はきまり悪げに目をそらした。

女を知らぬわけでもあるまいし、と思ったが、辺境の武人だった安慶緒には高貴なひめの扱いが分からないのだろう。

「噂をすれば、ですよ」

小さな足音を立てて戸口に現れたのは、小さな夫人——李麗だ。

玉で研いだような雪肌は変わらないが、身なりは侍女かと見まがうような粗末な長袴（ズボン）を穿いている。従者も連れずひとりだった。

「お久しゅうございます、お妃」

史朝義が歩みよると、李麗は苦しげに胸元を抑えた。

「あなたが来ていると内々の報せをいただいて、息が止まるかと思いました」

身なりこそ粗末だが、李麗の仕草には隠しきれぬ優雅さがある。

表情はあの控えめなひめとは別人かと思うほどに、生き生きとしていた。

「驚いたのは私のほうです。以前は可憐でどこか儚げでいらっしゃったのが、これほど堂々とされて。過酷な年月があなたを強くしたのですね」

史朝義が李麗と顔を合わせたのは、潼関が落ちた直後、力者たちと洛陽の晋王府を訪ねたときが最後だ。

　この夫人は安慶緒の妻となってからというもの、戦に見舞われ続けている。特に戦況が悪化して以降の撤退戦は、深窓の令嬢の心身に応えたはずだ。

「もっとはやく参上したかったのですが、慎重にことを進めねばならず。お妃にもご苦労をおかけして申し訳ありません」

史朝義は口中で苦いものを噛みしだく。

李麗は気の昂りを鎮めるふうに、長く細く息を吐いた。

「心得ております」

それより、と李麗はときを惜しむように史朝義へ迫った。

「あなたが来てくださったということは、史家は内応してくださるのですね」

「その談義が終わって将校に下がってもらったところです。お妃にもご説明さしあげましょう」

今しがた将校に示すために使った地図を、史朝義はふたたび円卓に広げる。鄴城のまわりに九つの駒を置いた。

「明後日、唐は鄴に総攻撃を仕掛けてきます。九節度使の将軍が、すでにこの鄴の周辺に駐屯している。むろん父史思明も近くにおります」

今、史思明は唐の武将となっている。

安禄山が死ぬと、史思明は即位した安慶緒に従わず范陽へ引きこもり、そのまま唐へ寝返った。唐は玄宗が譲位し、皇太子李亨（粛宗）の御世に代わっている。唐朝は史思明を受け入れ、引き続き范陽を含む国境界隈の統治を任せたのである。

――父に背いてでも、私は慶緒の元に残る。

史家が燕から離脱するとなったとき、史朝義は自分だけでも燕に残ると安慶緒に申し出た。だが、燕の興隆のためには、史思明が抱き込んだ古参の将や、本拠である范陽を取り込むのが必須だ。安慶緒と何度も話し合い、史朝義は父を燕へ帰順させる工作のために、范陽へ身を寄せることにした。

今、史家は鄴を取り囲む唐軍のうちの一軍を率いている。それで史朝義は、父の密使として敵陣の鄴の城内へ忍び込んだという仕儀だった。

「父は燕が史家を受け入れるのであれば、唐軍を背後から撃破すると言っています」

史朝義の言葉に、燕の妃は安堵したごとく肩を緩める。

皇帝が感慨深げに言葉を漏らした。

「その言葉を史思明から引きだせたのなら、お前を手放した意味があった」

「われながら上々だと思うよ」

唐朝に寝返ってから、史朝義は唐の文武官の不信を煽って、唐のなかで父が孤立するように仕向けた。

つい先だって、唐将が史思明を暗殺しようとした事件が明らかになったばかりで、もはや、唐国に史家の居どころはない。

戸口から花の香りが流れ込み、室内の光が揺らいだ。

史朝義は予定されている布陣のとおり駒を並べ、それぞれ兵数を伝えていく。軍事を知らぬ李麗に伝わるよう、ていねいに説明した。

「このとおり、唐はこの戦に総力を注いでおります。脅威ではありますが、逆にここでこの大軍を叩いておけば、唐は態勢を持ち直すのに数年のときを要することになる」

史朝義の言葉に、安慶緒はふかくうなずく。

「唐軍を打ち払ったあと数年は、領土を広げず河北で地固めをするつもりだ。さすれば、五年は大きな戦をせずに済む」

五年、と李麗は夫の言葉をなぞった。

「そう、少なくとも五年は。そのためにも唐に勝った後は、史家の擁する将兵をうまく燕に取りこまなくてはなりません」

史朝義は安慶緒と李麗を交互に見る。

「それさえ叶えば、私は父を討つ」

安慶緒の目許が翳(かげ)った。

「お前はそれでいいのか」

重い問いを投げてくる。

だが史朝義は軽妙な口調で答えた。

「いいに決まっている。そもそも弟のことがなければ、私はもっと早く父の元を離れていた」

弟黒蛇(こくじゃ)の存在はだれにも明かしてこなかった。

兄である自分が、あの弟を表で暮らせるようにしなければと気負っていた。ひとりで抱えたゆえに誤った。今はその反省を経て、心許せる者——安慶緒や李麗、わずかな力者たちに弟の存在を明かしている。

史朝義は皇帝の顔をみつめた。

「私は慶緒を支えると誓った。きみなら楽土を作れると思ったからだ。ゆえに父からきみを護る」

父が安慶緒の元で大人しく臣下として収まっていられるわけがない。かならず、自ら燕国の皇帝にならんとし、安慶緒の暗殺を試みる。

「だが殺さねばならぬと頭で分かっていても、身体が動かぬ。親殺しとはそういうものだ」

しん、と室内が静まりかえる。

実の父を安慶緒は暗殺した。

先帝は病死と伝えられているが、父子軍の将校たちは薄々察している。李麗も事情は承知しているらしい。落ちついた様子でうつむいている。

安禄山の殺害はだれかがやらねばならなかったことだ。

英雄安禄山は病に身をむしばまれ、自我を失い暴君と化した。あのまま生かしておけば、さらに多くの民の命が奪われることになっただろう。

そして安慶緒は、主殺しをだれかに押しつけられるような性分ではない。

史朝義の目に、丸々とした腹の陽気な巨漢と、それを見つめる寡黙な息子の姿が浮かぶ。

血の繋がりを疑うほど、安禄山と安慶緒は体型も気性も違っていた。なのに、ふたりは親子だった。風貌や仕草といった目に見えるものではなく、親子だと思わせる何かがこのふたりにはあった。

安慶緒に親殺しをためらわせたのはその何かであり、この男はそれを断った。

安慶緒は翳りのある目を史朝義に向ける。

「お前はおのれの親父を殺せるのか」

この男は今も父殺しの苦しみの中にいる。

「身体は竦(すく)むだろうね。ただ、慶緒とはまったく別の理由で」

史朝義は口を引き結び、目を閉じた。

ここにいる者たちには打ち明けよう。自分を取り繕って道を誤るようなことは、二度とあってはならない。

目を開くと、三人の顔が史朝義を見ていた。

「私の中にはね、あの父に支配されていた幼い頃の自分がいる。どうやらその子が脅えているらしい」

幼い頃は、事あるごとに拳や鞭を食らった。その上、父は孤独を恐れる子ども心につけ込み、理不尽な要求をして史朝義の心を追いつめた。他の息子たちにも厳格だったが、長男ゆえか史朝義に対する厳しさは度を越していた。

自分と父史思明の間には、安禄山と安慶緒親子の間にある何かが欠けている。

史朝義の身体を竦ませているのは、その何かとは別のものだ。

史朝義は、皆の前に右腕を出して見せる。

「今となっては自分のほうが父より腕が立つ。充分に殺せる相手だ。頭では理解できる。身体にも納得させようとした。でも駄目なんだ。手に掛けるところを思い描いただけでこうなる」

肌に粟がたち、指先が震えている。

左手で震えを押さえこむと、今度は肩まで大きく痙攣した。

「情けないだろう？　あの父を倒して弟を取り返したいと何度思ったか分からない。でも、ずっとこうなんだ」

「おれはお前にやらせるつもりはない」

安慶緒が静かに言った。

「いいや、これは私が乗り越えなければ――」

「おれが知らずにいたと思うか。お前が隠そうとするから、触れずにいただけだ」

皇帝が強い声で遮る。史朝義は額に手をやった。

「参ったな」

知られたくないから、友の前では平静を装ってきた。

そんな史朝義を気遣って、この友は知らないふりをしてくれていたらしい。その上で、親父を殺せるのかと訊いたのだ。

若者らしく、福が声を荒らげて憤る。

「おいらだって、若さまにやらせるつもりはありませんよ」

「違う、福。慶緒とは身体が竦む理由が違うと言いたかっただけで。私は力者に人殺しをさせるつもりはないよ」

「自分だけきれいでいようとは思っていません」

史朝義を見る福の目が据わっている。一瞬、視線をそらし、再びこちらを見据えた。

「おいらは、もうがきじゃありませんから」

その言葉の意味が、史朝義の胸をさざめかせた。

この子はすでに人を手に掛けている。

さらに踏みこまれるのを嫌がってか、福は話柄(わへい)を転じた。

「おいら、雷(らい)さんたちを呼んできます。なんで声を掛けなかったんだって、あの人後から騒ぐもんな」

あどけなさの残る笑顔を見せ、福は春の光の中へ消えていく。

戸口から一朶(いちだ)の山桜の影が覗き、まばゆい光をちらつかせていた。その光景を残された三人で眺める。

「福はあの三節棍を持ち歩いているのかい」

史朝義が問うと、皇帝が吐息まじりに答える。

「使いこなそうとしているようだ」

日々、黄兎(おうと)の三節棍で特訓をしているのだという。

「あれは黄兎と体格が似ている。血のせいか、日が射すと瞳や髪の色が淡く見えてな。棍を振っている福の姿を見ると、時おり黄兎と錯覚する」

史朝義の脳裡に、望賢宮(ぼうけんきゅう)での血腥(ちなまぐさ)い光景がよぎる。三節棍の達人は、福を庇って死んだ。

「信頼できるものにしか家族の護衛は頼めぬ。黄兎ならと麗の護衛を任せていたが。戦に伴わせるべきだったか」

黄兎の死が、自分のせいであるかのように言う。

李麗が夫を庇うふうに声をあげた。

「わたくしが笑星(しょうせい)と福に余計なことを言ったのがいけないのです」

黄兎を死なせ、呉(ご)笑星をあんな憂き目にあわせたのは、黒蛇と向き合えなかった史朝義に一番の責がある。

だが、福も李麗も安慶緒も、それぞれが負い目を感じているらしい。

お妃、と史朝義は鼓舞するごとく李麗に語りかける。

「私はね、笑星とこの戦を終わらせると約束しました。今がまさにその好機です。唐の皇帝を逃したときのような過ちはもう犯しません」

燕は長安を落とした絶好の機会に、唐の皇帝をみすみす取り逃がした。だが今、燕にまた勝機が訪れている。

――二度と慶緒のことを暗愚などと言わせるものか。

史朝義は、互いに卓を隔てて座る燕国の皇帝とその妃を見比べる。

たしかに愚直ではある。自分の妃なのに、いまだに惚れた女に触れられぬほど生真面目だ。それを、弟の派閥が跡目争いのために「暗愚だ」「女色に溺れている」などと偽りの噂を立てた。

この戦は史朝義にとって、友の名誉を取り戻す戦でもある。

安慶緒は卓上の地図を拳で叩く。

「繰り返しになるが、おれはお前に親殺しをさせるつもりはない。だが今は目前の戦を乗りきろう」

史朝義も卓上の地図に目を落とした。

そのとおりだ。まずはこの好機をものにせねばならない。

「私は密約が成立した旨を父に報せ、またこちらへ忍んで来るよ。再び城内へ入れるように手引きしてくれるかい」

史朝義は鄴城で開戦を迎える手はずになっている。機が熟したところで城内から出撃し、史家軍を引き入れる。

ふいに、外から男の太い声が聴こえた。聴きおぼえのある声だ。

史朝義は、戸口に立って外を見やる。巨漢と細身の対照的な姿が目に飛び込んできた。

隻腕（せきわん）の巨漢は、昔馴染みの力者の雷だ。編み込んだ顎ひげが懐かしい。ひょろりとした男児は厨（くりや）にいた子で、たしか名を丹丹（たんたん）といった。

「戦の前ですから、わたくしたちも民にまじって獣や魚を捌いているのですよ」

それで李麗をふくめ、みなが下働きのような身なりをしているらしい。皇帝も戸口から外を眺めた。

「信頼できる者が限られるのでな。力者衆にはおれと麗の護衛を、丹丹には飯を作ってもらっている。宮廷の料理はどうも食えなくてな」

丹丹は史朝義の姿を見るなり、目を赤くし顔をくしゃりとさせる。

雷は大花が開いたかのような豪快な笑みを見せた。

「ほんとうに史家の若さまじゃねえか。こいつは驚いた」

「声が大きい！」

みなにたしなめられて、雷は首をすくめる。だが人払いをした庭には史朝義たちのほかに人の気配はない。しんしんと花弁が地上に降り注ぐのみである。

懐かしい面々と再会が叶い、史朝義の目に庭の花煙が滲む。

薄桃色の花弁が春の陽光にけぶるなか、史朝義は李麗とともに力者たちのもとへ駆けていた。

二

「朝義はまだ帰らぬのか」

薄暗い天幕に史思明の声が響いた。

黒蛇は即答する。

「間もなく参りましょう」

唐軍は鄴城から少し離れた平地に駐屯している。そのなかでも史家軍は唐将による暗殺を恐れ、さらに離れたところに野営を張っていた。

史思明は寝台に腰かけ、酒杯を傾けている。灯は寝台のそばにひとつのみ、天幕の中はこの季節にしては蒸していた。

黒蛇は父の傍らに腰かけて控えている。人払いはしていたが、顔は布で覆っていた。自分は兄史朝義の影に過ぎない。ゆえに兄と同じ顔を人前に晒さないようにしている。

「やはり重午（ちょうご）将軍に任せるべきだったか」

父は淡々と言う。

名を呼ばれ、天幕の出入り口の近くで大きな背が振りかえった。

天幕には史思明と黒蛇のほかにもうひとり、側近の将軍が控えていた。昼はこの重午将軍が、夜は黒蛇が史思明の護衛に当たっている。ちょうど今が交替のときだった。

将軍は拱手（きょうしゅ）をして、天幕を去っていく。

「安慶緒も兄者だからこそ心を許すのです。第一、重午将軍ではやり取りに困りましょう」

つい語勢が強くなった。重午将軍は口がきけない。身体に支障がある者を側仕えとして取りたてれば、恩に着て主を裏切らない。弱視の黒蛇も然り、そんな思惑が父にはあるのかもしれない。

父の持つ杯のふちが、小さな光を放つ。

黒蛇の目にも分かるものはある。

まず光。明暗は分かる。

色も見分けがつくし、近づけば文字も読める。だが数歩も離れると顔の輪郭が分かる程度、表情までは分からない。それに光が強すぎると目が眩む。これくらいの仄(ほの)かな明かりが一番見やすい。

「朝義に勘づかれたわけではあるまいな」

何を、と問うまでもない。安慶緒の殺害の企ての件を父は言っている。

九節度使に囲まれ危機に陥ったところを援け、史家は燕に帰順する。そのあとは、安慶緒を父殺しの咎で糾弾し殺害。史家が帝位に収まる。安慶緒暗殺の筋書きは、父と黒蛇の間のみで共有している。

「朝義は得体が知れん。唐から燕へ鞍替えが済んだら始末するか」

父は兄を頼みにしているから、本心から言っているのではないことは分かる。それでも父の口から始末という言葉が出ると胃が冷えた。

「それはなりません。兄弟の中でも兄者が一番秀でております」

父は短く息を吐く。笑ったらしい。光の加減で、削いだような傷のある右頬にぽっかり穴が空いたように見えた。

「お前を史家の長男にしてやってもよい。つまり朝義とお前をこう、な」

父は掌をひっくり返す仕草をする。

「さすればお前はほんとうの名を名乗り、朝義に代わって表の世界へ出るというわけだ」

口だけの誘（いざな）いに、黒蛇は内心苦笑する。

「おれは陽の当たるところに出たいとは思いません」

史家には父が目を掛けている末子の史朝清（ちょうせい）をはじめ、息子が複数いる。仮に長男の史朝義を排したとしても、父が黒蛇を表に出すことはない。

第一、兄とおのれでは器量が違う。兄には人望があり、史朝義がいるゆえに史家に従っているという将も少なくない。

その人望が父を警戒させている。今は冗談めかしているが、いつ父が史朝義を殺せと言いだすとも限らない。その前に、兄を父に恭順させねばならなかった。

「寝る」

父は酒杯を黒蛇に預けて床へ入った。

間を置かず、外が騒がしくなる。

寝入りを妨げられた父が不快そうにうめいた。

「確かめて参ります」

黒蛇が天幕の外に出ると、取次の兵が駆け寄ってくる。

「何があった」

黒蛇は声色を変えて問い質す。そのまま話すと兄と同じ声になるからだ。

「閣下の天幕のそばで不審な動きをしておりましたので」

若い兵がひとり後ろ手に縛られて運ばれて来た。暗がりで迷ったのです、と若い兵は申し開きをする。

「待っておれ」

黒蛇は天幕に戻り、父に兵の処遇について伺いを立てる。父は寝具に包まったまま、「重午将軍に任せる」とだけ言った。

「お前たち、下がってよいぞ。重午将軍がこの件を預かることになった」

父の命を告げると兵らは顔を見合わせ、下がっていく。

天幕の外で控えていた重午将軍が姿を現す。荒くれ者ばかりの父子軍の将では珍しく、重午将軍は落ち着いている。近づいてくる体軀に、捕らえられた兵は震えあがった。

沈黙する将軍の姿は凄みとなり、ときに底知れない恐ろしさを感じさせる。

ためらいなく兵の胸倉を摑み、その腹を短剣で一突きした。

――これだ。

重午将軍は史思明の意を汲むのがうまい。主の寝入りを妨げぬように始末したのだろう。

血の臭いが黒蛇の鼻をかすめる。

兵は恨み言を口にしていたが、血を吐いて動かなくなった。将軍は、兵の胸を掌底で突いて短剣を抜く。軽々と兵の身体を肩に載せて、天幕の前を去っていった。

黒蛇は天幕に戻り、父の寝息のするそばへ身を寄せる。

父が寝ている間、刺客から守るのが黒蛇の日々の役目だ。昼間の警固はかつて数人の将校が担っていたが、今はもっぱら重午将軍が任されている。

判断が早く、性分は怜悧。なにより腕が立つ。

玉座を見据える父にとって、こういった人物が向後必要になってくる。

――重午将軍に居どころを奪われぬようにせねば。

父はおのれにとって役に立たぬ者、足手まといになる弱者は身辺から遠ざける。血を分けた息子であっても容赦しない。

黒蛇は生後一年もせぬうちに、目がほとんど見えていないことが分かった。

「この子は駄目だ」

父は黒蛇を史家の者として認めなかった。捨てられそうになったところを母が食い止めたと聞く。

「兄弟で援け合えば生きていけます」

物心つくと、兄が面倒をみてくれるようになった。兄の援けのおかげで、黒蛇は人がましい暮らしが送れていた。

だが父が新たに妻を迎えると、状況は一変した。

母は正妻の座を奪われ、黒蛇たち兄弟は犬猫のような扱いを受けるようになった。

ろくな食べ物も与えられず、狭く汚い庭に閉じ込められて生死をさまよった。覚えていないが、自分の髪や爪を食べていたこともあったらしい。そんな黒蛇に、兄は庭の草や虫をまず自分で試しに食べ、身体に害がなければ食べさせてくれた。

それで命をつなぐのも限界となったとき、兄は人を殺すことで父に存在を示した。

庭での軟禁を解かれてからも兄は腕を磨き、目が不自由な黒蛇がどうしたら標的を仕留められるか、自ら技を編み出して黒蛇に手ほどきしてくれた。

おのれの手で初めて人を殺したとき、黒蛇は歩けなくなるほどに動揺した。命乞いをする声がいつまでも耳に残り、手の感覚がぼやけた。

だが首尾を告げると、父は諸手をあげて喜んだ。

「よく恐ろしさに耐えたな」

それは初めて聞くやさしい父の声だった。

手放しでほめたたえ、たくましい腕で黒蛇を抱きしめてくれた。昂揚する父の熱い息遣いを耳朶で感じ、恐怖も罪悪感もすべてが飛び去っていった。

史家の息子として認められた日、兄とふたりで抱き合って泣いた。

人を殺す恐怖に克(か)った強さは、居どころをもたらしてくれる。むろん、これは兄が手ほどきをしてくれたおかげだ。

――あの頃の兄者に戻ってもらわねば。

兄は、呉笑星のせいで変わった。

いつ頃からか、兄がふらりと家を抜けだすようになった。その頻度は年を追うほどに増え、年越しですら家を不在にすることもあった。あの女のいる力者団で過ごしていたからだ。

いつかあの女に兄を奪われる。ずっと抱えていた不安が現(うつつ)のものとなった。

黒蛇が呉笑星を襲った三年前のあの夜、背に兄の殺気を感じた。黒蛇に対してありったけの献身を注いでくれた兄は、あの女を選び、黒蛇を殺そうとした。

だが天が黒蛇に味方した。おのれの心音がうるさくて音を拾えなかったが、呉笑星が躓(つまず)いたか、傷が広がったかで倒れたらしい。

その隙をついて、黒蛇は難を逃れた。

――呉笑星は死んだのだろうか。

兄が隠したのだと思って、つぶさに探したが未だに見つからない。

死んだようにも思うし、どこか遠くで生きているという気もする。

あれだけのことがあったというのに、兄はこれまでと変わらず黒蛇に接した。その態度が黒蛇にはどうにも座りが悪い。

変わったところもある。たまに兄から女のにおいがする。妾を持ったから、そのせいと思われたが、そこに呉笑星らしきにおいは感じられなかった。

――兄を史家の元へ取り戻さねば。

鶏の庭に閉じ込められていた頃のことが、再び黒蛇の脳裡に蘇る。

幼かった兄は、時おり垣根から抜け出して黒蛇をひとりにした。すでにあの頃から呉笑星の元へ行っていたのだろう。

――このまま兄は帰ってこないかもしれない。

そう思うと恐ろしかった。

日射しが弱まった隙に、黒蛇も庭を飛びだした。

「兄者、どこだ」

遠くから聞こえてくる子どもの声を頼りに兄を探す。

何度も転んでは枝にぶつかり、顔も腕も傷だらけになった。

次第に陽光が射して、肌にむず痒さを感じた。それでも足を止めなかった。子どもたちの輪が近い。耳に届く会話から、角抵に興じているのだと分かった。

やがて甘い香りがして、子らが菓子を分け合う様子が伝わってきた。

黒蛇の小さな喉が大きく鳴った。

「ぼくもまぜて」

その輪に近づこうとしたとき、喉の奥で空気が擦（かす）れるような音がした。

陽のなかを駆けたせいで、顔から首まで皮膚が腫れていた。息が上がって苦しい。じりじりと照る日射しの下で、黒蛇は兄の名を呼ぶこともできずに倒れた。

次に目覚めたとき、黒蛇は兄の腕の中にいた。

――ひとりにしてごめんよ。

兄はぼろぼろと涙をこぼしている。

水を飲ませ、酥（そ）の飴を口に入れてくれた。黒蛇は、濃密な甘さで頭を殴られたようになる。身体中が幸せで満たされ、指先まで痺れた。

「許してあげる。だから二度とぼくをひとりにしないで」

そのときに、兄は約束してくれたのだ。

――二度とお前をひとりにしない。

兄は心根のやさしい人だ。黒蛇のために泣いてくれる。

もし黒蛇が安慶緒を殺したら、兄は悲しむだろうか。

否、これは兄を史家に取り戻すために必要な手立てだ。

黒蛇は自分に言い聞かせた。

三

「夏の暑さだな」

燕の皇帝安慶緒は、天を覆う雲を眺めている。

城外の戦況にいち早く対応できるよう、天子自ら城壁の上に控えていた。

その背で黒の大繻が音を立ててはためいている。夫のために李麗が朱鳥団の力者たちと色違いの大繻を作ったのだ。

史朝義は天子の背後に立ち、おなじ空を見やる。

重く暗い空に、季節を先取りしたかのような大きな夏雲が広がっていた。

「これでは少し動くだけで汗ばむ。兵もつらかろうな」

史朝義らが立っているのは、城の南門の近くだ。

鄴城の外回りは南面が広く開けており、唐は主力の軍をその広野に敷いた。曇天に、燕軍と唐軍の剣戟（けんげき）を交える音や怒声が反響している。さらに雹（ひょう）でも降ったかと思うような打撃音があちこちから聴こえている。城壁の側に枝房のついた立木を添えており、楯として次々と打ち込まれる矢や投石を防いでいた。

「ここまでは滞りなく、と言ってよかろうな」

安慶緒が振りかえって問うてくる。史朝義はうなずき、友の隣に立った。

「ここからが肝心だ。うまくいくかどうか」

夜明けとともに唐の九節度使が一斉攻撃を仕掛けてきた。

戦力で圧倒する唐軍は、勝利は固いと高をくくっている。ゆえに動きが鈍い。

――だれが安慶緒の首を取るか。

味方を出し抜くために、城門が破られるまで主力を温存しているのだ。

ふと史朝義の視界の端で、赤の大繻がたなびくのが見えた。

――笑星。

女の幻影が、史朝義の瞼（まぶた）の裏をよぎる。

だが朱鳥の大襦を着けて立っているのは福だ。朱鳥団の者たちは赤の大襦を着け、民を守るために鄴城内で待機している。この少年は皇帝の護衛として、柄の長い長刀を手に睨みをきかせていた。城外の喊声が低くなる。福が身を乗りだして叫んだ。

「唐軍が動いたぞ」

史朝義は城壁のそばまで身を寄せる。屈んで木楯の穴から戦場を覗いた。

目下、唐と燕の兵が入り乱れて弓や長刀を交えている。

矢を顔面に受けた兵が落馬するさま、斬りつけられた首から血がしぶくさま――。

その惨劇の端、向かって最右の一軍が戦場を離れていく。

唐国一の武将郭子儀の軍で、迂回攻撃に出たのだ。鄴城には西から注ぎこむ川があり、防備の手薄な川門を突く手筈になっているのである。

そのすぐ隣の一団が史思明の軍であり、郭子儀軍が動いて一刻もせぬうちにその後に続いた。これは唐軍の戦略にはない動きだ。

さらにその隣に配置されているのが李光弼の率いる軍で、この李光弼こそが父を暗殺せんとした武将だった。史思明軍が動きしだい、李光弼の元へ史思明離反の報が入るように仕込んである。もくろみどおり、李光弼は史家軍の後を追いはじめた。

「李光弼め、引っ掛かったな」

かたわらで安慶緒が声に喜びをにじませる。史朝義は安慶緒が覗きやすいように、身をずらしてやった。

「勝ち戦を前にしても、李光弼は憎き離反者を見過ごせない。父に強い不信を抱いているし、一度殺し損ねてもいるからね」

だがそれは罠だ。

後を追って渓谷に踏みこんだ李光弼軍を、史家軍が崖上から狙うことになっている。

そして、史家軍は迂回攻撃のために先に離脱した郭子儀に対して助けを求める。突如、戦場で李光弼が攻撃してきたと偽りの訴えをするのだ。史思明と李光弼の不倶戴天の仲は皆の知るところで真実味があり、親分肌の郭子儀は無下にもできず仲裁に入るだろう。

「見ろ、残った唐軍が右往左往し始めた」

鄴城の南面に残った唐軍の動きが大きく乱れている。

「扇動の部隊がいい働きをしてくれているね。後で追加の褒美をやらなくては」

史朝義配下の部隊が、戦場で戦っている唐軍に紛れ込み、いったん全軍撤退することになったと誤った情報を流しているのである。

各軍とも伝令をすぐに信じることはできぬだろうが、実際に三つの軍がそろって戦場から姿を消しているとなれば、判断に迷う。

そこへ反転した史家軍が攻め込み、足踏みした唐軍を前後から挟撃する。

これが史朝義の策だった。

「おもしろいほど、お前の筋書きどおりになっているな」

「唐軍は蟻を潰すのに虎を九頭もつれてきたようなものだ。しかもそれぞれ体面があって、うまく連携が取れていない。唐という大船は、船頭の数が多すぎてどこにも進めなくなっているんだよ」

案の定、目下の戦場は混乱に陥っていた。

史朝義の頭上で大きく音が弾ける。吊るした木楯に礫(つぶて)が当たり、ふたりの肩背へ降ってきた。史朝義は皇帝の頭を守るように、青の大襦で払ってやる。

「若さま。そろそろ出撃の支度を」

福に促されて、「ああ」と史朝義は立ちあがった。

これから父の率いる軍を城内へ引きこむ。城内から出撃して唐軍を打ち払い、父の入城を援ける。

「では慶緒、私は……」

皇帝から出撃の許しを得ようとしたときだった。首筋につめたいものを感じた。

気のせいかと思うほど微かな感触だったが、続けてひんやりとしたものが降りてくる。手で触れてみたが濡れているわけではない。雨でも雪でもなく、風がつめたい。春にもかかわらず、大気は夏の熱を孕み、吹く風は冬のそれのようにつめたい。

空を見渡すと、西から湧き上がるような大きな雲が迫っていた。その底が黒く汚れている。

──なんてことだ。

史朝義は心臓に氷を当てられたようになった。

「若さま?」

立ちつくす史朝義の顔を福がのぞき込む。

かつてあれと同じ雲を見たことがある。

自分の見立てが正しければ、まもなくこの地に激甚の大風が吹く。

「なにか気になることでもあるのか」

気づくと、すぐそばに案ずるような皇帝の顔があった。

──この男には言いたくない。

安慶緒という男の名誉を回復したい。唐の九節度使を倒した栄誉をこの友に捧げたい。

唐の大軍を打ち払った賢帝として、安慶緒の名を歴史に刻みたかった。

「慶緒……」

かすれた空気が史朝義の喉を抜ける。

皇帝は空を見やり、察したふうに促した。

「天候か。何か悪い予見があるのだな。言ってくれ」

この友には隠せない。

判断は天子たる安慶緒に任せるべきだ。史朝義は観念して、西の空を皇帝に指し示した。

「おそらく数刻もせぬうちに、この一帯が大風に襲われる」

「大風？」

それがどうした、といったふうに安慶緒は眉宇を寄せる。

「荒天下の戦など珍しくもなかろう」

史朝義は細かくかぶりを振る。

「雲からどんと地上に烈風が吹きつけるんだ。私が前にみたときは馬車や納屋もひっくり返るほどだった。即刻、民を堅固な建物や城壁のそばへ避難させる必要がある」

史朝義があの暴風に見舞われたのは数年前のこと。洛陽の近郊で軍事演習に出ていたときに、馬も兵器もすべて風に持っていかれた。あの凄まじさは実際に体感しないと分からない。

「城外に出ている兵を直ちに戻す必要があるということか」

安慶緒は歯噛みする。やはりこの男は暗愚ではない。史朝義が口に出せずにいる点をすぐに察した。民の避難に当たらせるため、また兵自身を大風から守るために、城外の軍を撤退させなくてはならない。

「その大風とやらは確実に来るのか」

「来る。どこに吹くかまでは読めぬが、この一帯は間違いなく被害を受ける」

直撃は避けられたとしても、無傷ではいられない。

「史思明を引き入れてからでは遅いのだな」

「おそらく。ことは一刻を争う」

安慶緒は黙している。

これは賭けだ。戦を継続するか。それとも、大風を見込んで民や兵を避難させるか。

戦を続ければ避難が遅れ、場合によっては民が甚大な害を被る。

一方、避難を優先してすぐに兵を引き上げた場合、安慶緒は形勢逆転の機を逸し、今後、燕が天下を取ることは難しくなる。挙兵時から抱いてきた楽土を作る夢を捨てなくてはならない。

若き皇帝は目許に力を込め、あっさりと言った。

「お前を信じる。これを」

史朝義に向けて、腰に佩いた物を投げる。燕の皇帝が将に軍権を預けるための牌だった。

「おれは城内で避難の指揮を執るゆえ、お前に唐との戦の一切を任せる。だがあまり兵力は割いてやれぬぞ。せめて福を連れていけ」

控えていた福が、「お言葉のままに」と長刀の柄を握り直す。

「福は慶緒の護衛だろう?」

「護衛はほかにもいる。まだ明るいゆえ黒蛇も出ぬ」

淡々と言って、すぐさま将や官人を呼び立てた。

「少しも迷わないんだな」

か細い声で史朝義はつぶやく。

そんな簡単に決めないでくれ、と言葉が喉まで出掛かった。

自分の名誉を取り戻したくはないのか。この勝機を逸すれば、また世間は安慶緒を愚かな天子だと嗤うだろう。

「朝義、いったい何をしている。急がねば」

動けずにいる史朝義を、安慶緒が怪訝な顔で見る。

史朝義は皇帝の牌を握りしめた。

「私は悔しかった。何も知らぬくせに、民まできみを悪しざまに言う。ここでだれの目にも明らかな大勝利をきみに捧げたかった」

市井で安慶緒の悪評を耳にするたびに、耐えがたい怒りを覚えた。人を寄せ付けぬ冷たい風貌とは裏腹に、安慶緒の内面がいかに慎ましやかで謙虚で思いやりに満ちているのかを教えてやりたかった。

「朝義」

安慶緒は空を気にした様子で見やり、宥める口調で言う。

「何度も語ったな。多くの命を奪った父子軍の過ちは繰り返さぬと。仮にここでおれが唐に負けても、唐軍は鄴城の民に無体はすまい。自分の勝利のために鄴の民を死なせるのは間違っている。人にどう言われようがそこは譲れぬ」

それにな、と顔を史朝義のほうへ向けた。

「おれのことはお前が分かってくれている。それで充分だ」

こういうところだ、と史朝義は胸中で喝采を上げた。

自分の評判を気にしたり、見栄を張ったりということをしない。自分の名誉のために、実の孫や娘である李麗を殺そうとした唐の皇帝や皇太子とは雲泥の差だ。

若き皇帝は襟元の紐を解いた。

「この戦況で味方の軍を城内に引き入れるなど至難の業だ。せめてこの大襦がお前を護るように」

脱いだ黒の大襦を史朝義に差しだす。

外に出撃するのも地獄、内で指揮するのも地獄。ここからは命がけになる。史朝義も大襦を脱ぎ、互いの大襦を取りかえた。

「ともに、春の嵐に踊らん」

史朝義の声に、皇帝のまなじりが鋭くなる。長い付き合いだから分かる。安慶緒が敵を前におのれを奮い立たせるときの表情だった。

もう後には引けない。

この窮地を乗り切って、安慶緒という男を必ず盛り立ててみせる。史朝義も覚悟を決めた。

「燕軍の総指揮、この史朝義が拝命した」

互いの大襦を背にまとい、安慶緒と史朝義はうなずきあう。

史朝義は急ぎ城壁の階段を降りた。

城門前の大通りで史朝義を待っていたのは愛馬の青(せい)、そして安慶緒に従ってきた古参の兵が千ほど整列していた。

背には黒の大襦、腰には天子の牌――。

史朝義は天子の将として、皆の前に立った。

「筋書きが変わった。今すぐ城門を開く。燕軍の兵および史家の兵を城内へ引き入れよ」

将校らが目を剝く。戦況が燕側に有利に変わってきたというのに、みずからそれを崩しにいくのだから当然だ。今、城内に兵を戻せば、敵に背を見せることになる。襲ってくれというようなものだった。

「まだ史家軍が戦場に到達しません。出撃は早いかと」

「唐兵が多く、燕の軍だけ城内へ入れるというのは困難です」

将校らが次々と苦言を述べる。

史朝義は、手短に事情を説いた。

「激甚の大風が起こる見込みだ。一刻もはやく味方の兵を城内へ引き入れ、鄴の民を避難させねばならぬ」

だが、将校らは及び腰である。

空をみやると黒い雲が鄴城の南に迫っていた。焦燥に駆られた史朝義の耳に、よく通る少年の声が飛びこんでくる。

「おいらが先駆（さきがけ）になる。先陣を任せてください」

史朝義は目をすがめた。

目が冴えるような鮮赤の大襦――朱鳥の刺繍を背に、福が騎乗して千の隊の前で開門を待っていた。

兵らがなにかものを言いたげに、大襦をはためかせている少年を見ている。

この子を預かったはいいが、そもそも戦場に出たことはあるのだろうか。先駆など、分かっていて死にに行かせるようなものである。

「福、気持ちはありがたいが、きみを失っては慶緒に……笑星に申し訳が立たない」

すると福は腰の箭から矢を一本抜いて上空に構えた。

弓が壊れるかと思うほどきりりと音を立てている。そのまま曇天へ向けて矢を放った。なにか標的があるわけでもない。敵陣に放つ嚆矢(こうし)のつもりかと思ったが、ややあって上空に黒い点が生じ、列を組んだ兵の間へ落下した。

遠目の利く史朝義でも見えなかった鳥を撃ち落としたのである。千の兵のどよめきと感嘆が地上を沸かした。

口を開けたままでいる史朝義を、少年が睨んでいる。

「もうがきじゃないって言ったでしょう」

福の動きは見事なものだった。

軍馬や武器の扱いも手慣れていて、危ういところがない。

腰の引けていた将兵に先んじて敵陣の中を突き進み、すぐに追撃した史朝義のそばで護衛に徹している。

この子はいくつになったのか。敵の猛攻を打ち払いながら、史朝義は頭の片隅で数える。

——十七か。

たしかに子ども扱いする年齢でもない。

命乞いをする敵兵の首へ、福がすかさず短剣を刺しこむ。

成長したな、と感服する一方で、やり切れぬ想いがこみ上げてくる。

——この子は力者だ。

ためらいなく敵を刺し殺す姿に、心が焼けるように痛む。

力者は本来人を殺さない。かつての福の姿を知っているがゆえに、思い知らされる。

戦は人を変える。例外はない。

「若さま、後ろだ！」

福の声を受け、史朝義は即座に敵の矢を払う。

「ったく背に目でもついているんですか。やっぱり若さまは化け物だな」

半ば呆れた口調で言って、頬に着いた血をこする。

行く手に泣きわめく兵の声が聞こえ、ふたり同時に前を向いた。少年兵だ。これが初陣か、味方の死を目の当たりにして動けなくなっているらしい。

「少し離れますよ」

福は馬腹を蹴って、少年兵の元へ駆けて行く。

下馬するなり少年兵の横面を叩いた。

「会いたい人がいるか、食いたいものはあるか！　何でもいい。一つ頭に浮かべたらそれだけを考えて城門へ向かえ！」

拳で胸を叩かれ、少年は雷に打たれたかのように直立する。

「馬をやる。逃げろ！」

福は馬上へ少年の身体を押し上げ、馬の尻を叩く。自分を襲う敵の長刀を躱しながら、馬上の少年に斬りかかる兵へ次々と矢を射込んだ。

史朝義は前へ進撃しながらも、つい背後の福の動きに魅入っていた。

「こんな時に、なにへらへらしてるんです？」

敵の馬を奪って駆けつけてきた福が、気持ち悪いものでも見るような目を向けてくる。

「いや」

芯のところは変わっていない。福の心の中に闘志の灯火はある。

「きみって、地獄で会った福の神様みたいだなって」

「よく言われます」

味方の兵を襲う刃を、史朝義は長刀で打ちかえす。おのれのすべきことが心中で明確になる。

――福がふたたび角抵のできる世に戻す。

史朝義は、城内へ戻る味方の兵を庇いながら、追ってくる唐軍の攻撃を払い続けた。福とともに敵味方が入り乱れる戦場を走り抜ける。

無事に味方の燕軍と史家軍を城内へ引き入れたときには、史朝義も福も総身に血を浴びていた。だが城内に入っても安堵する暇もない。大風に備えなくてはならなかった。

城内にいた将校たちが、逃げ込んできた将兵に民の避難を指示していく。

史家軍に事情を説明しようとした史朝義を、父の激しい叱責が襲った。

「愚か者め」

南門近くの広場で、史朝義は頬に鞭を食らう。

父史思明は、地に這いつくばった息子をさらに鞭で打ち据えた。軍服が破れ、肌が腫れあがるのが分かる。

「なぜ筋書き通りに動かなかった」

「間もなく大風が吹くのです」

父が大きく目を剝く。頬の傷まで開いたように見えた。

史朝義が見上げると、あの不吉な雲がまだ鎮座している。地に圧し掛からんばかりに、大きさを増していた。

——大風は来ないのか。

城壁の上から望んだ際は今すぐにでも大風が来るように思えたが、史朝義が底の汚れた大雲を認めてからもう二刻は経っている。

城壁の向こう側から、唐軍の喊声が聞こえている。

攻城を仕掛けてきているのだろう。城壁の上を見やると、迎撃すべく燕軍の大型兵器が次々と石を飛ばしていた。

史思明は、将校の前で息子を罵倒し続けた。

「李光弼の軍を陥れて戦場へ戻ってみれば、挟み撃ちするはずの唐軍が、城内へ逃げていく燕軍を追い込んでいた。決死の思いで史家軍は城門へ逃げ込んだのだぞ」

顔面に鞭が入る。こめかみが裂けて、首まで血が垂れる。

父の革靴が、史朝義の手の甲を踏みにじった。

「父を裏切る気か」

「背く気があれば、父上を鄴城に迎え入れておりません。父上の隊もどうか避難を。兵をすぐに下馬させてください」

騎乗していては、馬ごと持っていかれてしまう。

「城壁ぞいに待機するように命じるのです。もろい建物のそばはいけません」

進言する史朝義の横面を、硬い鞭が叩いた。

「お前は昔からそうだ。敗北の言い訳ばかり口にする」

頬も裂けたのか、顎をしたたるものがある。

視界の端で、赤い大襦が揺れていた。福が、身体から立ちのぼらんばかりの怒りを史思明に向けている。だが、父の目には少年の姿など映っていない。

史朝義が福を制止しようとしたときだった。

「おやめください」

よく通る声に史朝義が振り返ると、小さな夫人が佇んでいた。

背後には力者の雷を従えている。

「史家の若さまのおかげで、民を避難させて、畑に網を掛けることもできました。大風に莳いた種まで持っていかれたら、民の心が折れてしまいますもの」

みすぼらしい出で立ちのせいで、父は相手が李麗だと分からぬらしい。

「父上、燕朝のお妃です」

史朝義に教えられて、ようやく気づいた体で父は李麗を眺める。

周囲には将校だけではなく、民も集まってきていた。

「あの人が……お妃だって？」

「まさか」

「いや、言われてみれば……」

史朝義が明かした李麗の素性を聞いて、農夫らしき者たちがどよめいている。

李麗は身分を隠して民と交わっていたらしい。

史朝義は身を引きずるようにして、李麗の前に立ちふさがる。

「お妃もどうかお控えください」

鞭で顎をやられたらしく、うまく発語できない。

次第に馬蹄の音が近づいてくる。集まっていた将校や兵が道の端に控え、皇帝の一団が現れた。

青い大襦の男――安慶緒が下馬して左右に問う。

「いったい何ごとだ」

周囲が皇帝に報ずる前に、父が尊大な声で若き皇帝をなじった。

「まさか、この茶番は慶緒の意向というわけではあるまいな」

父はあえて衆目のあるところで皇帝を貶めている。

「この不可解な撤退で、燕は勝機を失った。唐軍に打撃を与えてからでなければ、引き上げるべきではなかったというに。お前も父のように耄碌したか」

安慶緒は膝を折って史思明に伏した。

「判断については、これからお分かりいただけるかと思う。おれは貴兄を頼りにしている。この至らぬ男のもとへよくきてくださった」

父は、下手にでた燕の皇帝を満足そうに眺める。

「わしは慶緒の配下に入るとは、まだ決めておらぬ」

足元を見たかのような態度に、福が拳を震わせ一歩踏み出した。少年を止めようとしたとき、頰のそばをひとすじの風が通りすぎていった。

――この風は。

史朝義は上空を見る。

「誠意を示せ。誤った判断で万の兵にあのような無茶をさせたのだからな。今後もこのざまでは不安が残る」

「貴兄には最上の待遇を持って迎え入れたい」

「待遇と来たか」

史思明は弄ぶような眼差しを若き皇帝にそそぐ。

「誠意の証としてそちらの夫人をもらい受けたい」

李麗の身体がこわばるのが分かった。

「殺そうというわけじゃない。唐朝のひめは今後なにかと使える。手許に置いておきたいということだ」

安慶緒は一度目を閉じ、落ちついた口調で問う。

「つまり朝義の妻にすると？」

いや、と史思明は右の口角を上げた。

「わしの妾に」

李麗を貶めることで、安慶緒を侮辱しているのだ。

史朝義のかたわらで、福が我慢ならぬといった風情で全身をわななかせていた。史朝義はいつでも間に入れるようにと身構える。

「分かりました。わたくしが史家に入ればよろしいのですね」

おぼつかぬ足どりで李麗が進み出る。その腕を安慶緒が摑んだ。

「認めぬ」

唇まで蒼白にしながら、李麗も譲らない。

「わたくしの身ひとつでこの場が収まるのでしたら」

「認めぬといっておろう！」

安慶緒の怒号が響く。同時に、つむじ風が足元から吹きこんだ。

史朝義は声を張り上げる。

「気をつけろ！」

言い終えぬうちに、強い衝撃を背に受けた。

南から横殴りの強風が叩きつけてくる。

押し倒されて地に伏せた。幾度も腹の下から風で押し上げられ、濁流のなかに身を置いているような感覚に見舞われる。矢避けの楯や樹木が頭上を飛んでいく。

その間、十を数えるほどだっただろうか。大風が収まり、飛来するものがないことを確かめてから史朝義は身体を起こす。

周囲の天幕は土台を残してすべて吹き飛ばされ、そこになにがあったのか想像できぬ姿に変わり果てていた。城壁の上に備えてあった投石機が倒れており、人も何人か地上へ落ちたようだった。

史思明は飛んできた物に打たれたらしく、肩をおさえながらうずくまっている。

「父上、大事ありませんか」

「いったいこれは――」

史思明は息子や将校に支えられながら立ち上がる。

すさまじい大風だったが、あれでも城壁のおかげで軽減されていたらしい。城壁から離れた北のあたりの樹木が軒並み倒れていた。

「だれか！」

女の切実な声に史朝義は振りかえる。李麗が夫の頭を掻きいだき、声を振り絞って叫んでいる。

「いかがしましたか」

史朝義が駆けつけると、李麗の目じりから涙がこぼれる。

「陛下が動かないのです。わたくしに覆いかぶさって守ってくださってそれきり」

いそぎ手首をとり、脈を確かめる。

「ねえ、大事ないのでしょう。死んでなんていませんよね」

李麗が有無を言わせぬ勢いで言い立てる。そのうしろで福が顔を背けるのが見えた。安慶緒はだらりと身体を投げだしたまま身じろぎもしない。

李麗は夫に語りかける。その顔に頬を寄せて胸に抱きしめた。

「楽土をつくってくださるのでしょう。あなたがいなくては、わたくしだって生きてはいけなくてよ」

切々とした声で訴えるが、男はぐったりとして応えない。

「お妃、申し上げにくいのですが」

脈を取っていた史朝義は口を固く結んだ。おのれの肩が震えているのが分かる。ここで笑ってはいかにも失礼だ。唇を開いて一気に伝えた。

「陛下は、生きていると言いだしにくいようです」

史朝義の言葉に李麗は瞠目し、腕に抱いた顔をまじまじと見る。きまり悪げにひらく双眸をみて、女の総身が一気に緩んだ。

「生きて――」

驚きや喜びと様々な感情が湧き起こったのだろう。李麗の顔が赤く染まる。

安慶緒はわずかな間、気を失っていたのだ。意識は戻っていたものの、飛来した物で身体を打ったのか動けずにいたのだろう。

神妙な顔をして身体を起こす安慶緒の姿に、様子を窺っていた将校や兵、農夫らまでも入りまじって笑いだす。

腹がよじれるほど笑ったのは久しぶりだった。

四

のちに語り草となるその大風は、鄴城を落とさんと勇んでいた唐軍を直撃した。

兵や馬は吹き飛ばされ、梯子車（はしごしゃ）などの大型兵器までひっくり返るほどの被害をもたらしたのである。唐の節度使たちは命からがら撤退した。唐はこの戦の痛手から回復するまでに数年のときを要することとなる。

大地を叩きつけた風はすさまじい勢いで鄴城へ流れたが、城内では安慶緒が避難の触れを出していたので、城外よりもずっと少ない損害ですんだ。そのうえ、唐軍が何万石という食糧をそっくり残していったので、鄴の者たちは喜んで城内へ運び入れた。

「ひと月は、炊き出しができるそうです」

燕国が官署としている庁舎前の広場で、安慶緒は諸官の報告に耳を傾けている。

唐軍の撤退が分かると、皇帝はすぐに城内外の被害を確かめるように武官に命を出した。

避難の触れを出していたとはいえ、民のすべてが無傷で済んだわけではない。ふだんから施しを行っている仏僧を招じて、怪我をした者や家を失った者のために炊き出しをはじめたのである。すでに粥を待つ長蛇の列ができていた。

「さあ、並べ。たっぷり支度してあるから慌てるなよ」

雷をはじめとした力者衆が手慣れた様子で、粥や汁物を配っている。

皇帝はひととおり指示を出し終えると、今度は文官らしき者たちと話しはじめた。その頭上にそびえる天が、薄く翳ってきている。

野天のしかも庶生（しょせい）に近しい場で、将や官人らと言い交わす天子など過去にいただろうか。史朝義は炊き出しのための火を熾（おこ）しながら、一風変わった朝廷の有り様を眺めている。

大気はまだ落ちつかず、上空には何百、何千ものひつじ雲が雲海をなして流れていた。その直下に千切れ雲が浮かび、上下で二層をなしている。上空を流れるひつじ雲もその下でたゆたう千切れ雲も、あまねく薄い藍に染まっていく。

長い一日が終わろうとしていた。

「お妃」

粥を配っている李麗のもとへ、埃ですすけた官服をはためかせて文官が駆けつけてくる。

「礼部尚書（れいぶしょうしょ）、いかがされました」

李麗は粥をよそう手をとめずに、顔だけ相手に向けた。国家の祭祀などをつかさどる高官であり、人のよさそうな福顔に喜色が浮かんでいる。なにか慶事でもあったらしい。

「陛下がお呼びでございます」

「でも、今は手が離せなくて。丹丹の姿が見えないんですもの」

「私が代わりましょう」

史朝義が申し出たが、「史家の若さまもご一緒に」と礼部尚書は言う。

文官に促され、史朝義と李麗は皇帝の元へ参じる。ふたりの姿を認めると、皇帝はみじかく一言で告げた。

「詔（みことのり）を出す」

「詔、でございますか」

李麗が当惑の色を浮かべて、史朝義を見上げている。わざわざ妻を呼びたてて、何の案件かと訝しんでいるのだろう。

表情も変えずに、安慶緒は言葉をつづける。

「朝義が大風を予見してくれたと民に知らしめたい。それから麗の苦労にも報いたい」

「そんな、おおげさです」

小さな夫人はうろたえた。

なるほど、と史朝義は眉を緩める。

大風の予見は名目で、一番は李麗がおのれの妻なのだと民に知らしめたいのではないか。

「私はいい話だと思うね。お妃は陰の功労者だもの」

安慶緒はこの戦にあたり、触れが民へすみやかに伝わるようにと、伝達の仕組みを作り上げていた。各坊への伝達には雷をはじめとした力者衆が一役買った。李麗もしかり、安慶緒の臣が戦に備えて民と交わっていたことが大いに生きた。

でなければ、避難の指示がこれほど早く伝わるわけがない。

「妃が天子を支えるのは当然のこと。それに力者衆が与力してくださったからこそなのですから」

李麗はとんでもないことだというように、固辞して持ち場へ戻ろうとする。

だがそんな妻には取りあわず、安慶緒は文官らを目で促している。史朝義はその眼差しの先をたどって振りかえり、言葉を失った。

文武官が整然とならび、拱手の礼をこちらに向けている。さらにそのまわりを取り囲むように、民もかしこまっていた。

史朝義も李麗も慌てて皇帝の背後へさがろうとする。だが、黒の大襦にさえぎられた。結局、頭をめぐらし、ふたりで天子の隣に収まる。

みなが天子の声を待っていた。

「このたびの大颪を予見したのはわが友史朝義だ。朕の妃である李麗も民を守るべく奔走した。ついては李麗を燕国の皇后とする」

「皇后？」

李麗は小さな口を開いたり閉じたりして言葉を失っている。

集まっていた民が、皇帝の言葉にざわめく。街でともに戦の支度をしていた女が皇帝の妃だと、初めて知った者も多いのだろう。

皇帝は民に語りつづける。

「燕は今日ひとつの困難を乗り切った。これからは親と子が引き離されぬ世を作る。大地の実りを分かち合い、嵐のときには皆を守る大樹になると誓う」

飾り気もなく短い。されど簡潔で力づよい声が人々へ伝わっていく。

薄い陽のかかった天蓋をやぶるかのように、民の声が轟いた。

「皇帝陛下、万歳万歳万々歳！　皇后陛下、千歳千歳千々歳！」

顎ひげを編んだ巨漢が御前に進みでて、片腕で酒甕を掲げる。

「陛下、このたびはまことにおめでとうございます」

目を白黒させている李麗を、雷は面白がっているようだった。

「これほどの才色は地の果てまで馬を奔らせても得られますまい。陛下がお妃をないがしろにするようであればと思うておりましたが、これで安堵いたしました」

雷は身をひるがえし、みなに向けて威勢よく声をあげる。

「祝いの酒を陛下から賜った。さあ、今日の生に酔いたいものは並べ」

いつの間に、そんな流れになっていたのだろう。火灯し頃とばかりに、あちらこちらで松明の炎が揺れて人々の顔を照らしている。炊き出しは粥と汁物だけだったはずが、どこかから肉の焼ける匂いもしてきた。賑やかな声が広場にあふれる。

「まさか、こんなことを考えていたとはねえ。慶緒にしては気が利いている」

思わず口許が緩む。

段取りも踏まず皇后を決め、夕暮れどきの野で民と交わる。こんなやり方は見たことも聞いたこともない。

「おれは学もなく礼も知らぬ。お前たちにはすまないと思っている」

どこか開き直った様子の夫に、李麗が恨みがましい声を漏らした。

「皇后だなんて、ひとことも仰らなかったではありませんか」

「ずっと考えていたが、考えるのに疲れた。巻き込んですまぬと謝ればいいのだと思った」

言葉の足らぬ友の代わりに、史朝義は補ってやった。

「どうやら、ともに矢面に立てと仰っているようですよ」

皇帝は、悦に入ったように顎を引く。

「おれにしてはめずらしく良い選択をしたと思っている」

李麗を皇后に立てれば、燕が敗北した際に国母としての重責を負わせることになる。ゆえにこの男は李麗の手にも触れず、葛藤していたのだろう。

焼いた肉や胡餅を分ける人々の声、酒を飲み交わす息遣いがすぐそこにある。

たち騒ぐ人の声にまぎれて聞き逃さぬよう、史朝義は友の言葉に耳をかたむけた。

「おれは殺すことでしか事を進められなかった。ひとりでやろうと思うからそうなる——」

言いさして、皇帝は夕暮れ空に目を向ける。

西空を覆っていた下層の雲が途切れ、ひつじ雲の襞(ひだ)を茜色に染め上げていく。

やがて、薄藍だった天はきらめく赤黄金の海となり、ひつじの雲片は水面をたゆたう珠となって、ゆらゆらと瓊音(ぬなと)を奏で始めた。いつまでも聴いていたくなるような、ゆったりとして満ち足りた音。

それが今日一日を生き延びた人々の声だと史朝義が気づいたとき、皇帝と皇后、そして史朝義の嘆息が重なった。

李麗は頭を夫の胸にあずけ、目の前に広がる光景を眺めている。

皇帝が史朝義のほうへ面ざしを向けた。雲からの照り返しをうけて、肩や鼻すじの陰影が濃くなっている。その目の潤みに映るおのれも、友と同じ夕陽の色を宿していた。

——これが安慶緒の守りたかったものだ。

食べるものがあって、人が安心して笑って生きている。

燕の将兵だけではない。今日迎え入れたばかりの史思明の麾下の将たちもおなじ赤に染まっていた。

父史思明の姿だけが見当たらない。

夕陽に照った人々の中に父の姿を探していると、ひとりの将軍と目があった。

史家の重午将軍が赤々とその双眸を光らせていた。

「それにしても、少々参りましたね」

湯殿の壁に背をもたせて史朝義が語りかけると、格子の窓越しにちゃぷりと湯の音が響いた。

「ほんとうに」

窓の隙間からほのかな灯りがこぼれ、立ちのぼる湯気を浮かびあがらせている。燕の皇后となった女は、湯あみで戦の倦(う)みを落としていた。

「急に皇后だなんて。もっとはやく打ち明けてくだされればよかったのに」

「あの男なりにずっと考えていたのだと思いますよ」

気負いなのか、または照れか。安慶緒は妻に弱音も吐かずに来たのだろう。

それより、と李麗が声を厳しくする。

「朝義どのは陛下のおそばを離れてもよろしいのですか」

「陛下には福や雷さんがついております。それから腹心の将たちも」

皇帝のもとで、燕国の将校と参入したばかりの史家の将校が旧交を温めている。

「あのふたりがついているのなら安心ですが」

かつての父子軍の光景が史朝義の脳裡をかすめた。

「安の小父(おじ)さん――先代皇帝のまわりには、ふしぎと福や雷さんのような無頼が集まったものです。陛下は先代に近づいているのかもしれませんね」

安禄山に惚れこみ父子の契りを交わした男たちは、その半数が安禄山の死を機に野へ下った。二代目の安慶緒のまわりに、新たな腹心たちが集まり始めている。

国の胎動というものがあるとすれば、今じぶんが肌で感じているものをいうのではないか。

「めでたい日につまらぬことを申し上げますが、今後はいっそう身辺に気を遣われませ」

李麗が皇帝にとってかけがえのない人物なのだと、だれの目にも明らかになった。敵が見逃すはずがない。ゆえに安慶緒と話し合い、史朝義が李麗に貼りつくことになったのである。

湯煙に反響して李麗のまろやかな声が返ってくる。

「星がきれい」

見上げると、細かな星が微笑むように瞬いていた。今日のめでたい日を呉笑星が寿(ことほ)いでいるという気がする。

「今夜は私と福とで皇后陛下をお守りいたします。おくつろぎください」

「福は陛下の護衛に当たるのでは」

史朝義は声を低めてささやく。

「陛下がなぜ湯を整えさせたとお思いです」

皇帝から湯を賜るとなれば、臥所(ふしど)をともにすることを意味する。居所を別にしていた日々が長く、夫婦は本来ともに過ごすということをこの妃は忘れているらしい。臣の立場からしても、皇帝と皇后が一緒にいてくれたほうが守りやすかった。

「これからはお住まいもお移りいただきます。陛下から直々にお話があるでしょう」

李麗にはこれまで居所としていた堂を離れ、安慶緒と官舎で暮らしてもらう手はずになっている。

湯から上がる音が響き、衣擦れが聴こえてくる。

ふと夜闇に人の気配を感じて、史朝義は壁から背を離した。

木陰をぬって進んでくる者がいる。福だ。湯殿の正面へ駆けて行く。

——なにごとだ。

史朝義も湯殿の表へ回った。

福が焦った声で戸口を叩いている。

「麗さま、いらっしゃいますか」

三節棍を挿した背に、史朝義は問いかけた。

「福、どうしたんだい」

振り返った福の姿が、戸口の松明で照らされる。

その顔は汗にまみれ、真っ青になっていた。

「腹の調子がおかしくて、軍医から薬をもらってきたところなんですが。どうにもいやな感じがして。麗さまも若さまもお身体に異変はないですか」

福は腹を押さえたまま史朝義を見上げる。史朝義が支えてやると、身体が熱をもったようにあつい。腹を壊しただけでこうなるとは思えなかった。

「傷が膿んでいるところは？　手足の感覚はどうだい？」

「目立つ傷はありません。指先はさっきより痺れてきたかな。食いもんに当たった時とは違う感じがする」

「他の者は？　陛下に異変はないのだね」

ええ、と福はうなずく。

「陛下のお加減はお変わりなく。今は雷さんや古参の将校たちが陛下のそばにいるのでご安心ください。気になって寄ってみただけですから」

湯殿の木戸が横へ滑った。衫(さん)と袴の下着姿のまま、李麗が濡れそぼった髪を垂らしている。

史朝義と福は、同時に目をそらす。福がたどたどしい声で詫びを入れた。

「お寛(くつろ)ぎのところを騒がしくして申し訳ございません」

湯殿の侍女が、慌てて李麗の肩に対襟(たいきん)の羽織を掛けている。

「わたくしもいやな予感がします。陛下のもとへ向かいます」

さらに厚い着物を着せようとした侍女の手を、李麗は払う。濡れた提髪（さげがみ）のまま、湯殿から駆け出した。

「麗さま、お待ちくださいい」

史朝義と福も李麗の後に続く。遅れて湯殿の周りを警固していた兵たちがついてきた。

李麗は切羽詰まった様子で、官舎へ向かっていく。父子軍の将校らが宴を催していた広間に入って、史朝義は絶句した。

雷をはじめ、十数名の将校が卓や床にぐったりと倒れている。そこに安慶緒の姿はない。

「雷さん」

史朝義は床に突っ伏している雷を抱き起こす。

息がある。一見、酔いつぶれたように見えるが、眠り入っている。

李麗がその巨体を揺さぶった。

「雷さん！　陛下はいずこに？」

雷の重い瞼が半分開く。

「陛下は、寝所に——」

ろれつのまわらぬ口がそこまで言ったとたん、李麗が「なんてこと」と叫び、身をひるがえした。

「麗さま、私から離れませんよう」

史朝義たちは急ぎ、寝所へ向かう。

「陛下！」

寝所につくなり、皆で室内をくまなく探し始める。だが皇帝の姿はない。

安慶緒の周りで何かが起きている。

史朝義は叫んだ。

「兵を集めろ！　陛下をお探しする」


生ぬるい夜気が流れている。

空にはまだらに雲が掛かり、その合間で星が瞬いていた。

「見えぬと思っても星はあるのだな」

安慶緒は、先導する少年に語りかけた。

丹丹は手燭の炎を見つめている。安慶緒の声が耳に入っていないようだった。

緊迫した日々が続き、疲れが出たのだろう。おのれも背のあたりに痛みがあり、ときおり背から足先まで激痛が走る。突風が吹いた際に李麗を守ろうとして、飛んできた楯で背を打ったからだ。痛みに加えて、疲労が総身に圧し掛かるようだった。

われにかえったふうに、丹丹が顔を上げる。

「なにか仰いましたか」

いいや、と安慶緒は目を細めた。

「堂に着いたら、お前も休むといい」

丹丹は強張った笑みを浮かべ、ふたたび前を向く。ひょろりとした痩身で、その襟足には幼さが残っている。だが厨芸の腕は大人に引けを取らない。洛陽の宮城には庖人が何人もいるが、辺境育ちの安慶緒にはこの少年が作る素朴な料理が一番口にあった。洛陽の宮城にいた頃からそばに置くようになって久しい。

史朝義がうるさく言うので、毒見だけはあの友が厳選した従僕を複数使っているものの、今やこの少年に胃袋を摑まれていた。

今日も丹丹は将校らのために、腕を振るった。

父子軍の将が好む肉料理を中心に、それでいて酒も料理も量をほどほどに押さえてある。気が抜けぬときゆえ、その気遣いもありがたかった。

そろそろお開きかという段になって、堂で李麗が呼んでいると丹丹が耳打ちした。福が腹を壊して離席していたので、別の護衛三名を連れて酒席を抜けたのである。

「福のやつ、すぐに快復するとよいが」

口では福を気遣ったが、頭では妻のことを考えていた。

——今夜、伝える。

堂の周囲で複数の兵が警固していた。兵らは安慶緒の姿を認めて拱手の礼を向ける。堂に着くと、三名の護衛が戸の外に控えた。

「入るぞ」

断りを入れて、堂内へ足を踏みいれる。土台から三叉(みつまた)に伸びた灯架が二台おかれ、黒檀でしつらえた家具を照らしていた。

「麗?」

迎え入れる妻の姿がない。史朝義も見当たらない。

——しまった。

安慶緒は腰に手を添わせる。

堂には史朝義がいると思い込んでいた。おのれは鎧もつけず、刀を一本佩いているのみだ。

赤い紗の掛かった寝台に人の気配がある。

安慶緒は、戸口近くの灯架の炎を吹き消した。

「丹丹、逃げろ。兵を呼べ」

少年の身体を背後へ押しやる。

灯架を握って、寝台へ近づいていく。赤い紗を横に薙ぎ払った。

針が飛んでくる。すんでのところで躱す。

寝台の上で暗器を構えていたのは、史朝義の弟――黒蛇だった。

「助けは来ぬぞ」

戸の外で荒々しい物音がして、すぐに静かになった。三名の護衛を呼んでも返事がない。

――堂の周囲にいた兵は黒蛇の手下か。

兄と同じ顔をした刺客は、右の口角を上げる。

妻の閨房(けいぼう)に踏み入った男の姿を見て、頭に血がのぼった。

「麗をどこへやった」

「あの女をどうしたかって。知らぬほうがいいのではないのか」

三本の匕首(あいくち)が襲ってくる。それも躱す。背後で細い声が上がった。丹丹がふくらはぎのあたりを押さえている。

「机の下にでも隠れていろ!」

振り返った隙に、安慶緒は右腕に一太刀を食らう。灯架が腕から転がる。

――麗はどこだ。

室内を注意深く探る。だが黒蛇のほかに人が潜んでいる様子はない。

李麗が捕らわれているわけではないと分かって、胸を撫でおろした。

であれば、手荒くても差し支えない。安慶緒は、もう一本の灯架の炎を窓辺の紗につける。薄絹はとろけるように形を変えていく。

黒蛇は火に弱いと聞かされている。ところが、敵は余裕のある笑みを浮かべていた。

――火を克服してきたか。

勝利に酔いしれるような得意げな顔が、炎に照っている。

「残念だったな。以前は熱を帯びた明るさが太陽を思わせて苦手だったが、別物だと思えば何ともない」

安慶緒の背後から少年のか細い声が響く。

「陛下、申し訳ございません」

「足が動かぬのか」

怪我が深いのだろうか。

味方の兵が現れる気配もない。この子を守りながらひとりで応戦するしかない。

「壁に寄っておれ」

「小僧を守るなど、やはりお前は愚かだな」

黒蛇が頬を歪め、皮肉げに嗤う。

「さあ、堂の内鍵を閉めろ。だれも入ってこられぬようにな」

安慶緒は眉をひそめる。

「なぜおれがお前に従わねばならぬ」

この男はなにを言っているのか。ところが、錠を閉める金属の音が安慶緒の背を打った。振り返ると、丹丹が長い手を戸口に掛けたままへたり込んでいる。

なぜか丹丹が黒蛇に従っている。細身の少年は唇を震わせた。

「申し訳ありません。あんなに良くしてくださったのに。ぼくは……」

思わぬ言葉に、安慶緒は瞠目する。

同時に悟った。丹丹は唆（そそのか）されたのだ。

「面倒をみていた小僧に裏切られた気分はどうだ」

外道め、と安慶緒は黒蛇を睨む。

悲痛な声で少年は懇願する。

「どうかこの首を打ってください。どうかはやくぼくを殺してください」

すすり泣き、切々と懇願している。

「両親を人質に取ったと言われたのだな」

「なぜそれを」

驚きの声を漏らす丹丹に、静かに答えた。

「他にお前が裏切る理由がない」

主か親か。この外道は若い丹丹に過酷な選択をさせた。

安慶緒は黒蛇を睨む。床に落ちた匕首を拾い、敵に放った。

「ほう、小僧を殺さぬのか」

黒蛇は匕首を避け、からかうように目を大仰に開いた。

「丹丹に何の責がある」

洛陽へ旅に出ていた丹丹の父母は、戦の混乱で行方知れずになっていた。戦を起こした自分には、親子を引き裂いた負い目がある。

「陛下の恩をあだで返しました。この恥知らずを殺してください」

「殺すわけにはいかぬ」

丹丹をそばに取り立てたのはこの自分だ。その時点で父母のことまで気を回しておくべきで、それを怠ったおのれが悪い。

「望みどおりに殺してやれよ」

黒蛇が床を蹴る。匕首を放ちながら丹丹に迫る。動きが速い。抜刀で弾くつもりが、背の激痛で動きが遅れた。

——間に合わぬ。

丹丹を突き飛ばす。火でも押しつけられたように脇腹が熱くなる。匕首が刺さっていた。

「大事ないか」

安慶緒は丹丹へ手を差しのべる。

「陛下。なぜです……」

「お前は燕の民ぞ。お前ひとり守れんで天子といえるか」

安慶緒は口中に溜まった血を唾とともに吐き捨てる。

「ですが御身が」

「かすり傷だ」

身体を叩いて見せたが、少年の顔は蒼白になっている。

朝義ならうまい冗談が言えるのだろうが、自分には難しい。心のままに語った。

「おれは燕を、親子が引き離されることのない国にしたい。もしお前が父母を見捨てていたら、おれは叱っていた」

丹丹の目元がじわりと赤く湿る。なにかに耐えるように、固く結んだ唇を震わせた。

「お前は父母とともに暮らすのだ。それが皇帝としてのおれの望みだ」

自分が天子の器ではないのは分かっている。

史朝義のように賢いわけでも人望があるわけでもない。父が挙兵し、志半ばで病に犯され乱心した。ゆえに自分が父を殺してあとを継ぐしかなかった。

せめて目に入る範囲の民だけでも守る。これは譲れない。

――丹丹を守る。

今、自分は試されている。自分の芯にあるものを試されている。

だが身体が重い。背と脇腹の痛みが強くて、思うように身体が動かない。

「ずいぶんと手ごたえのない天子だな」

火は紗から梁(はり)へと燃え移っていた。だが黒蛇が火を恐れる様子もない。虚勢を張っているわけではないのは明らかだ。

「人質とは卑怯な手を使う」

安慶緒が悪態をつくと、黒蛇はこちらを差しのぞく。

「警戒を怠ったお前が悪い。おれは周到にお前の身辺を調べたからな」

左肩に結わえた長い髪が、炎を受けて赤く照っている。天井に黒い煙が溜まりはじめていた。

黒蛇は丹丹に向けて上腕の暗器から針を放つ。今度は即座に身体が動いた。刀に打ち払われた針が音を立てて床に転がる。

意思とは離れたところで、肉体が動いている。

黒蛇がいたぶるような笑みを安慶緒へ向けた。

「父史思明を鄴城へ引き入れた時点で、お前が生き残る道は閉ざされたのだ。助かる道があるとすれば、唐に降伏することだけだったというに」

安慶緒の視界の端で、丹丹が咳き込んでいる。

黒い煙が頭上に迫っていた。

安慶緒は、壁沿いの衣装掛けに吊るしてあった披帛（ショール）を剝ぎとる。壁付けの机から文鎮を取り、披帛の先に包んでしばった。

黒蛇の失笑が、弾けるような炎の音に重なる。

「悪あがきだ。燕の二代目の皇帝よ。どうして今までお前が生きていられたと思う。殺そうと思えば殺せたものを」

「燕に帰順するまではおれを殺せなかったのだろう。史思明は唐で居どころを失っていた」

史思明が孤立するように、史朝義が仕向けたからだ。

ところが、黒蛇は笑い飛ばすように言った。

「違うぞ。兄者が余計な手立てをせずとも、父は唐を離れる算段でいた。一時的に唐に帰順したのは、その庇護のもと、戦で損ねた兵力を河北で回復するためだ。お前は史家が燕を手中に収めるまでのつなぎだったというわけだ」

つまり史思明は、最初から燕に戻るつもりで唐に寝返ったということだ。

認めたくはないが、黒蛇の話は筋が通っている。

言葉を失っていると、黒蛇が高らかに言った。

「兄者には悪いが、お前たちは偉大なる史思明の掌の上で踊っていただけというわけさ」

打ちひしがれている場合ではなかった。

指先に力が入らなくなっている。この身体では黒蛇に勝てない。史朝義が気づくまで刻を稼ぐ。

安慶緒は口をひらいた。

「なぜおれが史思明を殺さずにいたと思う。殺そうと思えば殺せたものを」

黒蛇の文句をなぞった安慶緒に、黒蛇はこめかみをぴくりと動かした。

「言うではないか」

「史思明が連れ去った将は、もとは父安禄山に仕えた旧臣だ。あの者らを燕に取り戻すまで、史思明を殺すわけにはいかなかった。それでおれの命が危うくなることなど、百も承知だ」

「承知でなぜ――」

「朝義だ。おれが死んでも朝義がいる」

兄の名が、この男のなにかに触れたようだった。

黒蛇はふたたび少年へ匕首を飛ばす。安慶緒は文鎮を振るって防ぐ。続けて黒蛇の足もとを刀で狙った。

だが黒蛇は炎の移った梁まで飛びあがる。腕から少年へ針を放つ。

――危ない。

とっさに少年に覆いかぶさっていた。

間を置かずして、おのれの背が冷たいものに貫かれたのが分かった。入ってはならぬところに刃が到達している。

小柄な女の面ざしが安慶緒の目にちらつく。

「麗……」

最初は兄の妻だからと遠慮していた。

やっと食事を一緒に取れるようになって、ようやくそばにいてほしいと言えた。

――これから先も共にありたい。

そう告げるつもりだった。

鈍い音を立てて、口から熱いものがこぼれる。

「陛下！」

丹丹の叫び声が耳に遠い。

黒堂の壁が一面火に覆われているのが見える。その炎の海を打ち破って飛びこんできた影があった。

――朝義。

燃えさかる炎が、安慶緒の眼裏（まなうら）まで赤く塗りこめる。おのれの名を叫ぶ友の顔が、赤い眼の底に残っていた。

大雛（だいすう）の乱

一

「若さま、避けろ！」

福の声に、史朝義は腰を落とす。

頭上を一本の棍が飛んでいく。福の三節棍が一本外れたらしい。

「すまねえ。お怪我はないですか」

残った二本の棍を放って、福が史朝義の元へ駆けつける。

「福が声を掛けてくれたからね。頭を吹っ飛ばされずに済んだよ」

「でもおいらが声を掛けるより早く動いていましたよね。背に目でもついてんのかな」

眉をひそめ、奇妙なものでも見るような眼差しを向けてくる。

「そう見えただけだよ」

遅咲きの山茶花（さざんか）が赤い花弁を地に落としていた。飛んだ一本の棍が、花弁に寄り添うように転がっている。棍を繋いでいた鎖が千切れたのだ。

「その三節棍もだいぶ使い込んだなあ」

庭の鍛錬場には、他にも何本か三節棍が転がっている。

棍は、剣のような硬い武器と、鞭を始めとした柔らかい武器の特徴を兼ねた万能の武器だ。間合いのある敵を攻撃したり、回転させて敵の攻撃を防いだりする。

短軀の黄兎がこの武器を得意としていたのも分かる。長身だとかえって手足がもたついて邪魔になる。

――棍を振っている福の姿を見ると、時おり黄兎と錯覚する。

かつて、安慶緒はそう語った。頬が引き締まり首が太くなってきたせいで、より黄兎に似て見える。

「鎖を繫げば、まだ使えますって」

明るい陽射しの中で、福は茶色の瞳を史朝義に向けた。

「旦那さま」

従僕が血相を変えて庭へ駆け込んでくる。

「どうした」

史朝義は続いて現れた一行に、目をすがめた。

従僕が慌てて庭の端へ控え、道を開ける。

「これは父上。いかがなされました。重午将軍もご一緒とは」

父の背後で、重午将軍が目を光らせていた。皇帝の護衛を担う腹心で、怜悧で判断が早い。史思明の懐刀と呼ばれる将軍だ。

通称重午団と呼ばれる十数名の精鋭を従えていた。

「なんだ。父が訪ねては不都合なことでもあるのか」

右頰に肉が削げた傷のある男が、皮肉を込めて言う。

燕国第三代皇帝史思明――。

燕国は、今や史家の天下となった。

鄴で安慶緒の死が明らかになったとたん、あらかじめ段取りが決まっていたかのように、父はすんなりと玉座に収まった。根拠地の范陽へ戻り即位するや、すぐに破竹の勢いで南下してこの洛陽までを手中に収めたのである。

「懐王よ。お前が姿を見せんので、朕みずから参ったのだ。見られては困るものでもあるのか」

史朝義は、父の即位とともに懐王に封じられた。安慶緒がかつて開府を許された洛陽の屋敷を引き継いで使っている。

「困ることなどありましょうか。茶を用意させましょう」

福が目許を険しくしている。なんて呑気な、とでも言いたげに史朝義を見ていた。庭では鍛錬をしていた兵たちが身体を強張らせて成り行きを見ている。

皇帝が庭を見やり、史朝義に語りかける。

「なかなか良い鍛錬場だ。少しは敗北の責を感じているのか」

洛陽から唐の長安を狙うため、皇帝は両都の間にある陝城の攻略を史朝義に命じた。

だが負けの見えていた戦で、史朝義をはじめ将校たちは、幾度も皇帝に翻意を迫ったのである。

皇帝は考えを改めるどころか、史朝義の麾下の将まで脅しはじめた。それで、史朝義はやむなく出撃し惨敗した。

「若さまに手落ちはありません。今の燕では洛陽の軍備で手いっぱい」

福が我慢ならぬといった勢いで、抗議の声をあげる。

許しも得ずに口を挟んだ少年に、皇帝は眉をひそめた。

「この小童（こわっぱ）は？」

訊ねる皇帝に、史朝義は問いで返した。

「この子を覚えていらっしゃらない？」

皇帝は眉宇を曇らせる。演技ではなく、本当に覚えていないのだろう。

これまで史朝義は、福を刺激せぬように皇帝の前へは随行させなかった。ふたりが顔を合わせるのは鄴の大風以来だ。かつて孟津（もうしん）でこの子の母を殺したことも、皇帝は忘れているらしい。

福は目をそらし、自嘲を漏らす。

「力者なんて、陛下にとっちゃ虱（しらみ）みたいなもんだからな」

その場を取りなすように、史朝義は皇帝に告げた。

「たしかに福の言うとおり、これ以上の進攻は兵の負担が大きゅうございます。戦を忌避して戸籍を棄てる民があとを絶ちません」

逃戸（とうこ）は燕の喫緊の問題だ。兵役で男手が減っている上に、農夫が逃亡するから税収があがらない。

いかなる反論も許さぬという態度で、皇帝は史朝義を睨む。

「言い訳は聞かぬ。唐との戦で負けが続いている。ここで勝利を得ねば、民が燕から離れていく」

戦などせずとも民は離れている。威信にこだわって、身のたけに合わぬ戦を仕掛けているからだ。国土の広さに対して、国力の回復が追いついていない。

一方で、唐も安禄山の挙兵から度重なる戦で疲弊しており、燕に勝算がないわけではない。今のようにやみくもに戦を仕掛けているからいけないのだ。

「陛下、今一度お考え直しください。さらに戦を挑んでも、回紇（かいこつ）を太らせるだけです」

史朝義自身も、ここまで戦が長引くとは想像していなかった。

唐と燕の戦の決着がつかぬのは、それぞれの手落ちはもちろん、第三者の思惑が大きい。

これまで二国がはげしくぶつかるとき、友軍の回紇がどちらにつくかが勝敗の決め手となっていた。

回紇もそれが分かっていて、両者の間をうまく渡っている。唐に味方して長安と洛陽の二都を燕から奪った際には、勝利のどさくさに紛れて市井の民から強奪もした。

勝たせてもらった唐は強い態度にも出られず、回紇に蹂躙(じゅうりん)を許している。回紇は唐からの謝礼と略奪で得たものと、幾重にも利益を得ているのだった。

「懐王よ。このたびの戦で戦功をあげれば、お前を皇太子にすると約した。だがお前はそれを果たせなかった。朝清を皇太子にと推す声も大きい」

父は帝位につくなり、二番目にめとった辛(しん)氏を皇后の位につけた。

史朝清は、父と辛氏とのあいだに生まれた子であり、辛氏も史朝清も唐との戦火を避けて、本拠地である范陽に留まっている。父は史朝義を戦場の先鋒に送り込み、弟の史朝清を皇太子にする腹積もりでいる。

「言い訳は聞かぬと、常々伝えてきたはずだ。戦に勝てぬのなら、史家にお前の居どころはない」

皇帝は、武具の棚に掛けられていた弓矢を手にした。

矢を番(つが)え、鍛錬場に設けられた的に向けて放った。矢は音を立てて、的の中央に命中する。天子となっても腕は鈍っていない。その点、病を患っていた安禄山と大きく違っている。だが何事も武断で進めるから、朝廷内は殺伐としていた。

お前もやれと、史思明は重午将軍に弓矢を渡す。

口のきけぬ将軍は目で応え、弓を構えた。正面に対して顔を真横にし、背を反らす姿勢を取る。

変わった構えで矢を放った。

　矢は中央に的中し、皇帝の打ち込んだ矢を粉砕する。

「さすがだ」

　皇帝が諸手を打って将軍を称える。ほころばせた表情のまま、「ところで今日の用向きだが……」

と史朝義の顔を窺った。

「朱鳥王(しゅちょうおう)とやらは死んだのではなかったのか」

　庭の空気がしんと静まりかえる。

　皇帝にとって愉快な話柄ではない。

　唐、燕をとわず、土地の有力者たちがこぞって金品を献じている侠客(きょうかく)がいる。

「力者だった朱鳥王という男でしたら、たしかに死んでおります」

　唐土に名を轟かせた大力者は、父子軍が挙兵する直前に命を落としている。

「朱鳥王の後継の者はいたようですが」

　史朝義が付けくわえた言葉に、皇帝の眼光が鋭くなった。

「後継者がいるのか」

　ええ、と史朝義は笑んで見せる。

「一人娘が力者をしておりました」

　なんだ女かと、皇帝は興味を失ったふうに目をそらす。

「朱鳥王の名のもとに、唐や燕から逃れてきた者が集まっていると聞いた。なんでも鄴に拠点を置いているとか」

　お前が関わっているのだろう、と言いたいらしい。

史朝義は努めておだやかに答える。

「私が陛下から鄴の地を任されたのは、安慶緒が亡くなった直後のこと。今のことは分かりかねます」

鄴ではいまだに安慶緒を強く慕う民がいる。それが父は気に入らない。

玉座についた父がまず着手したのは、先代の安慶緒を大罪人に仕立て、おのれの即位の正当性を世に喧伝することだった。

安慶緒は、偉大なる父安禄山を殺害して帝位を奪った――。

私欲ゆえの愚挙とし、国のかじ取りを仕損じて酒と女に溺れたという偽りを広めた。

表向き、安禄山は病で亡くなったとされているが、その死に安慶緒が絡んでいたのは事実。父は将らが抱いていた疑いをうまく利用した。

――なにが酒色か。

あれほど無骨で一途だった男を、史朝義はほかに知らない。

皇帝は深く息を吐いた。

「お前が鄴で兵力を蓄えているという疑いがある。あくまでこれはその疑いを晴らすため」

手を挙げて、重午将軍に命じる。

「調べろ」

将軍の配下の兵たちが一斉に動き出す。屋敷の敷地のあちこちへ散っていく。

これが今日の用向きらしい。

「家探しをなさっても、なにも出ませんよ。私は謀反など企んでいないのですから」

庭に転がった武器を踏みつけていく兵に、史朝義は抗議の声を上げる。

「踏まないでくれ。壊れてはいるけど、その棍は福にとって特別なものなんだ」

だが、兵は振り向きもしない。荒々しく庭を横ぎる足許を、山茶花の赤い花弁が流れていく。

母屋で女の悲鳴があがった。続いて兵の怒号が聴こえる。

「なにやら見つかったようだな」

皇帝が満足げに言って母屋へ進んでいく。重午将軍がその後に続いた。

――まずいな。

史朝義は福に目配せをした。庭を突っ切り先回りをして母屋へ急ぐ。

まさか女人の寝室にまで入り込むとは思っていなかった。

見られて困る文書はないが、室内には妻妾や子がいる。

部屋に着くと、兵らが無遠慮に室内を荒らした後だった。

簞笥(たんす)はひっかきまわされ、床には女物の装飾品がぶちまけられている。

木窓の前で三人の女人が寄り添っており、福が庇うようにその前へ立ちふさがった。

「奥さま方、下がっていてください」

小柄な婦人は李麗で、もう一人はかつて安家の厨で働いていた細月(さいげつ)だ。細月の足元にしがみついている幼女は史朝義の娘である。

今、李麗は史朝義の妻になっている。

安慶緒の死後、李麗は出家を試みた。だが唐とのつなぎに使えるからと、史思明が出家を阻止して自身の後宮へ入れようとした。李麗は手首を切る騒ぎを起こし、史朝義は彼女を自分の妻として迎えることで四方を納得させたのである。

ややあって皇帝と重午将軍が現れた。今さら妻子を下がらせるのは不自然だろう。

「安心していいよ。陛下がお越しになっただけだから。少々手荒だけど」

女たちの背後で、裏庭の夜合花が緑の萌芽をちらつかせている。

娘がきょとんとした顔でこちらを窺っていた。

李麗の自死未遂やらこれまでの経緯から、史朝義は李麗や娘を宮中に出したことがなかった。皇帝のほうでも史朝義の娘に興味を持たなかったから、対面の機会もなかった。

だが、同じ場にいるのに娘と引き合わせぬのはおかしい。史朝義は腹を決めた。

「おいで。お爺さまにご挨拶をしなくては」

史朝義は娘を抱きあげる。

「可愛いでしょう。顔は私に似ましたが、目が母親似で」

娘は相手がだれなのか分からぬ様子で顔を傾げている。史朝義に促され、明るい声で「ご挨拶を申し上げます」と告げて拱手をした。

ぱっちりとした目に見つめられ、史思明はふいと顔を逸らす。

おや、と史朝義は首をひねる。

父の横顔が一瞬青ざめて見えたからだ。

史思明は目を幾度も瞬かせ、苛立たしげに言った。

「李麗に産ませた子か」

「まさか、それじゃ年齢が合いません。この子は四つ。麗を妻にしたのは二年前ですからね。この子は厨で働いているそこの細月という女が産んでくれました」

李麗を妻にするのに先んじて、史朝義は安家の厨で働いていた細月を妾にした。

細月は、安慶緒が帝位に就いた頃に病で子を失った。それで戦から帰還した夫と洛陽郊外の故郷へ移っていたが、唐に洛陽を奪われた際の戦でさらに夫も亡くしたのである。情勢が落ち着かず、浮浪していたところを史朝義が引きとったのである。今は李麗とともに娘を育ててくれている。

やはり皇帝は孫に興味を示さない。

胸をなでおろし、窓辺にいる李麗たちのもとへ娘を返す。

「部屋の端においで。すぐに終わるから」

窓際に置かれた鏡台のそばに、銅鏡が落ちている。兵が誤って踏んで、転びかけた。

「おい、奥さまの身のまわりの物を壊すんじゃねえぞ」

福が声を荒らげる。

重午将軍が手巾(しゅきん)で包んで、鏡を拾い上げた。

「……ありがとうございます」

おずおずと、李麗が礼を告げる。重午将軍は一瞥しただけで、目礼すらしない。

その体軀のそばへ、小さな身体が猫のごとく小走りした。珍しいものを見つけたかのように、娘が重午将軍を見上げている。将軍は冷たい眼差しを幼女に向けた。

一瞬で部屋に緊張が走る。

「これは失礼をいたしました」

細月が慌てて駆け寄り、娘を抱えて部屋の隅へ戻っていく。重午将軍は気にした様子もなく、戸棚の中を確かめ始める。李麗や福の肩が緩むのが分かった。

寝台の下まで漁(あさ)っても父が期待していたものは出てこない。寝室に謀反の証(あかし)はないと分かるや、皇帝は重午将軍に命じた。

「念入りに探せ。厨から食堂までくまなく探すのだ」

重午団を引きつれて皇帝は足早に部屋を去っていく。荒れた寝室を見て、史朝義は呆れ声を漏らした。

「私的な場までひっくり返されたのではたまらないね。私もずいぶんと信用のない」

侍女たちに命じて、史朝義は部屋を片づけさせる。

結局、史朝義の屋敷からは謀反の証拠は見つからなかった。

「ね、申し上げましたでしょう。謀反など起こしようがありません。誤解も解けたことですし、今日はこちらで夕餉などいかがですか」

史朝義が満面の笑みで誘うと、皇帝は鼻で嗤う。

「少しでもおかしな気を起こしてみろ。妻子共々ただでは済まさぬ」

史朝義に釘を刺し、重午団と共に屋敷を去っていった。

二

「もうわれらは我慢なりません、懐王」

春の柔らかな糸雨が、黒蛇の肩を濡らしている。

黒蛇が潜んでいるのは、洛陽の懐王府。兄の屋敷である。

深夜、父史思明の側近の曹将軍が、ふたりの将を従えて屋敷へ忍んできた。

兄は武将らを離れの堂へ招き入れた。それで黒蛇は堂の庭に潜んでいる。父から兄の身辺を探れと命じられていた。

堂から漏れ聴こえる声に、黒蛇は意識を集中する。

「懐王に望みたいのは西の憂いのことです」

懐王府から見て西には、まだ皇太子が入らぬ東宮（とうぐう）がある。血腥い話のようだった。

「なぜ私にそんな話を。皇子なら朝清もいる」

史家には史朝義のほかに、父一番のお気に入りの末子史朝清など、名に「朝」の一字を入れた息子が複数いる。

「あなたを見込んでのことです。懐王が立たぬのであれば、われらは唐に寝返るまで」

唐への帰順をちらつかせるとは、想定していた以上に武将らの意思は固い。

ところが、史朝義はしずかに告げた。

「私の答えはひとつだ。三人とも今話したことを忘れて帰ること」

武将らはさらに食い下がる。

「懐王はいつまで陛下の横暴に耐えていらっしゃるおつもりですか」

「そうは言うけどねえ」と兄の間延びした声が聴こえる。

「立派な屋敷を与えられて開府も許されている。いまや私は懐王だ。妻妾がいて、家に帰れば子が喜んでくれる。これ以上、望むものなんてないよ」

「どれだけの者があなたの即位を望んでいると？　今のままでは、朝清さまに皇太子の座を奪われてしまいます」

「皇太子なんて、私の柄ではないよ」

曹将軍は声を低めた。

「先代を慕う者たちが懐王との合流を望んでおります。懐王さえその気であれば、私が間に入ることも……」

「話はそこまで」

史朝義は武将の言葉を遮った。

「父のもとには、重午将軍の擁する精鋭部隊がいる。潼関陥落の功労者の崔乾祐も、長安陥落を担った孫孝哲も父は処刑した。同志の血を見るなんて私はもうごめんなんだ」

父は自分に抵抗する安家の忠臣を次々と葬った。今では面と向かって父に諫言（かんげん）する者はいない。

「しかし重午団は精鋭とはいえ十数名に過ぎません。禁軍さえ押さえられれば勝ち目もありましょう」

「私は身の丈にあった今の暮らしに満足しているんだよ。すまないね」

黒蛇の目にも、兄が穏やかな暮らしを送っているように見える。ただしそれは外から窺う限りのことで、黒蛇が兄の家庭に立ち入ったことはない。

「皇帝の横暴を見てなにも感じられぬのですか」

憤然とした声が史朝義を責める。

「お前たちは私を買いかぶっているよ。そして重午将軍を軽くみている」

「懐王、われわれはなんのために范陽で挙兵したのですか。われわれが求めた楽土とはなんだったのです」

「言いたいことは分かるよ。今の燕は、かつて父子軍が非難していた唐そのものだ。民に過重な税と兵役を課して苦しめている」

でもね、と史朝義は静かに続けた。

「私は身の丈を知っている。今の私にできることといえば、お前たちのような忠臣を死なせぬことだ。だから唐に帰順するのは踏みとどまってほしい」

椅子を引く音がする。

兄が曹将軍らに退出を促したようだった。

「気を付けてお帰り」

戸が開いて、武将たちが雨具もつけずに去っていく。足取りが荒く、やり切れぬ想いが窺い知れた。

来訪者が立ち去ると、兄が庭へ声を投げた。

「黒蛇、いるんだろう？」

気配を消しても、兄には分かってしまう。

黒蛇は茂みから立ちあがる。雨の中、兄のいる堂へ近づいていった。

「あの三人、兄者が命じてくれれば殺す」

堂へ上がる階（きざはし）の前で立ち止まり、戸口に立つ兄を見上げた。

「ぶっそうなことを言うもんじゃない」

謀叛を持ちかけた武将を生きて帰すなど、兄はとことん甘い。

苛立ちを覚えながら、黒蛇は言いつのった。

「兄者、しっかりしてくれ。今日の昼間、父上が屋敷を調べに来ただろう。少しでも隙を見せれば、兄者の命とりになるぞ」

父は兄の謀反を疑っている。戦でも負けが続いていて、兄に対する父の評価は落ちるところまで落ちていた。

本来、史朝義という男は戦上手だ。勝とうと思えば勝てるのに、手を抜いているとしか思えなかった。

兄はすっかり腑抜けてしまった。のらりくらりとしているのは元からだが、直面している危機に対して気が緩んでいる。それが黒蛇を苛立たせた。

「父は私を討てない。安心していいよ」

「その自信はどこから?」

雨に濡れながら、黒蛇は兄を見上げている。

「手は打ってある。私はすでに大きな代償を払った」

「呉笑星か」

黒蛇は、憎い女の名を口にしていた。

「まあそういうことになるかな」

訊くなら今だ。ずっとはぐらかされて来たことを黒蛇は切りだす。

「兄者、あの女は……」

生きているのか、と問おうとしたときだった。

雨や草木のにおいに混じって、乳臭いものが近づいてくる。

「おや、小さな密偵が来たようだ」

猫かと思ったが、獣臭さがない。人の子だ。史朝義の娘が現れたのだった。

黒蛇が身をひるがえすと、兄が腕を摑む。

「そう急がずに。ぜひ会っていってくれ」

強い力で、黒蛇は戸口の前へ引き上げられた。ためらっているうちに、傘をさした幼女がすばやく駆け寄ってくる。

「父上」

「なんだ、眠れないのかい」

こくんとうなずいた娘を、史朝義は抱き上げる。

「父上と一緒に眠ろうと思って」

史朝義の腕の中で、幼女はふたりの男を見比べている。

「そっくり……」

穴が空くかと思うほど、娘は黒蛇の顔を見つめている。

「だれに似たんだか、物おじしない子だろう？　ひとりで寝床を抜けだしてきて」

幼女は自分の頬を摑むと、柔らかい餅のように引っ張った。

「父上、わたし今夢を見てる？　おんなじ顔だよ」

「双子の弟なんだ」

大きな瞳をさらに見開いて、幼女は黒蛇を見つめている。

史朝義は娘を抱え直した。

「じつはこの人は目がよく見えないんだ。近づけば見えるから、よくお顔を見せてあげてごらん」

見たくもない。だが、目が吸い付くように幼女の顔を見ていた。

「顔だちが私に似ているだろう」

史朝義に似ているということは、黒蛇にも似ているということだ。

自分ではそう思ったことはなかったが、双子そろって女顔なのだなと思う。だが目は違う。兄は切れ長だが、この子は杏仁（きょうにん）に似た大きな瞳をしている。

兄は反応を窺うように、黒蛇の顔を見つめていた。

「鴛鴦（えんおう）の話は聞いたことがあるかい。私たちの故郷にいたっていう仲良し夫婦」

黒蛇は首を左右に振った。幼き日のことは、忌まわしい記憶でしかない。

「私たちは父にも母にも愛されなかった。私はね、鴛鴦みたいに家族と睦まじく暮らしたいとずっと思っていた。そしてお前は私にとってかけがえのない家族だ」

ならばなぜ、と黒蛇は喉まで出掛かった言葉を呑む。

なぜおのれはこれほど孤独なのか。

「おれは兄者を守り切れるのか自信がないよ」

黒蛇がうつむくと、兄は長髪を揺らした。

「なぜ笑う」

自分の苦悩を嗤われた気がして、語勢が強くなる。

「お前を笑ったんじゃない。私のことは案ずるな。その上で私はお前も守る。こんな頼りない男でも一応兄だから」

兄は父の恐ろしさを分かっていない。

言葉を尽くしてもそれが伝わらない。黒蛇は兄に背を向けた。

濡れた背に兄の声が触れる。

「黒蛇、忘れないでくれ。私はお前をひとりにしない」

それは嘘だ。

黒蛇は口許を歪める。

ここで倒れたら兄は駆け寄ってきてくれるだろうか。かつて日の下で倒れたときのように、また飴をくれるだろうか。

急に荒い風が吹き、樹木に叩きつけられる水の音がする。振り返ると、ぼやけた視界の中で、風に煽られて縒(よ)れた雨が翼の容(かたち)をなしたかに見えた。荒れる天に昇るように、空へ溶けていく。

戸口にはだれもいない。兄はすでに愛娘(まなむすめ)と堂の中へ入っていた。

三

桃花の香りが鼻孔から入り、脳まで桃色に染まるようだった。

黒蛇は顔を覆っている面紗をさらにもう一枚重ねる。

嗅覚が鋭い分、においが濃いと鼻の粘膜が痛む。花曇りで日ざしが弱いのは幸運だった。

天子は桃園の丘に幕舎を敷いており、黒蛇は帳(とばり)を隔てて父のそばに控えている。

「黒蛇よ、そこにおるな」

父が帳越しに囁く。

甘い桃花の香りにまじって、酒のにおいが流れてきた。

「ご安心ください」と黒蛇も小声で返す。

兄が陜城で惨敗してからひと月もたたぬうちに、父史思明は動いた。

父は史朝義に命じて食糧を貯蔵する城を築かせた。最初から無理な工期で、兄は兵の疲弊を理由に築城の延期を申し入れた。

ところが父は、頭ごなしに史朝義を叱責したのである。

――皇帝よりも兵卒を重んじるか。

父は兄の麾下の将校らを捕らえ、激しく打ち据えた。

わざと兄の反感を煽った上で、今日の慰労会に史朝義を誘ったのである。

これは父の罠だ。謀反人らが動きやすいように、わざわざ洛陽城から離れた鹿橋（ろくきょう）の駐屯地で将兵を慰労する宴席を張った。

おそらく兄は父の思惑を承知で、宴の招待に応じた。皇帝に不満を持つ麾下の将たちの抑えがきかなくなっており、動かざるを得ないところまで兄も追い込まれている。

――今日で決まるか。

桃園から南に数百唐里の川辺に、兄の手勢が陣を敷いているという報が入っていた。やはり鄴には兄が整えていた手勢があり、少しずつ洛陽付近まで兵を動かしていたらしい。

らしい、というのは、どれだけ調べても確証が持てなかったからだ。

鄴から洛陽まで、軍隊として動いた集団はなかった。忽然と洛陽の近くに軍が現れたのだ。おそらく商人や役人など、さまざまな立場に身をやつして鄴の者たちは移動したのだろう。

――あの女が生きているとすれば、この叛乱軍の中にいる。

兄が巧妙に自分から呉笑星を隠していたかもしれないと思うと、黒蛇は髪を掻きむしりたくなるほどの怒りを覚える。

あの女だけは生かしておけぬ。生きてまみえたら、必ず殺す。

帳の向こうから、酒を飲み下す音、肉を咀嚼（そしゃく）する音、父の側近の将らが酒食を楽しむ様子が伝わってくる。

兄を油断させるため、幕舎の周辺に配置した禁軍もふだんより将兵を少なくしている。だがいずれも選りすぐりの精鋭ばかりだ。

「陛下にご注進！」

知った声を聞いて、黒蛇は背を正す。父の側近である曹将軍だ。いつぞや深夜に懐王府を訪ねた将のうちのひとりである。

「賊と思われる一団が禁軍を襲撃しております。その数は千」

座にいる将たちの緊迫した息遣いが黒蛇の元まで伝わった。

「陛下、どうぞご観念を。ここであなたを弑し奉る」

曹将軍の一声に合わせ、一斉に刀を抜く音が聴こえた。複数の足音が座に踏みこんでくる。父が笑声をたてた。

「ほほう。懐王配下の将軍の顔も見える。謀反だ。これはれっきとした懐王の謀反だな」

「懐王に父殺しの汚名を着せるつもりはない。これはあくまでわれら将校が独断でやったこと」

だが、兄が裏で動いているのは間違いない。

父は太い息を吐いた。

「なるほど。だが懐王ならここにおるぞ」

帳を叩く音を受け、黒蛇は帳を払って皆の前に出る。顔を覆っていた面紗を取った。

兄と同じ青の大襦に、髪も背へ下ろしている。どこから見ても史朝義にしか見えぬだろう。

「懐王……なぜここに」

皇帝に刃を向けていた将たちが狼狽えた声を漏らす。

自分たちが担ぐ主が仇敵である皇帝のそばに控えているのだから、さぞ驚いたことだろう。

皇帝は興がるふうに告げた。

「お前たちには何の義もない。ただの逆賊ぞ」

空の向こうから、剣戟の音が反響している。禁軍と叛乱軍がぶつかったらしい。

座のなかで、あちこちから息を呑む気配があった。

曹将軍が刀を握り直す。おのれを奮い立たせるように叫んだ。

「義なら大いにある。これは先帝の弔い合戦だ。鄴の民を始め、先帝を慕う民がお前を討つために武器を取ったのだ」

安慶緒の悪評は天下に知られている。だが鄴の民だけは別だった。いまだに安慶緒を慕い、かの地には功績を讃える碑が立ったと聞く。

「あれは真に暗愚な男だったのう」

「黙れ。その口、裂いてやる」

手前の将校が踏みだす。刀を振りあげた音が聴こえる。黒蛇は刀を薙いだ。鈍い音を立てて、男は上半身から崩れる。

「懐王……なぜです」

曹将軍は悲痛な声を迸らせる。

だが気を取り直したように史思明を詰った。

「われらが死んだとて、千の同志が貴様の首を討つ。見ろ。禁軍が押されているではないか。もっと護衛の兵を用意しておくのだったな」

叛乱の徒が千に対して、警固に当たる禁軍の兵は五百に過ぎない。

「まあ、見ておれ」

皇帝の声には余裕がある。南に広がる野を見るよう、将校らを促した。

次第に地鳴りが伝わってくる。

「おい、あれ……」

ひとりの兵が声をあげたとたん、座の皆が一斉に同じ方を見やる。

戦の潮目が変わるのを、黒蛇は肌で感じた。

「東の方角……重午将軍だ！」

押され気味だった禁軍の兵たちから、歓声が沸く。

重午将軍は父の懐刀だ。表向き、重午団は十数名の精鋭でならしていた。だが、兄が刃を向けたときのために、禁軍とは別の軍隊として、密かに五百人ほどの精鋭を集め育ててきた。

「なんと……」

曹将軍の口から絶望の声が漏れる。

統制された軍馬の馬蹄の音が、地を伝って黒蛇の足元まで届いていた。

兄に勝ち目はない。だから父に従えと何度も諭してきたのだ。

――兄者の命だけは守らねば。

黒蛇は刀の柄を握り直した。

＊

刃が福の頬をかすった。

さらに迫る切っ先を、刀で薙ぎ払う。右往左往している童子を背後に押しやった。

ちくしょう、と福は喉の奥で悪態をつく。

「がきのお守りしながら戦うなんて聞いてねえぞ。てんで素人じゃねえか」

福が叫ぶと、叛乱軍の頭目――雷が肩をすくめる。

「まあ、そう言わんで面倒を見てやってくれや」

「このがきどもを鄴から連れてきたのは雷さんだろ。あんたが面倒見てくれよ」

安慶緒が亡くなり、雷を始めとした力者衆は史朝義の指揮のもと野に潜んだ。盗賊となって鄴の山に拠点を置き、燕の朝廷から追放された将校や戸籍を棄てた民を受け入れ、戦力を蓄えてきたのである。

「やっと叛旗を翻すときが来たってのに」

一方、福は洛陽の史朝義の元に留まった。物乞いを装った力者衆と連絡をとり、史朝義へと繋ぐ役割を担ってきた。

「鄴で使えるように仕込んでから連れてくるのが筋ってもんだろ」

洛陽の近くで鄴の手勢と合流した際に、見込みのある子たちだから面倒をみてくれと雷に頼まれた。多少は心得があるのかと思いきや、街のがき大将と大差ない。しかもその数はひとりやふたりではないのだ。

「気概のある者であれば、貴賤を問わず受け入れるってことになったんだ。文句言うな」

「貴賤じゃなくて、おれは歳の話をしてるんだって」

子どもは巻き込まない。同志の年齢は十五歳以上と決めていた。だが雷がいうには、十五に満たぬ子が同志にしてくれと乞うてきて、ひとりくらいならと受け入れたらしい。それがひとりふたりと増えてこの大所帯になったのだという。

「しかも三十人なんて聞いてねえ」

刀で斬りかかってくる敵を、福は長刀を振りあげて防ぐ。

「まるで自分ががきじゃないみたいな言いぶりだな」

雷が呵々(かか)と大笑する。太い片腕で敵を薙ぎ倒した。

今度は視界の端に、赤い大襦を着けた男児が敵兵と対峙しているのが見える。

福は敵兵の足へすばやく矢を射た。

「おいっ」

駆けつけて、赤の大襦のついた首根っこを摑む。

「必ずふたり以上で当たれと言っただろう！」

敵ひとりにつき、ふたり以上で当たれと命じている。いざ戦場に身を置くと、言い含められたことも忘れてしまうらしい。

「でも、おれひとりで戦えますから」

刀の構えからして全くできていない。顎が落ちるかと思うほど呆れた。

「その大襦、朱鳥王の真似か」

「戦に勝ったら朱鳥団に入れてもらうって、雷さんと約束したんです」

男児は鼻を膨らませている。

「なら命を大事にしろ。必ずふたり以上で当たるんだ。今度破ったら朱鳥団に入れねえぞ」

はいっと男児は威勢よく返事をする。

とたんに兜がずれた。身体が小さいからではない。叛乱軍は農民が多いから、兵装に馴れず皆どこか不格好なのだ。

叛乱軍には農民のほか、鄴の工人や商人も含まれ女も少なくない。

史朝義はそれを利用した。軍の体裁を取らずに、兵力を洛陽の近くまで移したのである。

――若さまはすごいよな。

まず、鄴の役所を通じてそれぞれに通行証を出した。一見、行商人か工房を行き来する工人にしか見えない。そうやって少しずつ、極秘裏に兵力を洛陽の近くへ移した。

「おい、気をつけろ！」

大襦の男児が敵兵に腕を摑まれている。

今度はふたりで挑んでやられたらしい。福は即座に矢を放つ。敵の肩に命中し、男児が福の元まで駆け寄ってきた。

「ありがとうございます！」

男児の腕に血が滲んでいる。もみ合いで怪我を負ったようだった。

「あまり無理はするな。まもなくこの戦は終わる」

叛乱軍の勢いが増し、皇帝のいる桃園前にあと数十歩というところまで肉薄している。勝利がすぐそこに見えていた。

「おい、あれ……」

ひとりの兵が声をあげたとたん、刃を交えていた者たちが一斉に東を見やる。

「なんだあれは」

「味方の隊か？」

皆が次々と疑問を口にする。

遠い丘陵に黒い一団が現れた。

軍馬は列をなし、墨を流したように地のきわを進んでくる。その先頭が滝のごとく、丘の下へ落ちる。叩きつけられたかに見えた黒色は、一直線にこちらへ進んできた。

五百に及ぶ馬体の動きは軽やかで、大地の上を翔んでいるように見える。

「重午将軍だ！」

それまで押されていた禁軍の兵たちから、歓声が沸く。

味方にとっても、その戦力が意外だったのだろう。黒の兵装で統一した一団は、統率のとれた動きで進んでくる。

「福さん、あんな援軍が来て……ぼくら勝てるでしょうか」

赤い大糯の男児が青ざめた顔で訊いてくる。

重午団の雄姿は、義挙の徒たちを絶望に陥れるのに十分だった。

「勝てるさ」と答えて、福は迷い馬をつかまえ、その背に飛び乗る。馬腹を蹴り、槍を掲げて重午団のほうへ突き進んでいった。

黒装に身を包んだ兵らの顔が、次第に見えてくる。

先陣を切るのは重午将軍だ。麾下の兵を引き離し、一騎で突き進んでくる。

ぶつかる——。

両軍の兵が息を呑む気配を福は感じた。

だが重午将軍と福の馬は交差する。二騎はすれ違うと、互いに馬首を返して円を描いた。互いの兵装が風でめくれ上がる。

周囲の音が消えた。

このときをずっと待ち望んでいた。高鳴る心音が、福の身体を突きあげている。

「みんな、おいらたちを見てるぜ」

福は腰に提げていた袋から赤い大糯を取りだし、相手へ放つ。

曇天に朱鳥がゆらりと姿を見せる。重午将軍の五指がその赤い翼を摑んだ。

大柄な将軍は、その背に赤の大糯を羽織った。

「さあ、行こう！」

叫んだのは、重午将軍だ。

手を挙げ、麾下の兵へ進軍の合図を送る。

馬腹を蹴り、戦場を駆け抜けていく。

赤い大襦が風にたなびき、福は万感の想いでその背を追う。

禁軍の兵が戸惑っている。叛乱軍の兵も同様だ。

刻が止まったかのように、全兵の耳目がひとりの将に向いている。

千を超える双眸を一身に浴びて、重午将軍は小高い丘に登り、皆の前で手綱を引いた。

すぐに雷が駆けつけてくる。

編みこんだ顎ひげを揺らし、銅鑼のごとき大音で敵味方へ告げた。

「朱鳥王から皆に話がある！」

雲が疾く流れ、陽光がそれぞれの兵の顔を照らし出した。明るい陽射しの中で、赤の大襦がはためき、空気が裂けるような音を鳴らしている。

朱鳥を背負った重午将軍が、腹の底から声を張り上げた。

「敵を見誤るな！」

口がきけぬ重午将軍が明朗とした声で話すので、驚愕の声があちこちから上がった。

衆目を一身に集め、重午将軍は手で桃園を指した。

「これより、佞臣史思明を討つ！」

敵味方の双方が困惑したふうにどよめく。

動揺する兵らに、将軍は大音声で問いかけた。

「先帝はわたしたちになんと仰られた？」

福の瞼に、あの夕暮れがよみがえる。唐の九節度使を打ち払った日、安慶緒が民のかたわらで語ってくれた際のあのふしぎな空だ。

「親と子が引き離されぬ世を作る。大地の実りを分かち合い、嵐のときには皆を守る大樹になる――」

ひつじ雲の襞が茜色に染め上がり、薄藍の天はきらめく赤黄金の海となった。危機を乗り切った鄴の民と天子の心がひとつになった光景を、福は今でも覚えている。

将兵の中にもあの夕刻の景色を覚えている者がいるらしい。あちこちから「おお」と嗚咽の声が上がった。

「まるで子を守る親鳥のように民を想ってくださった。その翼は、奸臣史思明によってもがれた」

赤の大糯の将軍は、拳を高く掲げる。

「しかし朱鳥は、何度でも昇る火輪の鳥」

熱を帯びた声が、最高潮に達する。

「夜を破る鳴き声を上げろ、胸にある闘志で闇を照らせ。今がまさに夜明けぞ」

拳を前に突き出し、全軍に号令をかけた。

「全兵、進め！」

呼応する叛乱軍の兵らの叫びで地が揺れる。

ひと筋、ふた筋と風が吹きあがり、叛乱軍と重午団の黒の兵装をはためかせる。

それぞれの兵が一枚の黒羽に見える。兵たちが一斉に桃園に突入する姿は、鴉が飛びたつかのようだった。

号令をかけた将軍は、手を挙げて叛乱軍の兵の歓声に応えている。

急に福のほうを振り返ったかと思うと、気恥ずかしそうに顔をくしゃりとした。

「とうとう、しゃべっちゃった」

先ほどまでの威厳はどこへやら、福にしか見えぬように、こっそり舌を出して見せる。

茶目っ気のある懐かしい表情に、福は目頭が熱くなる。

将軍は「じゃあ、行こうか」と散策にでも誘うふうに言って馬で駆け出す。

黒い兵装の中に紅一点――。

「あれが……朱鳥王？」

福は背で、男児の声を聴く。

「福さん。あの将軍が朱鳥王ってどういうことですか。だって、だってあれは女の人だ」

福は、馬上から男児に笑いかけた。

「朱鳥王っていっても二代目な。ほら、おいらたちも行くぞ」

福は手綱を握り直し、馬を走らせる。

男児も怪訝な顔をしながら自分の足で走り出す。馬と併走できるとはかなりの健脚だ。この足腰の強さなら良い力者になれるだろう。

男児はまだ腑に落ちぬのか、前を行く赤い大襦を指さした。

「でも、あの人は燕軍の将ですよね。手の甲に五五って焼印がある」

「そうだよ。焼印の数字から、重午将軍って呼ばれているらしい」

「ちょうご将軍？」

男児がさらに首をひねる。

「五五。つまり午が重なってるからさ。五月五日は重午の節句だろう」

福は「見てみろよ」と赤い大襦の上で踊る三文字の刺繍を指さした。

「本当の名は呉笑星っていうんだ」

四

「なにゆえ重午団が攻めてくる」

静かな、それでいて怒りに満ちた父史思明の声が響く。

黒蛇は父の問いに答えられない。黒蛇だけではない。敵味方どちらの将も事態を計りかねている。

――どういうことだ。

動揺を押さえ、黒蛇はこれまでのことを懸命に思い返す。

重午団は、父の奥の手だ。それがなぜか主に牙を剝いている。

いくら思い返しても、その兆しは思いあたらなかった。

「史思明、覚悟！」

事情は分からずとも、流れは自分たちにあると思ったのだろう。ひとりの将校が史思明に向けて刀を抜いた。即座に黒蛇が斬り捨てる。

曹将軍が唾を呑み下す音が、黒蛇の耳まで届いた。

「懐王、気がおかしくなられたか。われらは共に誓いを立てた同志ではありませぬか」

黒蛇を史朝義と思い込んで、疑いもしない。

同じなのは顔だけではない。立ちふるまいも似せている。兄の所作を最もよく知っているのは自分だという自負がある。

黒蛇は袖を引き、将校らに向けて針を放った。

「父上こちらへ。洛陽まで戻れば勝機がございます」

将校らのうめき声を背に聞きながら、黒蛇は北面の桃園へと父を促した。

左右を、淡い桃色が誘うようにそよいでいる。父にその道を進ませ、黒蛇は背後から飛来する矢を防いでは駆けた。

宴の場を桃園前にするよう進言したのは黒蛇だ。

桃園を抜けると、柳泉駅（りゅうせん）がある。そこへ逃げ込み、洛陽へ進む。万が一の際、父を逃がすために備えていた。

一隊を配備したあたりまで来て、黒蛇は足を止めた。

馬や兵の気配がない。あるのは桃花の香りだけだ。

父が苛立った声で言い放つ。

「どうした、黒蛇」

整えておいたはずの隊がいない。

血の臭いがしないから襲撃されたというわけでもない。何者かに唆されて場を移したのか、それとも隊に裏切られたかのどちらかだ。おそらく後者で、兄に動きを読まれていたのだ。

「史思明！」

背後から曹将軍の声が響く。史思明の古参の将たちの荒い息遣いが近づいてくる。

自らの足で逃げるしかない。だが前方からも馬蹄の音が聴こえてくる。左右は桃の樹木が迫っており、逃げ場がない。

「これは、どういうことだ」

父が戸惑いをあらわにする。

前から向かってきた一団――。先頭の者が下馬して近づいてくる。近づいてくる者のにおいを黒蛇は知っている。重午将軍だ。

父が獣のように唸った。

「裏切りおったな。口がきけぬお前に目を掛けてやったのに」

「陛下、観念なさいませ。すでに禁軍は離散し始めております」

返ってきた女の声を聞いて、黒蛇は心臓を素手で摑まれたようになる。

父が驚愕の声をあげた。

「貴様……口がきけたのか」

「ええ。わたしは自ら口を閉ざしていただけ」

――この声は。

黒蛇の呼吸が大きく乱れる。

「朝義の差し金か。あやつはどこにおる」

「ここにはおりません。朝義に親殺しをさせるつもりはない。兄弟の斬りあいを見るのなんてもっとごめんだもの」

よく知った声だ。兄を奪った憎い女、ずっと居場所を探っていた女。

なぜ父の側近の将軍が、あの女の声をしているのか。

動転で、背が大きく戦慄く。

化け物に遭遇したかのように、黒蛇は悲鳴を上げていた。

「なぜだ。なぜお前がここにいる。呉笑星！」

＊

呉笑星の腹には、史朝義に斬られた傷が残っている。

周りに青痣の残る珍しい傷痕。

史朝義が太刀筋を逸らしてくれたから命は取り留めたものの、いつ死んでもおかしくないほどの重症だった。

血止めを繰りかえしながら洛陽へ戻り、運河を使って南方に落ちついた。南の地で、呉笑星は長い療養を強いられることになる。史朝義は戦へ戻り、三月に一度は訪ねてきてくれた。

一年して傷が癒えてきたころ、史朝義の子を授かったと分かった。

「このまま笑星は南方で身を潜めているように」

夫となった史朝義から強く言い含められた。

史朝義が父を討つつもりでいるのは分かっていたし、むろん呉笑星もそれを援けるつもりでいた。

しかしその一言で、呉笑星には関わらせるつもりがないのだと悟った。実際に呉笑星は傷が治りきっておらず、そのうえ腹に子を宿して身動きが取れない。呉笑星を巻きこまぬために身体を重ねたのかと思うほど史朝義は周到だった。

けれどそれでいいのだろうか。父親に対する恐れは彼の中に息づいていて、父を討とうとすればその心を苛む。

その上、いくら愛情のない父親とはいえ、父を手にかけた生々しい感触は一生史朝義を苦しめるだろう。

――朝義に、父殺しはさせない。

そう決心したものの、呉笑星の頭に良い策が降りてこない。

史思明に恨みを持つ者たちを唆すか。厨に潜り込んで史思明を毒殺するか。ただ殺せばいいというものではない。史思明に従っている将を取り込まなくてはならず、討ち取る時機も見極めなければならない。これぞという案が思いつかぬうちに、娘が生まれた。

「うちでもね、やっと子に恵まれまして」

近所の家でも赤子が生まれ、呉笑星はその祝いに呼ばれた。赤子を抱かせてもらったとき、その子が小さな顔を呉笑星の胸にきゅうと押しつけてきた。乳が欲しいのか、においで経産婦だと分かるらしい。乳の出が悪いから自覚はなかったが、おのれの身体が変わっていることに改めて気づかされた。

——これだ。

呉笑星はすぐに史朝義のいる戦場へ向かった。

史思明は呉笑星の顔など覚えていないだろう。それにつけこみ、呉笑星が史思明の懐へもぐりこむ。史朝義を守るために、史思明を討つために。

「わたしに武術の稽古をつけて」

武人の世界でやっていけるように、呉笑星は史朝義に頼んだ。

稽古については承諾してくれたが、潜入の策は却下された。

「笑星をあんな男の元へ送りこむなんてとんでもないことだよ。第一、黒蛇に気づかれてしまう」

それでも子を産んだことで自分のにおいが変わっていたから、声さえ出さなければ気づかれぬ自信があった。

それで、史朝義には内緒で召使に扮したのだ。

史思明の幕舎へ入りこみ、黒蛇もいる場で給仕をした。

心臓が口から飛び出すかと思うほど気が張ったが、史思明も黒蛇も配膳をしている者が呉笑星だと気づかなかった。

給仕をしながら、呉笑星は心中で喜びの声を上げた。賭けに勝ち、史思明を討つための糸口を摑んだと思った。

呉笑星はさらに芝居を打った。

史思明が匙でよもぎの羹（あつもの）を口へ運ぼうとした際に、何かに気づいた仕草をして、主の手にすがった。熱い汁物が史思明の服を汚した。

「無礼者め」

史思明は食事を妨げた召使を手打ちにしようとした。呉笑星は言葉が話せぬふりをして、必死に羹の椀を指さす。その湯気を嗅ぎ、汁を一口含んだ。これはいけないと顔を大きく横に振って見せる。

呉笑星の意図を察した史思明は羹を犬に食わせた。犬はすぐに目を剝いて口から泡を噴いた。

「においで分かったか。お前、毒を口にしても何ともないのか」

史思明は驚きをあらわにした。

毒に敏感でかつ耐性もあり、腕も立つ女。毒殺を恐れる史思明の目に、呉笑星は特異に映った。狙い通り、史思明のそばに取り立てられたのである。

実はこのとき、羹にはあらかじめ毒を仕込んでおいた。黒蛇に悟られぬよう、羹の具にはにおいの強いよもぎを使ったのである。

そこまでやってみせても、史朝義は史思明の懐へ入りこむことに反対した。

「私の気持ちも考えてくれ。万が一、笑星を失ったら私は生きていけない」

それに史思明の傍らにいて、暴虐と無縁でいられるわけがない。「力者が人を殺すつもりかい」と呉笑星を咎めてくる。

おのれの手を汚さずに、志を遂げられるのかどうか。

これは子を腹の中で育んでいた頃から考えていたことだった。

戦の世が続けば、生まれてきた子がいずれ武器を手にすることになる。それなら、自分がやったほうがましだと呉笑星は返した。

妻子を守ろうとする史朝義の心持ちはありがたい。でも夫だけ苦難にさらして、自分だけ安穏と暮らすなど呉笑星にはできない。

「わたしはあなたの妻になったのでしょう?」

それでようやく史朝義も承諾してくれた。

潜入が決まるやいなや、史朝義は呉笑星が史思明の信を得られるように様々な手を講じた。

帝位についた史思明は古参の将に厳しく接したので、自らその離反を招いた。

図らずも皇帝は孤立し、呉笑星を頼るようになる。さらに史朝義は呉笑星の立場を盤石にするため、手下を朝廷に送りこみ皇帝に歯向かう姿勢を取らせた。呉笑星は彼らを排除することで、史思明の歓心を買った。一方、彼らを処刑するふりをして、鄴へ逃がしていたのである。

史思明からの絶大な信を得た呉笑星は、皇帝の腹心として兵力を蓄えるまでになっていた。

だが皇帝の腹心は、史朝義が送り込んだ懐刀だ。

暴君に対して反感を持つ者を、呉笑星は慎重に配下に引き入れた。

企てが露見しそうになったこともある。綱渡りの日々に、気が休まることはなかった。

それも今日までのこと——。
呉笑星は、桃園に追い詰めた史思明と黒蛇を睨んだ。

＊

黒蛇は手の甲で頬をぬぐった。

日射しが強い。周囲の桃色が熱を孕んで、迫ってくるようだった。だがここで倒れるわけにはいかない。

父が低い声で言い放つ。

「黒蛇、殺せ。お前なら何人でも殺せるだろう」

——今が夜であれば。

黒蛇は、顎が砕けそうなほど強く歯噛みする。

息が上がり、皮膚が痒い。「くそっ」と悪態をついた。

「やはり、あのとき殺しておくべきだった」

初めて呉笑星に会ったのは、安慶緒の屋敷にある物置小屋だった。息の根を止める直前に、殺すなら兄の前でと思い留まった。あのとき、ためらわずに殺しておけばよかったのだ。

黒蛇は恨みの目を呉笑星へ向ける。急に強い力で胸倉を摑まれた。眼前に父の顔があった。

「黒蛇よ、お前この女を知っていたのだな」

父は声を聞いても、重午将軍の正体が分からないらしい。

よく通る女の声が父へ投げかけられる。

「やはり覚えていらっしゃらないのですね。わたしですよ。力者の呉笑星です」

名を告げられても、父は相手がだれなのかまだ分からずにいる。

黒蛇は父に耳打ちした。

「力者の女です。かつて李麗に仕えていた」

それでもまだぴんと来ていない。そもそも父は呉笑星を認識していないのかもしれない。

呉笑星の背後には、離反した曹将軍ら叛乱軍の兵卒が顔を並べている。

史思明と黒蛇は、桃の樹木を背に追い込まれる形になっていた。

「皆、少しだけわたしに刻をちょうだい。この人と話をしたいの」

今にも襲い掛からんとする将兵らを、呉笑星が両手を上げて制する。ひとり将校が刀を収めると、ほかの将兵もばらばらとそれに倣った。

父が両手で顔の汗をぬぐう。顎から滴(したた)るほどに汗を掻いているらしい。ゆっくりと道端にある岩に腰かけた。

皇帝と力者――立場の異なるふたりが対峙する。見守るように将兵が囲み、さらにそれを夢のような桃色が包んでいた。

「わしを騙したのだな」

先に口を開いたのは皇帝だった。

「だって、あなたはわたしの顔を見ていなかったから。孟津でも洛陽でも、あなたはわたしと会っているのに」

記憶をたどるように父が顔を傾けている。

「孟津でのことは覚えている。建国の儀の日、洛陽の宮城で女の力者と会ったのも。だが、顔までは分からん」

呉笑星は自身の右手の拳を前へ突き出した。

「建国の儀と同じ日、安家の婚儀の直前にわたしはあなたに摑み掛かった。あのとき、あなたはわたしの利き手と利き目が逆なのを珍しがっていた。ちぐはぐな者を初めて見たと驚いていたのよ」

たしかに、呉笑星の利き手は右で、利き目は左だ。武芸者であれば、すぐに見抜ける。

「それは覚えているが、顔まで覚えていられるものか」

呉笑星が挑むような声で続ける。

「顔はともかく、女の力者の特徴は覚えていたはず。弓を引けば利き手と利き目が逆なのが一目瞭然なのに、あなたは重午将軍の所作を見ても気づかなかった」

父は押し黙った。

「それにあのとき、捕らえられたわたしの腕が金物で腫れたのを見ていたでしょう。わたしは今まであなたの前で金物に触れたことがない。朝義の屋敷で麗さまの銅鏡を拾ったときですら、ちゃんと手巾を使っていたもの。気づく機会はあったのに、あなたは見抜けなかった」

父が息を吞む音がやけに大きく聞こえる。

「あなたは朝義の子の顔すら見ていなかったわ。わたしが産んだ女の子。そう、あなたの孫娘よ」

「なんだと」

黒蛇は声を漏らしていた。頭を殴られたような衝撃に襲われる。

呉笑星は兄と子を生していた――。

だがそれで、なぜ自分が重午将軍の正体に気づけなかったのかを理解した。子を産んで、呉笑星のにおいが変わったからだ。

「ちゃんとあの子を見ていれば、わたしと目が似ていることに気づいたはず。でも、あなたはあの子が男児ではないからまともに見ようとしなかった。あなたは万事がそう。女を自分と同じ人だと思っていないのよ」

顔を上げ、父は人差し指を呉笑星へ向けた。

「わしは女のお前を将軍として取り立ててやったではないか」

女の力者は顔を左右に振った。

「将校が自分から離れていくから、あなたには駒がなかった。やむを得ず女のわたしを取り立てたのでしょう」

呉笑星は、はきとした声で言った。

「あなたにはわたしが見えていなかった。たかが女、たかが力者と侮っていたから。見えないものに、人は備えることができない」

父は長く息を吐く。

どこか興がるような口調で言った。

「力者風情が、うまく騙しおって」

「そうよ。わたしたちはね、ずっと角抵(かくてい)をしていたの。あなたの言うお遊びを真剣に」

黒蛇の肺腑からひゅうと掠れた音がする。

日射に炙られて、ふつりふつりと意識が遠のく。立っているのがやっとだった。

「黒蛇よ、なぜ気づかなかった」

「——疑っては、いました」

兄の近くにいる女はすべて呉笑星ではないかと一度は疑った。

「ですが父上は目がお見えですから」

もし呉笑星であれば分からぬはずがないと思ったのだ。

父は、孟津でも洛陽の宮城でも呉笑星と対面している。

たしかにあの頃の呉笑星は殴られて顔が腫れあがっていた。とはいえ、弱視の黒蛇よりもはっきりとその顔だちを見ていたはずだ。

呉笑星が声を張り上げた。

「今や、あなたに味方するのは辛皇后と末子の史朝清、その取り巻きの将だけ。その勢力をあなたと引き離すため、朝義は本拠地の范陽を朝清に任せるようあなたに勧めた」

史思明は苛立たしげに膝を叩く。

「今わしを殺せば、朝義は朝清の派閥と事を構えねばならなくなるぞ。さすれば長安を落とすのが困難になる。まずはわしと共に長安を落とせ。それから譲位してもいい」

父の言葉を、呉笑星が遮った。

「その手には乗らない」

呉笑星の背後で、曹将軍らが槍や長刀の柄で地を叩いている。

「あなたは実の子を殺戮の道具にした。朝義も黒蛇も」

黒蛇は自分の舌を嚙みちぎりたくなった。この女に情けをかけられるなど、屈辱以外の何ものでもない。

呉笑星が一歩、二歩と近づいて来る。背後の将兵らも後に続き、迫ってくる。

「待て」と父が皆を留めた。

「呉笑星よ。勇敢な力者よ」

その声には天子の威厳がある。

「お前にわしを殺せるか。力者は人を殺さぬのだろう？　いやいや、お前はわしの前で人を殺した。一度や二度ではないぞ」

風が起こり、桃色の花片が舞いあがる。花吹雪の中で、呉笑星は哀愁を帯びた声を皇帝に向けた。

「確かにわたしはこの手で人を殺した。それがわたしの払った代償よ」

「そうだ、お前もわしと同じ人殺しになったということだ」

甘い香りがふたりの間を抜けていく。

咳払いをして、呉笑星は皇帝に告げた。

「朝義に言いたいことがあれば、伝えます」

ふむ、と皇帝は考えるように腕を組む。

「ではひとつ伝えてもらおうか。鬼の話を知っているかと」

五

「鬼？」

呉笑星は眉をひそめた。

はやく史思明を仕留めて、この叛乱を終わらせたい。

史思明を討つ瞬間を待ち望み、これまで大きな代償を払って耐えてきた。

だが拙速はいけない。禍根（かこん）を残さぬよう、話を聞くべきだ。

燕の建国の日の夜、呉笑星は話を聞かずに史朝義を部屋から追い出し、取り返しのつかぬ失態を犯した。同じ轍（てつ）を踏みたくない。

――まだ奥の手があるのかしら。

追いつめられたはずの皇帝の顔には、なぜか余裕がある。

だが史思明は多勢を相手に、護衛は黒蛇のみ。しかも黒蛇は日に照らされて肩で息をしている。首から顔まで爛れていて、見ているほうがつらくなるほどだった。

この状況下で、史思明も形勢を逆転できるとは思っていないだろう。それでも、なにか重要な一手を持っている。いやな予感を覚えながら、呉笑星は史思明の言葉を待つ。

皆の耳を引きつけてから、史思明は切り出した。

「そう、鴛鴦と呼ばれた鬼の話だ」

鴛鴦の言葉に、ぞわりと胸が騒いだ。それは史朝義の憧れ、大襦に縫いつけた番(つがい)の鳥だ。口を噤(つぐ)んだ呉笑星を見て、史思明は薄ら笑いを浮かべた。

「まだわしが軍に入る前、辺境の交易で生計を立てていた頃の話だ。わしと朝義の母は、村で一番の睦まじい夫婦だった。わしらはおしどり夫婦の鴛鴦と呼ばれていた」

呉笑星は顔に冷や水を浴びせられたかのようになる。

「嘘だ」

唇が震えて、続く言葉が出ない。

「嘘ではない。その頃はおのれの子を殴る、売るといった親が多くてな、わしは鬼の所業だとそやつらを軽蔑し、真っ向から非難していた」

史思明は史朝義の母を冷遇した。

そんな仕打ちをする人が鴛鴦であるはずがない。

「わしらは子を授かった。初めての子だ。朝義や黒蛇にとっては姉に当たる。小さくて、どの表情も仕草も愛おしい。赤子の顔はたった一日で変わってしまう。余さず目に焼き付けておきたかったから、交易の旅に同行させた。それがすべての間違いだった」

桃色の光の中で、右頬の大きな傷が浮いて見える。言葉を発すると、頬の穴が話しているようだった。

「村の商人仲間と移動する最中に、唐と異民族の戦に巻き込まれた。わしらの隊は異民族の兵に追われた。洞窟に隠れて兵をやり過ごそうとしたとき、赤子が泣きだした」

呉笑星は息を呑んで、史思明の声に耳を傾ける。

「呉笑星よ、お前ならどうする？」

光のない瞳が、呉笑星へ向いた。

「商人仲間がわしに迫る。赤子を黙らせろ、静かにさせろと。わしはあの子を胸に抱いて、声が漏れぬように強く抱きしめた。今だけ泣き止んでくれ。静かにしてくれ。馬蹄の音がすぐそこに迫る。わしは顔を背け、娘の口をかたくふさいだ」

史思明は唇を噛む。溢れてくる感情を抑え込むかのように、削げた頬に力を込めた。

「愛しい吾子（あこ）は静かになった。沈黙した娘はわしを見つめていた。どんな目をしていたか教えてやろうか」

頬の大きな傷だけが動いている。その虚ろな穴が続けて問うた。

「お前だったらどうした、呉笑星。赤子を殺さずにみなで死んだのか」

声が出なかった。

自分が選択を迫られる場面を思い浮かべただけで、心が張り裂けてしまいそうだった。

「人というものはな、平時には何とでも言えるものだ。追い詰められた時にこそ、本性があらわになる。わしは鴛鴦ではなかった。鬼畜以下だった」

「それは苦渋の決断でしょう。みなの命を守るため……」

唇がぎこちないのが自分でも分かる。形だけの言葉が風に流れていった。

「わしは仲間の反対を押しきって赤子を連れていった。皆を命の危機にさらしたわしら夫婦を仲間は辺境に捨て置いた。食糧をすべて持って行かれてな。辺りは人里もない不毛の地だ。水も食べる物もなければ人は三日と持たぬ。だが、わしら夫婦は村に生還した。どうしてそんなことができたと思う？」

呉笑星の喉から、「まさか」と声が漏れた。

「そのまさかだ。村の商人たちも生きて現れたわしらを鬼畜と詰った」

足許から頭まで、史思明の全身が震えだす。

おのれの身を抱きしめ、大きく頭をふった。

「いやいや、わしは鴛鴦ぞ。善良な男で、決して鬼ではない。もしわが子を手にかけ、その肉を腹に収めたのなら、わしは子を売る鬼畜どもよりも劣る。あれは悪い夢だったのだ。わしはあの子のためなら、この頬の肉だって差しだせる。わしは村の者たちに自分の頬を削いで見せた。だがだれもわしらを鴛鴦と呼んでくれなくなった」

史思明の目は血走り、頬の傷は熟れた果実のように赤くなっている。

「それでも、自分の中にある善を信じて、もう一度、妻とやり直そうと思った。今度は双子の男児を授かった。だが、赤子の泣き声を聞くたびにうなされた。一度殴ると抑制が利かなくなった。いや、とっくに底は抜けていたのだ。長女を殺した時点で、もう本性を隠しきれなくなっていた」

史思明の赤く爛れたような頬が痙攣する。

「わしはな、鴛鴦でありたいと思う人の心を失った」

声をふり絞って言い、力が尽き果てたふうに肩を落とす。

「あとは流されるままだ。土地の有力者の娘に惚れられて、軍人となり今の地位を築いた」

億劫そうに口元を引きつらせ自嘲を浮かべる。

「どんな善も、飢えには勝てん。わしは人の善など信じぬ。親子の情も信じない。本性を隠さぬ者、人を殺せる者こそ安堵できる。黒蛇は良い息子だ。本能のままに人を殺せる」

黒蛇は口を閉ざし、ときに目を見開いては顔を伏せた。沈黙を守り、父の言葉を静かに聴いている。

「いつからか、わしは女子（おなご）の顔を直視できなくなった。詰め寄られると、死んだ娘の目に責められている心地がする」

史思明の言葉に、呉笑星はつよく口を結んだ。叫びだしたくなる衝動を懸命にこらえた。でなければ平静を装っていられなかった。

なぜ史思明が、息子の中でも特に史朝義を嗜虐（しぎゃく）したのか。

史朝義は女顔で、幼い頃は女の子と見まがうほどだった。その子があどけない顔で父上、父上と自分を呼ぶ。しかも、その子は鴛鴦――かつて善であったころの自分に憧れて、その意匠を背にまとっているのだ。

史朝義の姿は、父史思明の目にどのように映っただろう。

充血した男の目が、洛陽のほうを見やった。

「朝義が鴛鴦を好んでいるのは知っていた。あれが憧れているのは、こんな男ぞ」

父上、と黒蛇がかすれ声を発した。

苦しそうに胸を押さえながら、刀を構える。

「父上、もう充分です。お逃げ下さい」

黒蛇に促されても、史思明は動こうとしない。

「唐の官人どもが言うだろう。天子は父であり、民は子だと。であれば、どんな親であっても子たる民は強くなくてはならん。その安禄山の考えには賛同できた。だからともに叛乱を起こした」

史思明は顔を前に向けた。

「お前たちは、ここでわしを殺すのだろう？　わしが挙兵したのと同じように」

その目は呉笑星の顔を見ていない。視線を外して話している。

そうだ、ずっとこの男は呉笑星の顔を見ていなかった。侮っているのだと思い、その隙をうまく突いたつもりだった。

呉笑星は強く拳を握りしめた。

自分はこの男を討っていいのだろうか――。

激しいためらいが、胸を翻弄する。

「かつて、お前はわしに訊いたな。あなたも戦で人が変わった口かと。答えはまさに、だ。戦に巻き込まれさえしなければ、わしは鴛鴦のままでいられた」

顔は覚えていないくせに、この問いかけは覚えているらしい。

史思明は、呉笑星を指さした。

「断言する。お前も極限に陥れば、おのれの子を殺す鬼となる」

言い切ると、話は終わりだとばかりに膝を打った。

「笑星」

呉笑星のすぐ隣で、福がすらりと刀を抜いた。目で「いいか」と問うてくる。

福は史思明に母を殺された。仇を討つ機会をずっと待っていた。

振りかえれば、将兵たちが武器を手に、呉笑星の合図を待っている。史思明を殺さないという選択はありえない。

呉笑星の胸を、懐かしい姿が通りすぎていく。

孟津で世話になった養鶏商人の野ねずみ夫人、角抵の興行者でみずから判者もやる角抵狂いの岩。

戦が始まる前は、みな気持ちのいい人ばかりだった。

自分だってこの戦がなければ、人の命を奪うこともなかった。極力人は殺さぬように、と心がけていても、側近として史思明に仕える以上、人を殺さずに済むわけがない。純粋な力者でいたかった。人殺しになんてなりたくなかった。

「あと少しだけ待って」

呉笑星は右手を挙げて、福を留める。史思明と対峙した。

「いつぞやあなたはわたしに言ったわね。自分の代わりに殺してくれた者がいるから安穏と暮らせる。お前は手を汚さずに、人を殺していたようなものぞ——と。それは一理あると思うわ」

あのとき呉笑星が急に落ち着かない気持ちに襲われたのは、それまで見ないようにしていた事実を眼前に突きつけられたからだ。

戦の場では、自分で殺すか、他人に殺してもらうかの二択を迫られる。

呉笑星にとって、どちらを選んでも地獄だ。

殺さずを通せば、自分はきれいなまま、力者の信念を貫くことができる。だがそれでは他の者が自分の代わりに手を汚すことになる。

一度人を殺せば二度と元の自分には戻れない。殺人は人ひとりの人生を奪い、その家族を絶望に陥れる、永遠に消えることのない大罪だからだ。

それをこれから生まれてくる子たちにやらせるくらいなら、自分がやる。そう決めた。

「あなたもわたしも戦のせいで、人を殺さなくてはならなかった。あなたは鴛鴦としての自分を、わたしは力者の信念を失った。戦がなければこんなことにはならなかった」

この男が負った痛みは、自分が抱えた痛みに等しい。鏡の中の自分を見ているようだった。

だからこそ、この男に伝えなくてはならない。

息子史朝義がなにを思い、なにを志してきたのか。

史朝義と呉笑星が、なにを思ってここまで来たのかを。

口を開こうとすると、舌が震えた。

哀しみに呑まれるな——。

心の中で自分を叱咤する。

顔を上げろ、胸を張れ、怯むな。闘志まで失ったら力者ではない。

「ならば」

呉笑星は、場にいるすべての兵の心に届くように声を張り上げた。

「この身にどんな代償を払ってでも、朝義とわたしはこの大乱を終わりにする。だれも鬼にならずに済むように」

史思明の瞳が呉笑星に向いた。初めて、この男と目があった。史朝義と同じ灰がかった瞳。その目許が緩み、二、三度瞬いた。

笑ったのだと気づいた次の瞬間には、史思明の顔は厳格な表情に変わっていた。呉笑星の背後にいる将兵を睨む。

「さあ黒蛇よ、こやつらを殺せ。わしを守るのだ」

言い捨てて身をひるがえす。

「逃がすか」

福が駆け出した。将兵たちが一斉に動き出す。

黒蛇が袖を引き、呉笑星に向けて暗器の針を放つ。すぐさま刀を抜いて防いだ。

「くそっ」

悪態をつきながら、黒蛇は腰刀を抜く。呉笑星に斬りかかろうとしたところで、意識が途切れたらしい。そのまま前のめりになって倒れた。

呉笑星は刀を収め、黒蛇を腕に抱きあげる。

――日の当たらぬところへ。

黒蛇は助ける。それが史朝義と交わした約束だった。

木陰へ運ぼうとしたとき、「討ち取った」という歓声を背に聞いた。

風が吹きつけ、砂塵が起こる。甘い桃花のかおりに混じって、血の臭いが漂っていた。

六

「この部屋で待っていてね」

「細月姉さん、やっぱりわたし……」

呉笑星は、細月の腕にすがった。

だが細月は、ほがらかな笑みを返してくる。

「安心なさい。星羅（せいら）は賢い子なの。ちゃんと理解しているわ」

燕朝は三代目の皇帝を失ったばかりで、朝廷はごたついている。

落ち着くまでは、史朝義の屋敷には近づかぬつもりでいた。

だが「急用だ」と呼ばれて、力者衆とともに屋敷に駆けつけた。すると、細月が待ち構えており、自分がほんとうの母ではないことをすでに娘に明かしたのだと言う。

呉笑星と娘の星羅を引き合わせようという算段らしかった。

「笑星じゃないと、あの若さまの嫁さんは務まらないってさ」

福が軽口を叩くと、どっと笑いが沸いた。

洛陽の懐王府の一室。かつて安慶緒が使い、史朝義がそのまま引き継いだ屋敷である。力者衆に細月、そして李麗。懐かしい面々が揃っていた。

告げ口でもするように、福が言った。

「あの人、手順を飛ばして事を進めるからな。よく女たちに叱られてんだ」

「でもよ。結局それが最善だったということに落ちつくだろ」

雷が顎ひげをしごきながら取りなしたものの、細月と李麗が同時にぼやいた。

「それでもひとこと言いたくなります」

少しは家長らしくしているのかと思いきや、摑みどころがないのは相変わらずらしい。今日も屋敷で待つように福たちから言われていたのに、ふらりと姿を消してしまったのだという。

「おいらが思うに、緩むんだよ。あの若さまは」

どういうことだと問う目が、福に集まる。

「あの人、視覚やら嗅覚やらが研ぎ澄まされるというか、ときどき常人離れした動きを見せるだろ。その反動でふだんは緩むんだと思う。煙みたいにふらふらしてさ」

福が母屋の外を見やって笑う。

これまで史朝義は、離れの堂で寝起きして、母屋の寝所は李麗と細月に使わせていたという。いつの間にか帰ってきてはいなくなるので、家令ですら主人の所在が分からない。

李麗が細い眉を寄せた。

「そりゃ、わたくしたちは形ばかりの妻妾でしたよ。でも外の者の前では体面を取り繕わないといけないのに、人前でわたくしをうっかり夫人なんて呼んで惚（とぼ）けているんですもの」

李麗も細月も、あれこれと史朝義の愚痴をこぼしている。

皆が呉笑星の心持ちを軽くしようと、気を遣ってくれているのが分かった。

それでも娘に会うふんぎりがつかない。

呉笑星は李麗と細月を交互に見る。

「あの……やはりわたしは星羅に会えません。あの子は細月姉さんを母だと信じてきたんだもの」

細月が少し寂しげに微笑んだ。

「でも星羅は私が本当の母ではないと、すぐに腑に落ちたみたい。あの子はとても聡（さと）いから、薄々分かっていたんだと思うわ」

呉笑星は自分の産んだ乳飲み子を、細月に託した。呉笑星の子ではなく、細月の子として育ててもらったのである。その頃、細月は激化する戦に巻き込まれて亡夫との間に設けた第二子を喪ったばかりだった。

「赤子がいないのに乳だけは出る。胸が張って熱を出していたときに、星羅は私の乳を吸ってくれた。心の痛みも一緒に吸い取ってくれたの。でも星羅は死んだ子の代わりじゃない。神さまからの預かりものだと思って接していたわ。私がこうして元気でいられるのもあの子のおかげ」

「わたしたちにとっても細月姉さんの存在がどれだけありがたかったか」

気が張っていたせいか、細月と違って呉笑星は母乳がほとんど出なかった。それに細月がいなかったら、呉笑星もこれほど大胆な手は打てなかっただろう。

史思明のそばに武人として取り立てられれば、おのれの命がいつ奪われてもおかしくない。それで細月に預けたきり、自分から娘と会おうとはしなかった。

しかしさ、と福が笑い声を立てた。

「笑星の将軍っぷりはなかなか様になってたよな」

「笑わないで。ほんとうに苦労したんだから」

字が読めないから伝令も部下に読ませたりして、その場その場を乗り切ってきたのだ。

「おいらはさ、朱鳥王を思い出したよ。重午将軍は物静かでどこか底知れなかった。恐ろしくて哀しい。悪役に徹したときの朱鳥王そのものだった」

雷が腕のないほうの肩を掻き、その手で笑星の背を叩いた。

「笑星はまだ二十二だろ。その歳で将軍を演じ切ったんだから、たいしたもんだよ。あの若さまの国の舵取りもこれからだ。おれはお前たちを支えるよ、朱鳥王」

次第に近づいてくる足音がする。星羅が来たのかと思って身を固くしたが、現れたのは侍女だった。李麗のそばに寄って耳打ちをする。

「では星羅を連れてきますから」

李麗が席を立ったのを合図に、みなが部屋を退出していく。

まだ呉笑星は迷っている。産んですぐに手放した子だ。育ててくれた細月から子を奪うようで気が引けるし、今さら母親などと身勝手にすぎる。星羅にしても、実はほかに母がいたなどと言われても困るだろう。幼い心に負担をかけたくなかった。

強い風が吹き込み、絹張りの衝立(ついたて)が音を鳴らす。

衝立の裏へ回ると、枠に瑞獣を彫りこんだ縁起物の木窓が開け放たれていた。窓を閉めようと手を伸ばす。裏庭で、夜合花が若葉をつけ始めていた。

背後でかたんと軽い音がして、呉笑星の背が跳ねた。

衝立を隔てたむこうに人の気配がある。

五指をそっと衝立に添わせる。衝立に映る影が小さい。

星羅がそこにいる——。

頭の中で考えが巡りだす。やはり星羅とは会わぬほうがいい。細月を母として生きたほうが、星羅にとっては幸せだ。まだ自分には片づけなくてはならない難題が残されている。

このまま衝立の裏に隠れてやりすごす。そう決めた。

覚悟が揺らがぬよう、呉笑星は息をひそめて目をつむる。

ところが、すぐ右隣りに人の息づかいがある。慌てて目をあけた瞬間、刻がとまったかと思った。

ちいさな子がいる。

呉笑星の腰ほどしか背丈がない。

史朝義に似たやさしい顔だちで、大きな瞳を呉笑星に向けていた。

なにを話したらよいのか、母と名乗るべきなのか、戸惑ううちに顔が火照ってきた。舌が熱く、言葉がでない。

頰をぎこちなく動かす。笑ったように見えただろうか。

ふしぎそうに見上げていた顔がにこりと笑いかえしてくる。

――笑うと星が零れたよう。

亡くなった母は自分を笑星と名付けてくれた。

おなじ星の字を名に冠した娘が、星の粒をふりまいている。面ざしは父似。しかし笑うさまは自分の幼いころと似ているのではないか。

差しのべかけた手を、呉笑星はすぐに引っこめる。殺生をした手でこの子に触れたくなかった。逃げるように娘に背をむけたが、一歩が踏み出せない。脚が温かいものに包まれた。足許を見ると、星羅が呉笑星の脚にしがみついている。しっとりとした重みが呉笑星の総身を満たしていく。

「母上」

初めて耳にする吾が子の呼び声に、呉笑星は胸を穿たれたようになる。

脚から崩れ、ちいさな身体をたぐり寄せていた。掻き抱くと腕があまるほどに小さい。

涙で濡れた頰を春風が撫でていく。

物音がして、急に周囲が明るくなる。顔を上げると、衝立を動かす男の姿が見えた。青の大襦が逆光のなかで揺れている。

「おかえり、笑星」

火輪(かりん)の翼

一

乳白色のかけらを口に入れてやると、星羅はにっこりと笑んだ。

「怪我に気をつけてね」

呉笑星は、走りゆく娘の背に声をかける。

五つになった娘は返事もそこそこに、広大な野原へ駆けて行った。初冬の白い日差しの中を、兎と熊を思わせる大小の影が去っていく。

「雨田(うでん)のおじさん、早く！　虫取り競走！」

この片腕のない力者の名は雷だと教えたのに、星羅は雨田と呼ぶ。

呉笑星は星羅と一緒に手習いを始めた。ところがうまく書けず、「雷」の字が「雨田」と読めるらしい。それで、星羅は雷を雨田、雨田と呼ぶようになったのだ。母親の面目もない。

洛陽城の西にある禁苑(きんえん)――。

天子が狩りや季節の行楽を楽しむ庭園で、呉笑星は星羅を遊ばせている。

楠(くすのき)の木陰に入って再び野原を見やると、もう吾が子の姿は見えなくなっていた。

雷とともに森へ入ったのだろう。動きは小動物のようにすばしっこく、少しでも目を離すと見失ってしまう。

呉笑星は身をひるがえして、楠の幹にふれる。樹齢はいかほどか、両手を伸ばしても届かぬほど幹が太い。固く盛り上がった樹皮に呉笑星は背をもたせた。

つめたい風が首筋を過ぎていく。頭上を覆う枝のあちこちから、さわさわと葉擦(はずれ)の音が降りかかってくる。気もそぞろになり、呉笑星は背を浮かせて腕を組んだ。

――落ち着かない。

大樹の翳を三歩進んで、また逆のほうへ歩く。

それを幾度か繰りかえすうち、数騎が西の林から姿を現した。

先頭の馬の毛が、光を浴びて青い光沢を放っている。待ちわびた夫の姿に、呉笑星は走り出していた。

従者を従えてやってくる一騎は、燕の第四代皇帝――史朝義だ。

旅装も解いていないから、直接禁苑に来たのだろう。史朝義のほうも呉笑星に気づいたのか、馬体を蹴って近づいてくる。

「良かった。無事で」

呉笑星がねぎらいの声をかけると、史朝義は満面の笑みを湛えて下馬する。

「青に水を飲ませてやってくれ」

将たちに愛馬を預けて人払いをした。福だけがそばに残っている。

史朝義は脛当(すねあ)てや革靴をばらりと脱ぎ、楠の根本へ近づいていく。地にむき出しになった根っこを枕にして身を投げ出した。

「首尾は？」

待ちきれずに、呉笑星は夫に問う。

「可汗は快く応じてくださったよ。燕の皇帝がみずから来るとは思ってなかったようで、驚いていらっしゃった」

その言葉を聞いて呉笑星は心から安堵する。膝が緩んでへたり込んだ。

史朝義は、援軍の要請のために回紇へ直談判に出向いていた。回紇は今、唐側についている。だが開戦となったら燕に与力するという密約を交わしたのだ。

「安心していいよ。これで燕は唐に勝てる」

史朝義は肩を起こすと呉笑星のほうへ身をむけ、頬杖をついた。

「ただ、燕の皇帝だと分かっていただくのに、日数を要してしまった。威容というのは一朝一夕では、身につかないものらしいね」

「そう思うのなら、服装だけでもちゃんとすればいいのに」

帝位に就いてからはさすがに髪を結いあげるようにはなったが、それでも軽装にすぎる。身なりを相応に整えるようにと官人らが散々説いたが、史朝義に響くわけがない。

結局、官人らが根負けして今日に至っている。

「それを言うなら呉后もだ。禁苑とはいえ、護衛のひとりくらい付けていただかなくては」

史朝義は仰々しく呉笑星を呉后と呼んだ。

燕の呉后、と言われても、いまだに自分のことだと分かるまで刻が掛かる。

史朝義が即位した際、皇后になってくれと乞われて震えあがった。

呉笑星がやりたいのは角抵であって皇后に納まることではない。散々逃げ回ったが、だれもやる人がいないと周囲に押しつけられた。

妃になった以上、字くらい書けないと体裁が悪いと手習いを始めれば、雨田、雨田と五つの娘に笑われる。服装も戦時だからと極力簡素にしてもらってはいるが、宮中の冠服にも慣れない。呉笑星ひとりではどうにもならなかったところ、李麗が補佐してくれて何とか乗り切っている。

「どうしてこんなことになったのか。人生とはふしぎなものだね」

葉が揺れるたびに、史朝義の顔のうえを光の筋が行きかっている。

「一仕事したばかりだというのに、宮城へ戻れば一日中裁可に決裁、押印、押印、押印だろう。だから先に禁苑に来てしまった。すこしは労わってほしいものだよな。ずっと休みなしなんだから」

史朝義は頭を呉笑星の膝に預けて、身体を仰向けに横たえた。その双眸がざわめく葉叢を見つめている。

「酥の飴の匂いがする。私にもほしいな」

星羅にあげた飴だ。懐から包み紙を出して、ひとかけらを史朝義に手渡す。すると夫はあからさまに眉を寄せて不満げな顔をする。口に入れてほしかったのだと分かったが、「いい歳をして」と呆れた。

すると史朝義は飴を指でつまみ、呉笑星の口に含ませる。

何事かと思っていると、「ん」と唇を薄く開けて、呉笑星を待つ。

呉笑星は慌てて左右を見回した。

自分の顔が赤くなるのを感じながらも、骨身を削ったのよね――と思い直す。

史朝義は回紇との密約を取りつけた。その労苦を思えば少しくらい甘やかしてもいいだろう。

星羅たちの姿が見えないのをもう一度確かめてから、呉笑星は飴を口移しした。

身体を起こそうとすると、長い腕が呉笑星の首を抱き寄せる。ゆっくりと唇を求めてきた。呉笑星の瞼の裏が甘やかな白色に染まる。

わたしはこの人の妻になった。

色々なことが立て続けに起こって、実感する暇もなかった。母親を知らなかったから、どういうものなのかと憧れていた。今、自分には夫がいて、娘まで授かった。涙がこぼれそうなほどの幸せを、つかの間噛みしめる。

背後で大きな咳払いが聴こえた。

「おいらがいるのを忘れてませんかね」

すぐさま史朝義から離れ、飛び退った。耳まで熱い。福が控えていることを失念していた。

「いいんですけどね。気配を消して陛下をお守りするのがおいらのお役目なんでね」

見ていませんから好きにやってください、と福があさっての方向を見てうそぶいた。

顔の火照りを覚ますように、呉笑星ははたはたと掌で扇ぐ。史朝義は呑気に、「福は気配を消すのが本当にうまくなったな」などと言って、護衛の少年を呆れさせている。ふたたび仰向けになって、頭上の枝房を眺めた。

「子どものころ、笑星が飴を届けてくれたのを覚えているかい」

この幼馴染に飴をあげたのは、うっすらと覚えている。

史朝義だけではなく、いろんな子に飴を分けていた。

「夜しか動けない弟がいると言ったら、笑星が昼のうちに二人分を届けてくれたんだ」

呉笑星は幼い頃の記憶がおぼろだ。

史朝義が言うのだからそうなのだろうが、黒蛇に関する記憶がない。

「私は暴君の父から弟を取り返したかった。父に忠実だった弟の目を覚まさせる。自分にはそれができると思っていた。その上で笑星を紹介したかったんだ。この人が飴をくれた人だよって」

それで、呉笑星にも弟の話をしなくなったのだという。実際に会ったこともなく、話題にも上らなかったから、いつしか呉笑星の記憶から抜け落ちたらしい。

「私はね、黒蛇と笑星、どちらかひとりなんて選べないと思っていた。でも、結果として笑星を選んでしまった」

史朝義は、望賢宮での出来事を話している。

長安から皇帝が西へ逃げた際に、呉笑星たちはその後を追った。そこで黒蛇の襲撃を受けた呉笑星を守るために、史朝義は黒蛇を斬ろうとした。

「でもあのときだって、本気で黒蛇を殺そうと思ったわけではないでしょう」

史朝義は身体を起こし、呉笑星の脇腹に触れる。

「笑星が代わりに受けた傷、周りが痣になっているだろう。この痣が残るということは、私が本気だったということだ」

たしかに、呉笑星の脇腹には変わった傷痕が残っている。普通に斬られただけでは、あんな痣はできない。

星羅を産んだ後、呉笑星は史朝義からひととおり武技を教わった。だが、この痣ができる一撃の太刀は呉笑星には習得できなかった。

史朝義が本気になったときにしか繰り出せない技である。

「もし、あのとき黒蛇をこの手に掛けていたら一生後悔したし、自責で私は後を追ったかもしれない。止めてくれた笑星に感謝している」

史朝義は身体を横たえ、片方の掌でおのれの顔を覆った。

「あいつ、今どこにいるのだろうな」

史思明の死の直後、范陽にいた皇后辛氏とその息子史朝清が殺された。

辛氏の残党は、史朝義の仕業だと信じて疑っていないようだったが、事実ではない。一派を討つには大義名分がいる。あちらが動き出すのを待ってから、史朝義は討伐の兵を出すつもりでいた。

ふたりを殺したのは、おそらく黒蛇だ。

史思明を討った際、史朝義は倒れた黒蛇を自身の屋敷へ運び込んだ。だが充分に回復せぬまま、黒蛇は姿をくらませた。

皇后とその皇子が不審な死をとげたせいで、范陽は混乱に陥った。

新しい朝廷の態勢も整わぬうちに、史朝義は范陽へ兵を差し向けねばならなくなった。両都の混乱を収めるのに長い月日を要したのである。

「そのうち会えるわよ。この危機を乗り切ったら必ず」

呉笑星は長旅でやつれた夫の顔を眺める。

ゆっくりさせてやりたいが、今は良い流れがこの男のもとに来ている。この大乱に決着をつける絶好の機が到来しているのだった。

唐の皇帝崩御——。

今年四月に第七代皇帝粛宗が、その十三日前には譲位して玉座を退いていた先代の玄宗が亡くなった。すぐに皇太子が即位したが、官人らと新皇帝の擁立に当たって暗躍した宦官らが内紛を繰り広げているという。

決戦を仕掛けるならば、今しかない。

燕の皇帝は小さくぼやいた。

「ほんとうは唐と和平が叶えばよかったのだけどなあ。さすがにこの首をくれてやるわけにもいかないし」

唐の新しい皇帝が即位した際、この男は内々に和平を申し出た。返答は「史朝義の首があれば応じる」といった慇懃無礼なもので、つまり決裂した。

いつのまにか史朝義が口を一文字に引き、目を閉じている。

肝心な話をしようとしている。

いやなものが呉笑星の背すじを這った。話しておくべき大事だと頭では分かっている。だが今は夫の帰還に安堵したばかりで聞きたくはなかった。

「笑星に頼みがある」

史朝義が切り出したと同時に、呉笑星は「あ」と声をあげた。

「官人に見つかってしまったみたい」

東のほうから豆粒の大きさの人の群れが向かってくる。おそらく皇帝の帰還を知った宰相や文官たちだろう。

腰を上げようとした呉笑星の肩を、史朝義の両手が押さえた。そのまま下へおろし、呉笑星の両手を摑む。

「笑星、聞いてくれ」

耳を塞ぎたいのに、手を封じられてそれもできない。拒否するふうに、呉笑星は首を横に振った。

だが史朝義はずばりと切り出してくる。

「万が一、唐に負けたときのことだ」

口が即座に言い返していた。

「負けないわよ。朝義なら勝てるでしょう」

「むろん勝つさ。私が親征するんだもの」

通常、皇帝は武将に兵権を与え、自身は城内で勝敗の報せを待つ。だが、史朝義はみずから戦場に赴く親征を望んでいる。

「勝つための備えは万全だ。だが負けたときのことも考えておかねば」

負ければ呉笑星はもちろん、星羅も皇帝の娘として捕らえられる。それを思うと臓腑を両手で絞られたように苦しくなる。

呉笑星は早口で言い立てていた。

「分かっているわよ。唐に負けたときは燕の勢力を范陽まで引き上げて、複数の藩鎮に分ける。唐への帰順を装って、それぞれの地を独立した国のように治める」

燕の勢力を分ければ、ただでさえ兵力の落ちている唐は攻撃がしにくくなる。それぞれの藩鎮が強い態度に出れば、辺境の地まで乗りだしてくることはないだろう。

唐との戦に負けても、燕に従ってきた者たちが生きていけるように——。

それが史朝義の策だった。

呉笑星は夫の手を握りかえし、その顔を見つめる。

「わたしは史朝義の妻として、あなたの首を唐の皇帝に届ける。そうでしょう?」

史朝義の灰がかった瞳が大きく開く。

遠い森の茂みから、星羅の声が聞こえてくる。雷や力者衆と虫取りをしているのだ。はしゃぐ声が細かい音の粒になって、柔らかい日の射す野原で跳ねているようだった。

深い木陰で、史朝義はしずかに答える。

「そうだ。引き受けてくれて助かる」

皇帝は眉を緩め、おだやかな口調で続けた。

「万が一のときは、燕の残党については各将校に、洛陽の民のことは福や雷さんに頼んである。最後に私の首を笑星が引き受けてくれれば、もう憂いはない」

さっぱりとした顔をして言うのが、呉笑星には小憎らしい。

「私が自分から大きな戦を仕掛けるのは、これが最後だ」

再戦はない。ここで敗北を喫した場合、史朝義はおのれの首を敵に捧げる。

「勝っても負けても、私はこの大乱を終わらせる。人が鬼になることがないように」

史朝義の言葉に、呉笑星は唇を嚙んでうなずく。

呉笑星は史思明から聞いた鴛鴦の話を、史朝義に伝えた。

憧れていた鴛鴦の正体が、実は暴君の父だったと分かれば史朝義は落胆するに違いない。散々迷った末に打ち明けたところ、逆に納得したふうにうなずいたのだった。

──もし父が戦に巻き込まれていなかったら。

史朝義は静かに語った。

──黒蛇と皆で仲よく暮らせたんだろうか。あの父は私に優しくしてくれたんだろうか。

やり切れないね、と寂しげな表情を浮かべた。

「笑星」

夫の呼ぶ声に、呉笑星は顔を上げる。

「私が負けたときのことを忘れないでくれ。万が一のときは、笑星がこの戦を終わらせる」

自分の出番はこない。考えたくもない。夫は戦上手で、根回しもできる。だから大丈夫だ。そうおのれに言い聞かせて、呉笑星はうなずいた。

大乱の終結――。それを為すには、かつての自分はあまりに非力だった。唐の皇帝を引き留めようとして、黄兎隊を全滅させ、福に怪我を負わせた。

だから人は殺さぬという力者の誇りを捨てた。正しいやり方だとは思わないが、そうしなければとうてい無理だと身に沁みた。

だがもし、それほどの代償を払っても、この戦の終焉が叶わぬのだとしたら――。

呉笑星は、不吉な考えを払うように頭を振った。

史朝義が妻の腰に腕を回す。

「痩せたな。だめだ、もっと食べなくては」

覗き込む夫のまなざしに、呉笑星は押し黙る。戦に備えて、力者衆たちと共に口にする穀物の量を減らしていた。

「食べたって、もう背は伸びないもの」

呉笑星が軽口を叩くと、夫は呉笑星の下腹に耳を当てて目を閉じる。

「いや。もうひとり、子が来てくれぬかと思って――」

言葉がとぎれ、すぐに寝息に変わる。ずっと馬で走りどおしで疲れているのだろう。

憐れなことに、あと数十歩というところまで官人たちが迫っていた。

せめて目元にこもれ日が当たらぬようにと、夫の顔に手をかざしてやる。

楠の葉叢の向こうからは、虫取りをする星羅の無邪気な声が響いていた。

二

空が青く澄んでいる。

天の静謐とは対照的に、地上では風が黄色い土を巻き上げていた。

初冬の晴天下、唐軍は洛陽城外の北にある邙山（ぼうざん）のふもとに陣を敷いた。

燕軍も、洛陽城に近い平地に兵を整列させている。みなが壇上の皇帝の声を待っていた。

燕の皇帝は、臣下へ語りかける。

「范陽で兵を挙げたのが約七年前。長年にわたり、燕と唐は壮絶な戦いを繰りかえしてきた」

呉笑星は、力者衆とともに皇帝の背後に控えている。

天子の顔を見あげる顔は幼少のものや老齢のもの、そして女の兵も少なくない。

長年の戦で、多くの成人男子の命が奪われたからだ。

「この大乱をわれらの手で終わりにしよう。これが燕と唐の最後の戦だ」

燕はかつて、長安を落としたにもかかわらず、唐の玄宗を追討せずに大乱の終結を逃す失態を犯した。同じ轍は踏まぬと史朝義は兵に告げている。

若き皇帝は声を張り上げた。

「さあ、われらの居どころを、楽土をつくらん」

呼応するように、将校や兵の間から喊声が湧きおこる。

皇帝は身をひるがえし、背後に控えていた呉笑星に近づいてくる。一歩手前で立ち止まり、相好をくずした。

「なに？」

問う声がかき消されてしまいそうなほど、兵の喊声が響いている。

史朝義は呉笑星の頬に手を伸ばした。

「左の目が少し細まったこの顔つきが好きなんだ」

呉笑星が呆れて口を開けていると、背後から福たちの気まずそうな咳払いが聞こえてくる。

史朝義は笑みをたたえたまま、呉笑星の肩を叩いた。

「では朱鳥王、城内は任せた」

激励の言葉を考えていたのに、全部頭から飛んでしまった。ただうなずいて夫を見送る。

史朝義はみずから兵を率いて進軍していく。呉笑星も急ぎ城内へ戻った。

門楼へ上がり、戦場に夫の姿を探す。

迎撃すべく陣を敷いた燕軍の先に、唐軍がかすんで見える。光の加減のせいか、自陣も敵陣も黄金色に染まって見えた。

澄み渡った空から雫がおちたごとく、黄金の海の中に一粒の青色が浮かんでいる。

それが夫の姿だと気づいたとき、周りの黄金に塗りこめられるかに見えて胸騒ぎがした。

史朝義は戦がうまい。勝てる見込みのない戦はしない。

なのに落ち着かない。

開戦の太鼓の音が、城内にいる呉笑星の腹まで響いた。

「始まったか」

隣で福の声がしたと思いきや、目の前がこんがりとした黄土色で遮られた。胡麻をまぶした焼餅だった。

「気を揉んでも仕方ねえ。腹ごしらえしておこうぜ」

福は焼餅を口に放る。

「わたしはいいよ。福が食べて」

福の手に焼餅を返し、呉笑星は戦の様子を見守る。

燕軍が前進を始めた。歩兵も騎兵も進みが遅い。それは意図した動きであり、両翼から、続々と大型兵器が姿を現した。全部で五台、砲と呼ばれる車輪のついた投石機である。

砲が発射の用意に入ると、その背後で燕軍も動きを止めた。

「仕掛けていくぞ」

福は焼餅を飲みくだし、門楼を護る城壁に近づいて戦場をみやる。

進みの遅い大型兵器である。時代錯誤の戦車を出してきたと唐の将らは嘲笑していることだろう。だがこの砲は玉を送るからくりを改良している。人力ではなく、石の重みで投げ飛ばす。兵の労力を減らすために、無理をいって技師に作らせたものだ。

騎馬で進んでくる唐軍へ、一つめの玉が打ち込まれる。黄色い砂塵が上がった。

「唐の将校どもが、浮足立っているぞ」

福が拳を振りあげる。次々と飛来する玉に唐の将兵らは足踏みをしているのだ。投げこまれたのが石であれば、唐兵も対処に慣れているだろう。だが、それはぶつかると割れるようにできている玉だった。

なかにはみみずや昆虫が詰まっていて、馬の毛に絡むように粘度のある土に混ぜてある。軍馬は勇敢ではあるが繊細でもある。昆虫に纏いつかれれば、よく訓練された馬でも隙ができる。

唐兵たちの悲鳴が聞こえてくるようだった。

「おいらたちが苦労して集めた虫だからなあ」

禁苑や城内外の森で虫を集め、今日の日に合わせて虫玉をつくったのだ。

数十発は打ち込んだだろう。唐軍のすぐ西側に別の戦車が迫っている。

「さあ、ここからだぞ」

福が城壁に身を乗りだした。

平地では、箱状の戦車数台が馬に引かれて突進している。禁苑の北面の門から進んできた戦車だが、虫玉に気を取られていて唐軍は身動きできずにいる。

砂塵の上がる一帯に、戦車が突っこんでいく。土煙がさらに広がり、城内からはなにが起きているのか見えなくなった。

「ちゃんと箱が開いたみたいだ！」

戦車の箱の中には生きた鶏が詰められている。箱から飛び出した鶏たちが唐軍の陣地で暴れているのだ。荒ぶる家禽らは、精鋭の一団に匹敵する。それに唐兵の動きを封じるのに、史朝義は人命を犠牲にするのをよしとしなかった。

――朝鳥（あさどり）の力を借りよう。

それで鶏を何百羽も育ててきたのである。

敵の騎馬に虫を撒き、そこへ腹を空かせた鶏を放つ。

唐軍の馬を封じる作戦だった。

むろん鶏を放っただけで勝てるわけではない。唐軍が足踏みしたわずかな隙に、前後を燕軍と回紇の軍で挟むのだ。

回紇は友軍として唐軍の背後に控えているから、燕軍への寝返りを示すだけで済む。圧倒的な兵力の差に、唐兵は戦意を喪失するだろう。

史朝義の狙いは、刃を交えることなく唐軍を降伏させることだ。

人道上の観点だけではなく、必要に迫られての戦略でもある。これから長安を落として唐朝を滅ぼすまで、燕は一兵たりとも無駄にできない。唐の兵も捕虜にして、唐の皇帝を捕らえたのちに解放する。目の前の敵はいずれ燕の民になる。

「懐かしいな」

呉笑星の隣で福がつぶやく。

「孟津ではおいらたち、あの鶏の砂煙のなかにいたんだぜ」

夕暮れの中、興奮した鶏が行きかう光景が呉笑星の脳裏をよぎる。史朝義はあの出来事を覚えていて、鶏を使おうと思い立ったのだ。

まずは初めの一手。今日の戦術はうまく進んでいる。

今のうちに、捕虜を受け入れる態勢を確かめておこうとしたときだった。

福が怪訝な声を漏らす。

「おい、あれは唐軍か？」

福の指さした先に、呉笑星も目をやる。

砂塵から少し離れた東側から突き進んでくる一団がある。

前後を挟まれた唐軍が打って出たのだろうか。だが、一団は唐軍を迂回して接近してきているように見える。

福は焦りの滲んだ声で呉笑星を振り仰いだ。

「様子がおかしいぞ」

毛皮をまとった獰猛ないでたち――突進してくる猛者(もさ)は燕軍とともに唐軍を挟撃するはずの回紇軍だ。黄色の砂塵に禍々しいほどの黒色を滲ませ、こちらへ近づいてくる。

考えられる理由はひとつしかない。

回紇の離反。

呉笑星は、思わず胸を押さえた。

――どうして。

喉まで焼け爛れたようになって言葉が出ない。

燕軍の陣から急(せ)きたてるごとく、銅鑼が打ち鳴らされる。撤退の合図だった。

気配に振りかえると、将校たちが呉笑星の背後に控えていた。

みなが深刻な顔で呉笑星の一声を待っている。一刻を争う事態だ。打ちひしがれている場合ではなかった。

息が上がっているのが自分でも分かる。焦燥を肚の奥へ押し込め、呉笑星は将校らに向けて声を張った。

「狼煙(のろし)を上げろ。すぐに城内に伝令を出し、すべての民を非山(ひざん)に避難させよ！」

――籠城戦に持ち込まれる前に、民を洛陽城の外へ出す。

洛陽の民は戦の都度、燕や回紇の略奪に悩まされて来た。

今度は民が敵兵に脅かされることのないよう、城内を空にしたうえで唐軍を迎え撃つ。

そのために城門を通らずに外へ出る地道(ちどう)（トンネル）を掘っておいたのだ。

民を地道から逃し、禁苑の南にある非山へ誘導する算段になっている。唐軍が洛陽城を占拠した場合でも、城内が落ちつくまで数日を城外で過ごせるように、食糧庫などもあらかじめ整えてあった。

呉笑星は各将校へ個別の指示を出し終えると、腰に提げた牌を福に手渡した。

「福、難しいことを任せてごめんね」

雷をはじめとする力者衆に、民の避難を担わせている。城内の各坊に配備されており、今ごろは地道へ民を導いているはずだ。

「分かってらあ。おいらは坊内でもたついているやつらを連れて、地道へ入ればいいんだろ」

福は牌を自分の頭の上で振って、身をひるがえす。

呉笑星はその背に向かって叫んだ。

「頼んだ！」

城外を見やると、まだ敵は城壁までは近づいていない。

城壁をよじ登る敵へ投下する岩を支度しはじめた将校を、呉笑星は制止する。

「まだ早い。先に擂石車(らいせきしゃ)を出そう」

城壁の上に設置されていた塊から、防火の布が剝ぎとられる。

大きな木製の兵器があらわになった。擂石車——岩や玉を飛ばす遠射兵器である。

「用意！」

呉笑星の掛け声に続いて、伝令兵がばちを振り上げる。

鳴り響く太鼓を合図に、兵らは数人がかりで、棒の両端に付けられた取っ手を回し始めた。棒が回転し紐を巻きとっていく。

迫りくる回紇兵や唐兵の速さを見定め、呉笑星は合図を出す。

「撃て！」

留め具が外され、錘の重量で玉が飛んでいく。

呉笑星はふたたび城壁に身をよせて、玉が描いた弧を目で追う。

唐兵の頭上に落ちたその球体は、地に叩きつけられたとたんに白煙を発した。中はただの小麦粉だが、それで敵の目を奪うことはできる。視界を封じられたところへ、重い岩が次々と打ち込まれていく。岩には鋭利な突起が付いており、これには唐兵もひとたまりもない様子で、蜂の巣でもつついたかのように離散していく。

紐を掛ける爪の角度を変えて何度も試しておいたから、的確に敵に当てられた。この角度が重要で、深すぎるとすぐ近くに落下することになり味方を痛めつけ、逆に浅すぎると遠くに飛びすぎてしまうのだ。

「敵が近づいてきたら、投下兵器を切り替えて」

呉笑星は、将校らに言い置く。

青の大襦が城門へ入った姿を見て、門楼の階下へ駆け出した。


宮城へ入ると、庭や回廊を行きから宦官らの様子が目に入った。

逃亡の支度をする者、賊の進攻に備えて武装する者、様々な光景が繰り広げられている。

呉笑星はひたすら史朝義の姿を探した。

「朝義。どこ、朝義！」

貯水池のそばに、皇帝が信を置いている宦官の姿を見つけた。服を濡らしているのは、防火のためだろう。

駆けつけて宦官の腕を摑んだ。

「陛下はどちらに」

初老の淡い瞳が呉笑星を見上げた。宦官は呉笑星の剣幕に気圧されたようだったが、すぐに答えた。

「含元殿にいらっしゃいます」

宮城の正殿である。宦官の腕を摑む手に力がこもる。

「護衛は一緒ですか」

宦官はゆるゆると首を左右に振る。

「おひとりにするようにとお命じになったので」

妙な不安が胸にせりあがる。含元殿に向けて駆け出した。

宮城には、皇帝が日々の朝見を行う宮殿や仏教道教の寺院道観が建ち並んでいる。それぞれの門を通りぬけ、呉笑星は含元殿の横へ出た。

臣下が渡ってはならない白い瓦の上を、呉笑星は革靴で駆ける。おのれの心音がうるさく、瓦を踏む足音が耳に遠い。

開け放たれた門扉から宮殿の広間へ入ると、奥に青い闇が立ちこめている。

「朝義」

玉座に近づくうち、周囲がほんのりと明らんだように感じた。

闇と一体になっていた玉座がその輪郭を浮かびあがらせる。天子が座しているのだ。肩から前に流した大襦の上で、見事な鴛鴦の意匠が光沢を放っていた。

「笑星か」

肘当てにもたれていた史朝義がゆっくりと身体を起こす。どこか考えるふうに俯いていた。

まだ生きている。思い詰めたことをするのではないかと気が気ではなかった。玉座の男は起きた事態を確かめるかのように、言葉を嚙みしめながら言った。

「回紇が約束を反故にしたんだ」

呉笑星はその手を握り、足許にひざまずく。

「可汗から使者が来てね。背信の報復だと言う」

「だって裏切ったのは回紇のほうでしょう」

なんのために史朝義がみずから遠方へ赴いて、協約を取りつけたのか。

燕の皇帝だと身を明かせば、その場で捕らえられて唐へ差し出される恐れもあったのだ。おのれの命をかけて、史朝義は回紇に誠意を示した。それを回紇は裏切ったのだ。

史朝義は理屈を組み立てていくように、冷静な口調で続ける。

「回紇の可汗には、唐の将軍僕固懐恩の娘が嫁いでいる。それは大きな不安の種だったから、将校の娘たちが志願して可汗の後宮に入ってくれた。洛陽城に残っていた宝物もそっくり贈り物として届けていた。ほかにも気になる穴はすべて潰してあったはずなんだ」

「回紇が義理に背いたのよ。あなたに抜かりはなかった」

それは違うとでもいうように、史朝義は掌を呉笑星に向けた。

「使者がおかしなことを言うんだ。『なぜ史朝義は可汗の命を狙ったか』と」

「何をふざけたことを……」

そこまで言って、呉笑星の背につめたいものが走った。

「まさか……黒蛇？」

おそらく、と天子は淡々とした口調で告げた。

「悪いのは黒蛇ではないよ。黒蛇を説き伏せられなかった私に責任がある」

史朝義のためだ。

黒蛇は兄のために、回紇を潰そうとしたのだ。回紇は唐と燕の間をうまく行き来して、私利をむさぼっている。あの男の目には、燕の勝利を妨げる害悪に見えたのだろう。燕と回紇の密約など黒蛇の知る由もない。

「朝義は悪くない。だれも悪くない」

呉笑星は大きくかぶりを振った。

「あれは人を殺せば私が喜ぶと思っている。幼子のままなんだ」

細い息を吐いて、史朝義は続けた。

「辛皇后と朝清が暗殺されたとき、正直なところ私は安堵したんだ。内心助かったと思ったんだよ。ほんとうは、あの時にあらゆる手を使って黒蛇を探し出すべきだった。そんなことはしなくていいと叱るべきだったんだ。私は父と同じだよ。あれを怪物としか見ていない」

五指を額にあて、呉笑星を見つめる。

「笑星、信じてくれるかい。私はね、あの弟と明るいところで生きたかったんだ。父とは違う方法で、私は私と弟の居どころを作りたかった。ほんとうなんだよ」

呉笑星は黙ってうなずく。何度も首を縦に振った。

史朝義は口をほころばせる。

「笑星に、一つひみつを教えよう。あれの本当の名はね――」

呉笑星は夫の言葉に耳を傾ける。

囁くような静かな語りだった。世界から切り離された刻のなかにふたりでいる。そんな心地がした。

膜でつつまれたように、宮殿の外の物音がぼんやりと反響している。敵に城門を破られたのかもしれない。

史朝義はそっと語りつづける。

「私はね、明るい場所で弟を燃えるような赤で彩ってみたかった。あれは私と違って気性が激しいから、きっと赤が似合う。火輪の翼はあの男にこそふさわしい。そして私はそれを引き立てるような青の大糯で弟の隣に並ぶんだ。今でもそんな夢を見ている」

朱鳥王に憧れを抱きながら、なぜ史朝義は自分で赤の大糯をつけないのかとふしぎに思っていた。やっと夫が青色を纏う理由を知った。

呉笑星は、おのれの拳を握りしめる。

「そんなのわたしは分かっていたわよ。どれほどあなたが弟を思っていたか。だからあなたが黒蛇に刃をむけたとき、わたしは止めたんだもの」

史朝義は目許を緩める。

さて、と燕の天子は居住まいをただし、妻を立ちあがらせた。

「民の避難は？」

「力者衆がやってくれているわ」

避難の狼煙を上げてまだ二刻ほどだろう。

だが、すでにおおよその民が地道を通り抜けているはずだ。

病人や年配者など、移動に時間がかかるものは先に避難させてある。そのほかの民も、坊内で避難の支度をさせていた。鄴で安慶緒が編み出した伝達手法を、史朝義は洛陽でも取り入れた。各坊の長である坊正（ぼうせい）から民に報せが行き届くように連絡網を作ったのである。それでも取りこぼした民の救援に、福の隊が当たっている。

「今ごろ、福が気焔を吐いているわよ」

史朝義たち燕軍はぎりぎりまで城内に踏みとどまり、唐軍と戦う。

耐え切れなくなったところで洛陽城を棄てて北へ逃亡するのだ。地道は洛陽の民が逃げるためのもので、燕朝の者たちは地道とは洛陽城の対角線上にある東北の城門から唐軍を突破するつもりなのである。

「私たちも行かなくてはならないね」

燕軍すべてが北上するわけではない。皇帝を逃すために残った将兵は唐へ投降することになっている。かれらにはこの洛陽城の武器庫や要所の鍵を授けてあり、それを渡して助命を乞うという算段だった。

史朝義が立ちあがる。肩から青の布地が流れた。

「笑星」

すぐ目の前に夫の顔がある。

史朝義は口を引き結び、一度目を閉じた。

「今、私もきみもこの大乱の中心にいる。私たちにはこの戦を終わらせる最後の手だてがある」

この首だ、と史朝義は自分の胸に手を当てた。

「すべて放って逃げてしまおうか。星羅を連れて三人で」

急に剽（ひょう）げた言い方をするから、つられて笑ってしまった。

「それならわたしが角抵で稼ぐ」

「放牧の暮らしもいいな。星羅は狩りにも向いていそうだ」

夫婦は額を突き合わせて笑う。

「星羅ともっと遊んでやりたかったな。せめて大人の歯が生えそろうまでは一緒にいたかった。あれは成長したらどんな娘になるのだろうね」

考えたらきりがないなと、史朝義は顔を哀しげに歪ませた。

「何もかも、見届けてやれない」

なんと声を掛けたらいいのか。このときのために言葉を考えていたのに、頭が真っ白になった。呉笑星は奥歯を嚙みしめ、涙をこらえた。

「死ぬのが怖くないといったら嘘になる」

史朝義の声が震えている。男の両手が呉笑星の頰を包んだ。

「笑星、顔を見せて。最後までやり遂げられるように、私に闘志を分けてくれ」

そう言われても、心が乱れてどんな表情をしたらいいのか分からない。

少しでも不安を和らげられるように一番の笑みを見せるべきか。それとも、一緒に思い切り泣いてあげるべきなのか。

ふと、真剣になったときの顔が好きだと史朝義が言ってくれたことを思い出す。

天啓のように、最愛の夫へ贈る言葉が降りてきた。

「朝義、真剣に角抵をやろう」

これは角抵だ。子どもの頃から興じていた遊びの延長だ。

燕は負ける。この戦を終わらせるために敢えて滅ぶ。

皇帝の首を代償に、史朝義と呉笑星はこの大乱を終わらせる。

「戦の敗者として、歴史の悪役として、わたしたちは最高の角抵をやろう」

男の瞳の奥で光が躍った。

「そう、この顔だ。私の好きな笑星の顔」

史朝義は白い歯を見せる。

「今、一緒にいるのが笑星でほんとうによかった。私は最高の妻を得たな」

ふっきれたような夫の顔に、泣きだしてしまいそうになる。

泣くな。この人が欲しているのは闘志だ。

燕国最後の皇帝の妻として、胸を張れ。

史朝義の片翼であるために。ともに志を遂げるために。

「陛下」

戸口に宦官の姿がある。

「撤退の用意が整いました」

「分かった」

史朝義は一歩踏み出した。

呉笑星の目の前を、青い大襦の鴛鴦が飛翔している。

その後につづき、呉笑星も肩に掛かった赤の大襦を背に流した。

――火輪の翼。

かつて、史朝義が見せてくれた夜明けの湖の光景が、呉笑星の胸を染めた。

ふつふつと滾（たぎ）る煙霧から、ちぎれた靄が翼となり次々と飛び立っていく。死地から甦る不死鳥。

何度でも昇る太陽の鳥。

この戦を終わらせるその瞬間まで闘志を絶やさない。それが自分の役目だ。

呉笑星は宮殿から見える空を睨んだ。


門楼へ上がると、石や矢が足もとまで飛んできた。

燕兵が油を仕込んだ玉を兵器に乗せ、火をつけて城外へ投下する。火玉が敵の戦車の台に落ちた。ところが敵の戦車には泥が塗られていて、転がった火玉の炎が弱まる。唐兵は戦車に備え付けられた泥の桶に火玉を突っこみ、すみやかに消火した。逆に、地上から幾本もの火箭が飛んでくる。一本が門楼へ刺さり、たちまち近くの旗に燃えうつる。史朝義が長刀で旗ごと地に叩きつけて火を消した。

敵将はかなりの手練れのようである。

「相手は?」

呉笑星の問いに、史朝義は肩をすくめた。

「李光弼」

「それは厄介ね」

安禄山が挙兵した際、河北での戦は史家が担っていた。その際に、もっとも燕軍が手をやいたのがこの李光弼だったと聞いている。かつて史家が唐に帰順した際に、史思明の暗殺をもくろんだ将であり、史家とは因縁の仲だった。

「しかもあちらの弩の精度が高い。ここは避けてほしいと思っているところへ強かに矢を打ち込んでくる」

感心したように史朝義は長息する。

「李光弼が味方だったらとこれまで何度も思ったよ」

城壁の上で指揮を執っていた将が、皇帝の姿に気づいて目を剝いた。

「陛下、はやく洛陽を出立なさってください。間もなく城門が落ちます」

兵の怒声や悲鳴が空に反響して、人の声が聞き取りにくい。

守城の部隊は善戦している。それでも持ってあと二刻と思われた。

将校たちが数人皇帝のもとへ集ってくる。

「陛下、どうかご無事で」

まもなく唐軍に攻めこまれると分かっているのに、将校らの顔は力に満ちていた。一方で、史朝義は心苦しそうに顔をゆがめる。

「有能な将を置いていくことになってすまない」

なあに、と髭の将が屈託なく笑う。

「去る者も残る者も、志は同じでしょう」

この戦を終わらせる。戦が始まる前に、皇帝はすべての将校と言い交わしてあった。

「ここは、われらにお任せください」

髭の将が促すように、呉笑星に目でうなずいて見せる。お互い無事ではすまない。こういうときに人は笑うらしい。

「ではまた」

呉笑星も将校らに力づよく笑みを返した。

門楼から下りると、城内から煙が流れてくる。

まだ門は破られていないのに、すでに各坊へ火が移っている。敵の遠射兵器がよほど優れているのだろう。

撤退の部隊を率いて、史朝義と呉笑星はいそぎ馬で東北の城門へ向かう。すでに数百人ほどが集まっていた。

「福？」

将兵のなかに、なぜか福の姿がある。今は民の避難に当たっているはずで、撤退する部隊にいるのはおかしい。福は皇帝の姿を見るなり、駆けつけてきた。

「福、なぜここに」

呉笑星が問い質すと、福は困惑した様子で馬上の皇帝を見上げる。

「陛下、じつは困ったことが――」

一度は地道で城外へ出たものの、燕の皇帝が北上すると知った者たちが城内へ戻ったのだという。福の背後には若者が集まっていた。紅潮させた頰はどれもまだあどけない。まだ戦場に出ていない年齢の童子たちだ。

「おいらは止めたんですよ。城内へ戻れば、唐軍や回紇に襲われるんだって。それでも陛下をお守りするんだって勝手に飛び出してきちまって」

燕のため――と勇んで、次々と民が城内へ戻っていくので、最初に飛び出した若者たちをまとめるので精一杯だったという。

「私が説得しよう」

史朝義は下馬して、童子たちに近づいていく。呉笑星もその後に続いた。

ところが童子らは目の前にいるのが皇帝と知って、さらに目を輝かせる。感極まった様子で次々とまくし立てた。

「また唐の皇帝のもとで暮らすのはいやです」

「この地に未練はありません。燕で生きたい」

「あなたが即位してから洛陽は落ちついたんだって、「祖父が申しておりました」

餌を求めるひな鳥のごとく、競って口を開く。

史朝義は童子らの姿に、目を瞠っている。

この男は、開戦以来一貫して民を死なせぬことを考えてきた。その姿勢がこの子たちには伝わっている。呉笑星は目頭が熱くなった。史朝義の傍らに立ち、その手を握る。

皇帝は感じ入るのと同じくらい、当惑もしているようだった。せっかく避難させたのに城内に戻っては、むざむざ死なせることになる。

天子は括った髪を掻き崩す。

「どうしたものか」

呉笑星は少年らを一瞥し、天子に献言した。

「城は持ちこたえられません。一緒に連れていくべきです」

もう刻がない。今から地道へ戻れとも言えない。

「おいらが面倒みますよ。こいつらに何かあったら寝覚めが悪いもの」

非山に残るはずだった福が、世話役を買ってでる。

「先駆もしんがりも、おいらがやります。門が開いたら敵軍を追い払う。みんなが抜けきったら、しんがりを守る。全員が無事に洛陽城を抜けられるように」

福が長刀の柄で地を突いた。

いくら福でも、先駆としんがり両方を務めるとは無茶苦茶だ。

「福、死ぬ気？　そんなの許さないから」

呉笑星が肩を摑むと、福は長刀を押しつけてくる。

代わりに腰に挿した三節棍を手に取った。

「攻撃も防御もこれひとつでできる。というよりもやるしかないだろ。がきどもを置いていくわけにいかないんだ」

ふと、福はいくつになったのだろうと、呉笑星は思い返す。

自分が今年二十三で、福は三つ年下に当たるから二十歳になる。お母ちゃんを助けられなかったと孟津で泣きべそをかいていた少年は、いつの間にか大人になっていた。

史朝義が呉笑星の肩に手を置いた。

「笑星、福に任せよう」

福は茶色がかった瞳に闘志をみなぎらせ、「はっ」と拱手で応える。

「避難させた民の世話は、雷さんたち力者衆に頼んでおきました。おいらは同行して、陛下を最後まで護衛する。今、決めました」

「それは心強い」

福の言葉に、皇帝は肚を括ったように口を引き結ぶ。童子の顔をひとりひとり眺めながら告げた。

「燕と運命をともにするとの心意気、しかと受け止めた。命知らずの者ばかりのようだ。みなおのれの足で走れるな？」

天子の言葉に、童子らは気勢を上げる。民がついてくるなど想定もしていなかったので、護衛まで手が回らない。自分の足で進んでもらうしかない。

李麗や細月に星羅、それに文官たちですら、馬車は使わず騎馬で進む。童子らを囲むようにして、隊が組まれていった。

西のほうが急に騒がしくなる。宮城北の城門が破られたのだ。

「唐軍の目を引きつけながら撤退する！」

史朝義が騎馬すると、燕将たちの率いる隊がその脇を固めていく。星羅も燕将とふたり乗りで馬に跨(またが)っている。撤退のための隊が整った。

開門を報せる太鼓が打ち鳴らされる。城門の門道から、ひやりとした風がひとすじ、ふたすじと首元を通りすぎていく。

大きな車箱を繋いだ戦車が、先陣を切った。

車箱の中には兵が潜んでおり、真っ先に敵陣に突っこみ、中から矢を放つ。敵を打ち払ったところを、皆で駆け抜けるのだ。

轟々(ごうごう)と音を立てて突き進む戦車のへりに、福が飛び乗る。その汚れた大襦の裾が舌なめずりするように風に舞った。

先駆の戦車が門道へ消えていく。機を見計らい、史朝義が号令をかけた。

「進め！」

門道を進むうち、前方から血の臭いを含んだ風が顔面に迫ってくる。

明るい地に飛び出ると、大きな円を描く三節棍が目に飛び込んできた。福が何本もの矢をひとりで払っている。

本当に先駆からしんがりまでをやり遂げるつもりだ。

戦では数人の兵が組んで敵に立ち向かう。けれど福はちがう。身体の一部のように変化する三節棍を手に、敵陣で軽々と跳躍している。

一匹の禽獣が荒野を切り開いていくようだった。

すれちがいざま福と目があう。

——巣の温かさを知らないやつだっている。

呉笑星はその顔を知っている。孟津で初めて会ったときに、得意げに言った顔だ。

——だから、おいらが作って言ってやるんだ。おまえ、ここにいてもいいぞって。

父を喪い、打ちひしがれていた呉笑星の心に闘志の火を点けたのは、この子だった。今もまた、童子たちのために棍を振るっている。

ああそうか、と呉笑星は馬を走らせながら思い至る。

なぜ自分が角抵に惹かれるのか。

顔に傷でも作ったら大変だ、足を引きずるようになるかもしれないぞと、様々な忠告を受けた。見ていて何が楽しいのか分からないと細月に言われたこともあった。それでも自分が角抵に惹かれるのはなぜなのか。

闘志は人から人へ移っていくからだ。福から呉笑星へ、呉笑星から福へ。そして皆へ。ひとりの闘志がたくさんの人の心を灯す。だから人は角抵を観るのだろう。

——胸が熱い。

福の雄姿のおかげだ。全身が、内から熱せられたようになった。

泣きながら走る兵たちの姿が目に入る。次々と同朋が腕や足を斬られて、物のように変わり果てていく。命を奪われる恐怖に動転していた。

その兵らに向けて、唐の一隊が切り込んでくる姿が見える。

呉笑星は馬首を敵に向けた。隊頭の兵の前へ躍り出る。大きく長刀を振りあげ、驚かせてやった。

ひるまず敵が斬りかかってくる。呉笑星は派手に見えるよう、頭上で長刀を振りまわして防いだ。必要のない動きではある。だがこのほうが見栄えがする。

茫然として足が止まった味方の兵に、呉笑星は笑って見せる。

「命知らずの猛者たちよ。わたしに続け！」

脅えていた兵たちの瞳に生気が宿る。皇后陛下だ、と声を上げる者がいた。

「考えるな！　走れ、走りぬけ！」

自軍の兵を鼓舞しながら、呉笑星は馬を駆る。

兵たちの熱い視線が自分に、赤い大襦に向いているのを感じる。

呉笑星の耳朶に、父の陽気な声が響いた。

「お父ちゃん」

——みなが目を輝かせて立ち合いを見ている。そこがお前の居どころだ。

呉笑星は礫のように前から吹きつけてくる冷たい風に向けて吼えた。

「ここが、わたしの居どころだ！」

長刀の柄を握り直し、前から迫る敵へ刃を繰り出した。

三

天は鈍色によどみ、絹糸のように細く嫋(たお)やかな雲が流れている。

笑星の口許からも、うすい白息が漏れていた。

「承服できません」

天幕の中から、李麗の尖った声が聴こえる。

呉笑星が出入り口の幕をまくって中へ入ると、小柄な背が史朝義に詰めよっていた。過酷な長旅のせいで、李麗の綿入れの裾がほつれている。

「わたくしの首も差し出しなさい。唐朝の者たちに切り捨てられた女の覚悟を見せるのです」

史朝義は呉笑星に気づくと、助けを求めるような眼差しを向けてきた。

「麗さま、まだそんなことを」

洛陽からの道中、李麗はおのれの首を唐朝へ送りこむようにと繰り返し口にしていた。首を送ったところで唐朝の者を喜ばせるだけだ。燕の太皇太后としての生き様を見せることこそが意趣返しになる。そう説いてきたが、まだ諦めていないらしい。

「わたしとしても、麗さまに死なれては困るのです。唐朝の郡主であり、燕朝の元皇后であるあなたのお力が必要です」

呉笑星が訴えても、李麗はがんとして受け入れない。

「陛下の首を届ける役目なら、笑星がいるでしょう」

「笑星とて無事でいられるか分かりません。よいですか、あなたは今の唐の皇帝の妹に当たる。そのお立場も踏まえて、李懐仙が仲介役を買って出てくれたのですよ」

史朝義からも宥められ、李麗は綿入れの裾をかたく握りしめた。

洛陽を出た史朝義らは、南から追い上げてくる唐の猛攻に苦しめられ、また回紇の襲撃にも悩まされた。やっと范陽にたどり着き、昨日からその城門前で野営している。

范陽は、安史の二家を柱とした父子軍の本拠地だ。前の皇后と史朝清が暗殺された際の混乱を収めたのち、史朝義はこの地を李懐仙という武将に任せていた。

黙り込んだ李麗に、史朝義はおだやかに語った。

「民の被害を最小限におさえて洛陽を離れ、范陽まで北上する。これはおおよそ成し遂げられたと言っていいと思います。ここからが要です。残った燕の勢力を分散する。燕の将たちは、河北で独立した小国をそれぞれ作り、連携して唐をけん制する。これはかつて慶緒と私で考えた案です」

愛した夫の名を引き合いに出され、李麗は唇を噛みしめる。

史朝義は返答を待たずに、語を継いだ。

「私の首を、笑星とともに唐の皇帝へ届けてくださいますね。唐がこの大乱の幕引きを受け入れるように、唐朝の血を引くあなたの力をお借りしたい」

李麗はさらに食い下がった。

「あなた自身が河北の長になればいいでしょう。死ぬ必要なんてありません」

李麗はかつての自分を今の呉笑星に重ねているのだ。

唐朝への意趣返しなどというのは表向きで、李麗は夫の首を届ける呉笑星の姿を目にしたくないのだろう。

「だって、あなたは生きているのに」

髪を振り乱して迫る李麗を、史朝義がなだめる。

「七年も続いたこの大戦は、唐か燕どちらかの皇帝の首が挙がらねば、もはや終わりません。史家の者として私がその責を負う。慶緒の言葉を覚えているでしょう？　大地の実りを分かち合い、嵐のときには皆を守る大樹になる」

笑星の胸裏に、唐の九節度使を撃退した日の夕焼けがよみがえる。天子と民の心がひとつになったあの日暮れを、李麗も覚えているはずだ。

おのれに言い聞かせるように、史朝義は続ける。

「生前の慶緒と約束したのです。あれが死んだときは、代わりに私がこの大乱を終わらせると」

でも、と李麗がさらに言いつのろうとしたときだった。

「陛下」

天幕の外から警固の者が、客人の訪いを告げる。

「入ってくれ」

誰何もせずに史朝義は中へ招き入れる。現れたのは曇天と同じ色の布で口元を覆った大男だった。

「李懐仙か」

覆面から、軽い笑声が漏れる。

「陛下、よくぞ范陽まで参られましたな」

いかにも野武士といった趣の手が、口を覆っていた布を下げる。豪気な顔だちが、三人の前に現れた。拱手の礼を取ろうとした将軍を、史朝義が手を上げて止める。

「お互い、礼は取るまいぞ」

「それはごもっとも」と李懐仙は破顔した。

「明日、私どもは全力で陛下を追跡いたします」

「では私も全身全霊で逃げよう」

史朝義は、李懐仙によって范陽への入城を拒まれたという体を取っている。それで、皇帝を擁する一団は范陽城の前で野営していた。

史朝義は洛陽の戦が始まる前に、敗北した場合の段取りを李懐仙と言い合わせていた。李懐仙は事前の取り決めどおり唐と内通し、すでに唐の使者が范陽城内に入っている。今は表向き、李懐仙から史朝義へ降伏の要請がなされた段階だった。

だが史朝義はそれらを呑まず、わずかな供を連れてこの地から逃亡し、頃合いをみて自刃する。

史朝義が最後まで亡命を試みる流れが自然であり、娘のいる場で父の首を落とすのも酷だからと、取り決めの段階で李懐仙が提案してきたのだった。

「李懐仙」

史朝義が大柄な将に念を押す。

「落ち合う場所は温泉柵(おんせんさく)だ。間違えないでくれ」

李懐仙は唐の使者とともに史朝義一行を追跡する。北方の温泉柵という土地で、夫の首を手にした呉笑星らは李懐仙に捕らえられる——という算段だった。

「それから、洛陽から付いてきてくれた将兵や民の今後だが」

史朝義が天幕の外を見やった。

「陛下がこの地を発たれてのち、城内へ迎え入れましょう」

年末の范陽は息が凍るほどに寒い。皇帝を擁する一団は酒を飲み、身を寄せあって暖を取っている。

「感謝する」

史朝義は李麗、呉笑星の順に視線を向けた。

「こちらが太皇太后、もとは唐の永義(えいぎ)郡主です。そしてこちらが私の妻だ」

「太皇太后と陛下の御妻女は、私が長安へお連れいたします。外に酒と肉を用意しておりますので、今夜はどうぞご家族でごゆるりと」

史朝義は微苦笑を見せる。

「心遣いはありがたいのだが、少々届け物が豪勢なようだ。入城を拒否されたという体を取っているのだから、施し程度に留めておいたほうがよいと思う」

李懐仙が運ばせた食糧は、肉や温かい汁物、酒のほか、戦時の范陽でどうやって手に入れたのか南国の干し果物まであった。

唐の使者が城内におり、この厚遇では袂を別ったのがふりだと悟られてしまう。

「あなたの首さえ手に入れれば、唐は委細を気にしないでしょう」

「言われてみればそうかな」

納得した様子で、史朝義は謝意を告げた。

呉笑星と李麗を振り返り、豪気な武将を紹介する。

「この男が李懐仙といって、唐の先代粛宗から李姓を賜った将です。唐とも親交があったから、私の首を届けるに相応しい。この男とあなたたちに後を託します」

李懐仙もふたりの女に拱手を向けた。

「この李懐仙、命にかけて皆さまの御身をお守りいたします」

星羅は李麗たちとともに、明朝、李懐仙のもとへ引き渡される。

今夜が家族三人で過ごす最後の夜だ。李懐仙と史朝義のやり取りを耳にするうち、とうとうこの日が来たという感慨が呉笑星の胸に迫った。

将軍は天子と目でうなずきあい、身をひるがえして去っていく。

さて、と史朝義は両の手を胸の前で合わせた。

「これで今日の私の責務は終わりだ」

李麗の前へ進みでる。

「後ほど天幕をまわって食べる物が行きわたったか確かめて参ります。そのほかの時間は、笑星と過ごしますのでご遠慮いただけますか」

　とたんに李麗の目のふちが赤く染まった。

「安慶緒が天に召された日が思い出されます。あの人も、民と同じものを食べて語らった。燕は良い皇帝に恵まれたと思います」

　唇を震わせて精一杯の笑みを浮かべ「食糧を分けるのを手伝ってきます」と口早に告げる。

「麗さまにはたくさんのご苦労を掛けました。黄泉（よみ）で慶緒と反省しなくては。どうかご健勝で」

　別れの言葉に麗は顔を歪ませる。泣き顔を隠すように天幕を去っていった。

　広い空間に取り残されて居心地が悪い。

　天幕の端に設けられた寝台に呉笑星が腰かけると、史朝義が隣に座った。

「やっと笑星を独り占めできる」

　綿がほどけるようなやさしい笑みを妻に向ける。

「あのね、朝義。言わなくちゃと思っていて、ずっと言えなかったことがあって」

　すると史朝義は待てというように、掌を呉笑星へ向ける。

　天幕の向かいへ足を忍ばせ、近づいていく。天幕の裾に小さなふくらみがあった。

「おやおや。何をしているんだい」

　幕に隠れていたのは、星羅だ。

「福兄さんに教えてもらったの」

　地べたにしゃがんだまま、星羅が答える。

「父上と母上がお口をちゅっちゅ始めたら、見ていないふりをするんだよって」

顔を背けて、そっぽを向くそぶりをする。

呉笑星は一瞬で赤面する。火に当てられたように顔が熱い。

「それでぎゅっぎゅて抱きあったら、お目目を隠して石さんになるんだって」

史朝義が急に咳き込む。よく見ると、咳をするふりをして口を片手で押さえ、笑いを堪えていた。

「福のばか」

呉笑星は両手で顔を覆う。くすぐったいような恥ずかしさがこみ上げ、どこかへ隠れてしまいたかった。

「陛下、失礼します」

焦った様子で現れたのはまさに福で、続いて細月が血相を変えて飛び込んできた。

「こんなところにいたのか」

星羅を見つけた福が、安堵したように肩を緩める。皆で星羅を探していたらしい。

「勝手にいなくなっては駄目でしょう」

細月が星羅の元にひざまずいて、たしなめる。

「福、きみってやつは」

目に涙をためて、史朝義が福の肩に手を掛けた。

「なにがあったんです？」

おかしな空気に気づいたのか、福は史朝義と呉笑星を交互に見る。

「福兄さんが教えてくれたことを、星羅が披露してくれているんだ」

苦しそうに笑いを抑えている史朝義に、福は首を傾げる。

星羅は自分が話題の中心にいるのが嬉しいらしく、「それでね」と得意げに続けた。

「父上と母上のぎゅっぎゅが気になったら、じんせいの勉強のためにちょっとなら見てもいいんだって」

両手で目を隠し、小さな指をずらして見せる。とうとう史朝義は腹を抱えて笑いだした。

ななな、と呉笑星の舌がもつれる。

「福！　あんた、なんてこと子どもに教えたのよ」

事態を悟った福が口答えする。

「だって、仕方ないだろ。星羅は寂しいんだ。子どもが嫉妬するくらい夫婦仲がいいってことだろ」

史朝義が星羅を抱き上げる。

「父上と母上の仲が良くて寂しかった？」

星羅がこくんとうなずく。幼い目にじわりと涙が滲んだ。

「麗姉さんも細月母さんも、父上と母上が大事なお話をしているときは近づいちゃだめだって」

星羅は俯き、くしゃりと顔をゆがめる。「やーや」と赤子返りをしたように泣きだした。

細月が申し訳なさそうに眉を寄せる。

「ごめんなさい。そういうつもりではなかったのだけど」

撤退戦で気が張っていた史朝義と呉笑星を、皆が気遣ってくれていたのだろう。

「仲間外れはいや」

呉笑星は泣きじゃくる娘の頭を撫でてやった。

「星羅は父上と母上の大切な宝ものだもの。仲間外れなんてしない。今夜は三人で寝ましょう」

これまで寒冷の地で野宿し、落ちついて眠れぬ日々が続いていた。

——お前も極限に陥れば、おのれの子を殺す鬼となる。

撤退する道中、史思明の声がつねに呉笑星の耳にまとわりついた。

呉笑星にとっては、食べられないことよりも眠れないことのほうがつらかった。苛立ちが募り、星羅に手を上げそうになったことは一度や二度ではない。

その度に史思明の言葉を思い出し、踏み止まった。

今夜は、李懐仙が唐との間を取り持ってくれているというから、敵襲に脅えることもない。星羅にひとつでも多く父との穏やかな想い出を作ってやりたかった。

夫がこそりと呉笑星に耳打ちする。

「三人じゃない。四人だ」

思わず呉笑星の肩が跳ねた。

「気づいていたの？」

声をひそめて訊き返すと、史朝義は自分の目を指した。

「だって顔つきも全く違っているもの。私はね、笑星が思っているよりも、ちゃんと笑星を見ているんだよ」

子を授かったと呉笑星自身が気づいたのは范陽へ撤退する最中のことだ。周囲に余計な気を遣わすまいと黙っていた。ところが史朝義は、洛陽を抜けだした頃から薄々感じていたという。とすれば本人より早く気づいていたことになる。

「食わなくては駄目だと言っているのに、また痩せてしまった。血の気が失せると、腹の子にも良くない。頼むから食べてくれ」

耳元でささやくと、史朝義は叱るように顔をしかめた。

気が張っていて食欲もない。幼い子や兵たちにひもじい思いをさせたくないから、自分の食べる分を皆に分けていた。いつの間にか、手の甲の骨が浮いて見えるほど痩せてしまった。

「うん、しっかり食べる。言おうとしていた話は、まさにお腹の子のことなの」

ささやき合う父母の間で、星羅は何事かというように目許を曇らせている。会話に入れてもらえず、また機嫌を損ねたようだった。

そんな星羅に、史朝義が声を大きくして伝える。

「じつは星羅にとても大切なお知らせがあるんだ」

この場で明かすようにと、史朝義が目で促してくる。

呉笑星は胸の前で諸手を打った。

「母上のお腹に赤子が来てくれたの。星羅はお姉さんになるのよ」

母の言葉に、星羅は丸い目をさらに丸くする。

「父上、ほんとう？」

「ほんとうだとも」

史朝義が力づよく頷く。

父の腕から、星羅が猫のように飛び降りる。奇声をあげて天幕中を駆けまわり、寝台の上で思い切り跳ねた。

「やった！　星羅はお姉さんになる！」

繰り返し叫んでは、飛び跳ねている。怪我をしますよと、細月がたしなめるほどはしゃいでいた。

「そんな……」

福が腰を落とし、呉笑星の足元で頭を抱えている。

「腹に赤子がいるのに、これまであんな無茶を……」

ごめんね、と呉笑星は小声で謝る。

洛陽から范陽まで北上するのは苦難の連続だった。筋書きどおりに各地に味方を分散するよう神経を使い、唐や回紇の急襲にも応じなくてはならない。腹に子がいようが、休むわけにはいかなかった。

「むくれちゃって。福も妬いているのかい？」

座りこんだ福を、史朝義が茶化す。

「はいはい、お幸せなこって。でも、そういう大事ははやく教えていただかないと。少しは護衛の身にもなってくださいよ」

史朝義は目を細めて微笑んだ。

「気を付けるよ。でも、人生の勉強のために覗くのは遠慮してくれ。あまりの睦まじさに福の目が潰れてしまうよ」

のろける史朝義に、福は「けっ」とつまらなそうに顔を背ける。

外から肉を焼くにおいが漂ってくる。つわりのせいか食べる気にはなれなかったが、夫を安心させるためにその日の夕餉はたっぷりと食べた。

食後には、この日のために取っておいた酥の飴を娘の口に含ませてやった。もちろん夫も欲しがったので口に入れてやる。

飴を味わう父娘の顔を、呉笑星は祈りを込めて見つめる。

どうか、濃厚な甘い味が父の想い出とともに星羅の記憶に残りますように。

自分にもまじないを掛けるように、呉笑星は口へ放った飴をゆっくりと溶かしていった。

四

翌朝まだ日の射さぬうち、燕国の皇帝は呉后を含むわずかな従者を伴って、范陽城の前を去った。

「おのれ、史朝義。投降すると見せかけて、亡命を図ったな」

皇帝の不在が発覚し、李懐仙は半日遅れて追跡を開始する。

一方、先に范陽を出立した史朝義の一行は、敵襲を受けることもなく、穏やかに街道を馬で駆けていた。

「この寒さじゃ、しもやけになってしまうな。痒くて仕方ない」

馬を休ませていると、史朝義が手をこすり合わせた。手袋が破けて指先が見えている。

「手を出して」

呉笑星は吐息を当てて温め、夫の指先を揉んでやった。

「笑星のほうがひどいじゃないか。小指が真っ赤になっている」

星羅を身ごもったときは比較的温暖な地にいて、食べるものも充分にあった。今は極寒の地にいるせいか、手足が痺れてよく眩暈（めまい）がする。

とはいえ、史朝義から離れる気は毛頭なかった。

「温泉柵には沸泉（ふっせん）があるから、湯につかって揉むといい」

ゆえに土地の名を温泉柵というらしい。

呉笑星は黙ってうなずき、夫の指先を温め続ける。この人の命を少しでも長くこの世に留めておきたい。呉笑星の思いとは裏腹に、一行は温泉柵のすぐそこまで迫っていた。

時を止めることもできず、その数日後に約束の地に着いた。

未明、呉笑星は寝床にしていた洞窟で目覚めた。

「朝義？」

隣で寝ていたはずの夫の姿がない。夜具を探るとまだ温かい。すぐに洞窟を抜けて駆け出した。

「笑星、どうした」

洞窟の外で控えていた福や護衛の兵たちが、松明を手に追いかけてくる。

「朝義がいないの」

「でも物音も聴こえなかったぞ」

交代で見張りを立てていたが、だれも史朝義の姿に気づかなかったという。

薄暗い森の中で、呉笑星は懸命に夫の姿を探した。

護衛兵たちは長刀で頭上の枝を探っている。首を吊ったのではと疑っているのだろう。

薄闇の中を進むうち、あたりが白んできた。沸泉が近いらしく、痛んだ卵のような臭いが呉笑星の鼻をかすめる。冷気にまじって湯気が頬を撫でた。臭いのするほうへ進んでいく。開けた場所に出ると、白々とした明るさの中に長身の男が佇んでいた。

「笑星かい？」

史朝義らしいのんびりとした口調に、身体中の力が抜ける。

「急にいなくなるからびっくりした」

沸泉の縁まで駆けつけ、夫の硬い長髪に触れる。幻影ではない。まだ生きている。夫の足許にへたり込んでいた。

「ごめんよ。沸泉の臭いがしたから、散策していたんだ」

遅れて、松明を掲げた福たちが現れる。

問題ないと呉笑星が手で合図を送ると、もと来たほうへ下がっていく。

史朝義はなぜか東の方角へ目をすがめている。沸泉のある一帯を見回してから、呉笑星に語りかけた。

「初めて会ったときにね。笑星が歌を歌ってくれたのを思い出していた。私はあのとき、生まれ変わったと思ったんだ。また聴かせてくれるかい」

「いいわよ」

史朝義は、呉笑星と背中合わせになって座る。

湯煙のせいか夜明け前だというのに、白い光の中にふたりでいるような感覚があった。

呉笑星が知っている歌といったらあれしかない。

　牛の乳　羊の乳
　あぶらをたっぷり煮詰めてね
　干し棗(なつめ)と梨の皮
　ゆるゆる煮詰めていい香り

生前の母がよく歌っていたという、曲名も知らない歌だ。なぜか史朝義はこの歌を好み、よく歌ってくれと呉笑星にせがんだ。

背に温かな感触があり、夫のにおいに包まれる。史朝義が青の大襦を掛けてくれた。

続けて、髪を梳いて結いあげる音を背で聴いた。

とたんに息が止まりそうになる。夫が何をしようとしているのかが分かったからだ。首を落としやすいように髻を結っている。唇が震え、歌詞が頭から飛んだ。

駄目だ。歌い続けなくては。

いっそう力強く、さらに高らかに。

続けて刀を抜くつめたい音が、呉笑星の背後で響く。

胸がやぶれるような痛みが呉笑星を襲う。その都度、拳を握りしめて耐えた。泣き叫び、天地に響くほど慟哭したい。そんな負の衝動も、すべて夫へ送る闘志に変えた。

わたしは歌い続けなくては。

この人のために闘志を送り続けなければ。

　牛の乳　羊の乳
　焦げないように弱火でね
　干し棗と梨の皮
　さっぱりさわやか香りづけ

鮮血の臭いがした。

間を置かず、ずさりと物音がする。

心を引き裂かれるような鋭い痛みが、呉笑星の芯を突き抜ける。それでも最後まで歌い切る。夫の魂がまだここにあると思えたからだ。

歌い終えたとき、呉笑星は肩で息をしていた。

次第に辺りが白々と明るんでくる。ゆっくりと背後を振り返った。

燕朝最後の皇帝、史朝義の骸。

長年続く戦を終わらせるために、史朝義が捧げた命がそこにあった。

呉笑星は首を血まみれにした骸の前に立ちあがる。腰の刀を抜き、愛おしい男の首を刎ねた。

――終わった。

呉笑星の心に底知れぬ虚無が襲ってくる。

どうしてこんなことになったのだろう。夫と娘と逃亡すればよかったのに。そうすれば、史朝義に生まれてくる子の顔を見せてあげられた。遠い国で家族四人密やかに暮らす道もあったはずだ。

そもそも、史朝義はこの大乱を企てた首魁ではなかった。首謀者たちから、直前に挙兵を知らされた。それなのに、だれも抑えることのできなくなったこの戦を収束させようとした。

「どうしてあなたがやらなくちゃいけなかったの」

自分と約束したからだ。

戦をはやく終わらせると、洛陽城外の湖で誓ってくれた。

激しい後悔が、呉笑星の胸を揺さぶる。

夫の首を抱きしめると、嗚咽が止まらなかった。腹の子に障ると思っても止められない。もう涙は出ないと思うほど泣いた。そばに福たちが近寄ってきたような気がしたが、目に入らなかった。気を遣ってひとりにしてくれたのかもしれない。いつしか、呉笑星は幽玄とした静寂の中にいた。

この首を届けなくては――。

脳は痺れて働かず、身体は沼から這い出たときのように重い。力の入らぬ身体を起こして、呉笑星は顔を上げる。

目の前に広がった光景に、息を呑んだ。

「これは……」

沸泉にひとすじの赤い朝陽が射し込んでいる。

みるみる光が強まり、湯気が暁の色に染まっていく。赤い靄は焔のようにうねり、翼の形をなして上空へ飛び立っていく。

沸泉一面に火の鳥が躍っている。黄金の粒を振りまき、命の歌を謳歌していた。

呉笑星たち力者が背に負う朱鳥、何度も蘇る太陽の鳥。

ああ、と呉笑星は感嘆の声をあげた。

この景色を妻に見せるために、史朝義は沸泉を探して散策をしていたのだ。

落ちあう場所は温泉柵に――。

逃亡の算段で、そう李懐仙に持ちかけたのは史朝義だ。

呉笑星がひとりになったときに寂しくないように、あの頃から自刃の場所を考えていたのに違いなかった。

「あなたって人は」

おぼえず、口許がほころぶ。

命を絶ってもなお、呉笑星のことを励ましてくれている。

史朝義は闘志を分けてくれと言った。しかし生涯を思い返しても、より多くの闘志を与え続けてくれたのは夫のほうではなかったか。

呉笑星は、夫の温もりの残る青の大襦を握りしめた。

どこか惚けていて、捉えどころがない。それでも肝心なところは押さえている。

諍いを好まない穏やかな性分なのに、策士でもある。

大義を成すために自分の首を捧げた、心の熱い人。

「後はわたしに任せてね」

呉笑星は懐から布を取りだし、夫の首を丁寧に包む。

泣いている場合ではない。

ここからは自分が表に立って、唐の皇帝と渡り合う。

間もなく、李懐仙がやってくる。唐の使者の前で賊軍の残党としてふるまわなくてはならない。

急に洞窟のほうが騒がしくなり、呉笑星は立ちあがった。

護衛の兵たちの声だ。

李懐仙の一団が到着したのだろうか。それにしては声が不穏だった。

怒号とともに、福が駆け込んでくる。

「笑星、逃げろっ」

続いて現れた味方の兵の背に、矢が刺さっている。

いったい何が――。

呉笑星が問う前に、兵が叫んだ。

「急襲。回紇の隊です！」

兵の背の向こうから迫る騎馬が見える。獰猛な狼のごとく、黒い影が押しよせてくる。夫の首を抱えて呉笑星は走り出した。

背後から、「史朝義を探せ」と叫ぶ回紇の言葉が聴こえてくる。

狙いは史朝義だ。だが史朝義はもう命を絶っている。

この首を守らなければ。逃れなければ。

夫の首を抱え、呉笑星は赤々とした湯煙の中を駆けた。

五

なにかを間違えた、というのは黒蛇にも分かった。

回紇の可汗の暗殺を試みたのは、その勢力が兄の妨げになると踏んだからだ。

相手は戦闘の民で、唐の文官や武官を殺すのとはわけが違う。

うまくいけばそれでよし、殺し損ねたとしてもおのれの命など惜しいとも思わなかった。結果、黒蛇は仕損じて手負いの身となったが、兄は黒蛇の手助けなどなくとも唐との戦に勝てる。さしたる影響もないだろうと思っていた。

ところが洛陽での戦で、燕は唐に大敗した。

自分がなにかしでかしたのではないか。兄の敗因はこの自分にあるのではないか。

委細は分からないが、そう勘が告げている。今の兄の窮地は自分の行いと繋がりがある気がした。

兄を助けなければ――。

その衝動だけで、黒蛇は動いた。

兄はたった数百の兵を引き連れて、黄河を渡り北上した。

黒蛇は夜しか動けない。その上、回紇の可汗を襲ったときに負った足の傷のせいで、なかなか燕の一団に追いつけなかった。

范陽城外で燕の将兵たちが駐屯している場へたどり着いたときには、すでに兄はその地を離れていた。

——奇妙だ。

洛陽を出立して以来、兄は追撃してくる唐軍と幾度も刃をまじえた。

そのほとんどで敗北しており、これは戦上手の兄らしからぬことだった。その上、洛陽から随行していた側近たちが次々と兄の元を離れていった。いくら旗色が悪くなったとはいえ、父と違って兄は人望があったから、これも不自然に思えた。

実際、後を追う道中で離反した将兵らは、別れてもなお史朝義を慕っているような様子が窺えた。どうも彼らは去り行く主に食糧を託していたらしい。別れを惜しんでいるようにしか思えず、まるで反目という体を取るよう、言い合わせているかのようだった。

なにか裏がある。

だが黒蛇には兄がなにをしようとしているのかがまったく読めない。

范陽に着けば、当地の将校と合流して唐との戦に備えるのかと思ったがこれも違った。今、兄はたった数人で逃亡を続けているらしい。

黒蛇も兄を追って、夜闇を進んだ。

人里が近いのか、鶏鳴(けいめい)が聴こえている。

山の麓(ふもと)に横たわる朝霧が、夜通し馬を走らせた黒蛇の身体を冷やした。

——兄者はいったいどこへ。

山道を上がるか街道を進むかと逡巡していると、茂みの奥から知った女の声が聴こえた。複数の人のにおいに卵の腐敗臭、それから鮮血の臭い。黒蛇は下馬して茂みへ足を踏みいれた。

枝房から淡い光が落ちている。

おだやかな明るさのおかげで、あたりが見やすかった。

森の中はゆったりと霧が流れて、踏みこむのがためらわれるほど神々しい。ところが、開けた場所に出たとたん、一面の炎に煽られる。黒蛇は即座に木陰へ身を隠した。

山が燃えているわけではない。湯気が東から射す光を帯びて炎のように揺らめいている。そこは一面の沸泉だった。

「頼むから休んでくれ、笑星。血の気の引いた顔に痩せた身体。いつ倒れるかと、おいらは気が気じゃなかったんだ」

兄を護衛していた力者の声だ。確か名を福といった。

「見た目よりはずっと元気だから。心配しないで」

返す声は呉笑星の声。呉笑星と福は言い合っているようだった。黒蛇は茂みからふたりの様子を窺う。

「幸い、史朝義の首は残ったもの。これで勝負する。諦めるつもりはないわ」

史朝義の首、という言葉に、黒蛇は全身が凍てついたようになる。

――兄者は死んだのか。

洛陽で燕が唐に敗れたときから覚悟はしていた。だが、あの兄のことだ。どこかで生きていると信じていた。何があっても兄の命だけは援けるつもりで、ここまで黒蛇は駆けつけたのだ。

「でもこの首じゃ、うまくいくかどうか……」

福の声が消え入るようになる。

「わたしならできる。朝義が自ら捧げた命だもの。この首でやり遂げてみせる」

呉笑星が励ますように声を大にした。

朝義が自ら捧げた命、ということは、兄は自刃したことになる。

福が忌々しげに言った。

「回紇の恨みが大きいんだ。回紇だって、相当な覚悟で燕と密約を結んだ。それを史朝義と同じ顔の男が可汗を狙ったとくれば、怒るのも当然だろ」

——なんだと。

黒蛇は腰から地に落ちていた。身体中から血の気が引いていく。急に地に穴があき、どこまでも落ちていくような絶望に襲われた。

回紇と燕が密約を結んでいた？

言われてみれば、当然だ。

戦の勝敗を左右するのは回紇で、兄がそれを押さえていないはずがない。可汗と合力の密約を交わしていたのだ。

自分が余計なことをしなければ燕は唐に勝てた。兄は国土を統一し、首ひとつになることもなかった。

「だれだ！」

福の声で黒蛇はわれに返る。

痺れた腕で地を押し、黒蛇は立ちあがる。

涙のにおいがする。呉笑星が顔を泣きはらしているのが分かった。

呉笑星は黒蛇の姿を認めると、手にしていた包みを腕で覆う。

興奮した息遣いと疲弊の気配を感じた。その髪は乱れ、服も破れているようだった。どうやら襲撃を受けた後らしい。

「なぜ隠す？　それは兄者の首だろう」

「自分と同じ顔の首なんて目にしたくないでしょう」

近づいていくと、呉笑星はさらに首を押し隠そうとする。

そこまでせずとも、黒蛇の目には明瞭には見えぬと分かっているはずだ。どうにも様子がおかしい。首を奪いに来たとでも思っているのだろうか。

「唐との戦に負けたのはおれのせいか。兄者が自害したのはおれのせいか」

呉笑星は大きくかぶりを振った。背の大襦がゆれる。色の違う二枚を重ねているのが分かった。赤の大襦の上に、青の大襦を着けている。

「兄者は回紇と友軍の密約を結んでいたのだな。おれがそれを壊した」

無言でそっぽを向いた福の横顔が、答えを物語っている。

「おれを殺せ、呉笑星」

自分にはもう生きる意味がない。

兄を失い、この女にも負けた。兄が自分の首を託したのはこの女だ。弟である自分ではなかった。

「そんなふうに言わないで。朝義はあなたのせいで戦に負けたなんて思っていない。自刃も朝義自身が決めたこと。もうすぐ李懐仙が唐の使者たちを連れてやってくる。あなたはここをはやく離れて。燕の皇帝だと勘違いされてしまうもの」

呉笑星は声に焦りをあらわにする。ようやく黒蛇は兄の意図を理解した。

兄はおのれの首ひとつでこの大乱を終わらせるつもりだ。

とすればこれまで不可解だった事象も腑に落ちる。

兄はだれかに燕朝を継がせる形はとらず、すべてを負って滅ぶ道を選んだのだ。臣下を道連れにすることのないように、あらかじめ離反させて燕の将校たちを分散した。

あの兄がやりそうなことだった。

「おれひとりのことなど、どうとでもなる。それより兄者の骸は。兄者の首を見せてくれ」

呉笑星の声に、深い困惑と焦燥がにじむ。

「ごめんなさい。それはできないの」

言い訳をするように付け加えた。

「言ったでしょう。同じ顔だもの。死に顔を見せたくない」

「そんなにおれが憎いか。おれのせいで唐との戦に敗れたのだものな」

呉笑星は、黒蛇の背後にある茂みを気にしているようだった。せがむように黒蛇へ訴える。

「この大乱の収束は朝義の悲願。わたしたちはそのためにかれの首を唐の皇帝に届けるの。さっき燕将の斥候と鉢合わせて、唐に降伏する旨を伝えたわ。もうすぐ唐の使者の一団が到着する。あなたはここにいてはいけない」

「おれを慮(おもんぱか)っているつもりか。つべこべ言わず首を寄こせ」

黒蛇は女の腕から、血の滴る包みを奪った。

「あっ」

あまりにも容易(たやす)く奪えたので、拍子抜けする。背がひやりとするほど呉笑星の腕が軽かった。

「こいつっ」

取り返そうと飛びかかってきた福の腹を、黒蛇は即座に蹴り飛ばす。

たったひとりの兄の首だ。拝むことすら認めないとは傲慢に過ぎる。

だが包みを開いて、黒蛇は息を呑んだ。

「なんだこれは」

顔を近づけてその面を見る。顔が熟れた果実のように潰されている。兄の面影など微塵も残っていなかった。

「だれがこんな真似を」

「回紇だよ」

腹を押さえながら、福が吐き捨てるように言った。

「だれかさんのせいで、回紇は史朝義を深く憎んでいるからな。すでに史朝義が命を絶ったと知って、腹いせに顔を潰しちまった。あいつら、史朝義配下の将兵まで標的にしてやがる。おいらと笑星は何とか逃げ切ったが、護衛隊は全滅だ」

呉笑星がゆっくりと近づいてくる。今になって、呉笑星のにおいが変わっていることに黒蛇は気づく。歩き方がいつもと違う。腹に子がいるのだと分かった。

腹を庇うふうにして、呉笑星は黒蛇の前に立った。

「それに唐の皇帝は、史朝義の首をもってこの戦の幕を引くと宣言しているでしょう。回紇にとって、この戦が終わるのは不都合。それもあっていったんは首を奪われたの」

「なるほど」

黒蛇は手許にある潰された顔を眺めた。

回紇にとって、唐と燕の戦はうまみがある。ゆえに史朝義の首が届けられては困る。

「でも笑星とおいらで何とか首は取り返した。だけどこんな顔じゃな」

力者が歯ぎしりの音を立てる。

「首ならここにある」

黒蛇は自分の首を平手で叩いた。

「おれは兄者にとって最後まで厄介者だった。黄泉にいる兄者にあわせる顔がない。おれの首を使え」

死など怖くない。兄のいない世に未練などない。早く兄の元へいって詫びたかった。

「それだけは駄目。絶対に認めない」

呉笑星は黒蛇の手から首を取った。頑なに黒蛇を拒否する。

「分からん。お前はおれが憎いだろうに」

その上、史朝義と同じ顔の首が手に入るのは、呉笑星にとってありがたい申し出のはずだ。

憎いからか。

憎いから退けようとするのか。

「なぜ兄者もお前もおれを除（の）け者にする。厄介者だからか。ろくに目も見えぬ役立たずだからか」

記憶の底へ押し込めていた光景が、黒蛇の脳裡をよぎる。

明るい野原で同じ年ごろの子らが角抵に興じている。幼い兄と呉笑星の声が遠くで響いている。

だが黒蛇はそこに近づけない。

抑えきれぬ怒りが胸に湧きおこる。呉笑星に向けて激昂していた。

「兄者は呉笑星を選んだ。おれはひとりだ。ずっとひとりだった。そうやっておれを除け者にする。大願を叶える志があるのだろう。ならば、なぜおれの首を使おうとしない」

当然なのかもしれない。自分は兄にとって禍（わざわい）を呼ぶいまわしい存在なのだから。

女の強い視線が黒蛇に注がれる。

血を吐くような叫びが降りかかった。

「あなたは分かっていない！　いったいだれのために、朝義がこれだけの苦労をして大乱を終わらせようとしたと思っているのよ。あなたのためでしょう」

「おれのため？」

この女はいったい何を言っているのか。大乱の終結と自分がどう結びつくのか、見当もつかない。

呉笑星の右手が黒蛇の襟を摑んだ。

「朝義はね、あなたと表の世界で暮らしたかったの。あなたを父親から取り返して、ともに過ごせる居どころを、楽土を造ろうとしていた。あなたを燕の皇籍にいれる手続きまでしていたのに」

「そんなはずは……」

兄は呉笑星とあらたな家族を作り、弟の存在を厄介に思っていたのではないか。

「あなたと朝義は夜明けの時刻に生まれたのでしょう？　朝義はまだ薄暗いうち、あなたは朝を報せる鶏の声とともに生まれた。朝義が自分で赤の大襦をつけなかったのはね、あなたに着てほしかったからよ。火輪の翼はあなたにこそふさわしい。あなたを燃えるような赤で彩って、自分は青の大襦で隣に立ってみたいって」

兄が好んでつけた青い大襦が、黒蛇の眼裏であざやかに閃く。

「史朝鳥(ちょうちょう)」

呉笑星がはっきりと告げた言葉に、黒蛇は息が止まりそうになる。瞼が裏返るかと思うほど目を見開いていた。

呉笑星はそんな黒蛇におだやかな眼差しを向ける。

「それがあなたの名なのでしょう？　あなたは史朝義ではない。朝を告げる鳥、史朝鳥よ。あなたは朝義の代わりではないのだから、自分の人生を生きなくちゃ」

「なぜその名を知っている」

「朝義は、なにかにつけて朝鳥、朝鳥と口にしていた。朝鳥の声に誓いを立てたり、洛陽の戦でも朝鳥の力を借りようと言ったり。朝義にとって、朝鳥が特別だったからでしょう」

幼いころに鶏の庭に閉じ込められたのは、朝鳥という名ゆえだ。だからこの名が嫌いだった。いつも薄汚いごみ溜めのそばで横たわっていたから、父母からも黒蛇と呼ばれるようになった。

「そうだ。史朝義が双子の弟、おれのほんとうの名は史朝鳥という」

朝の光が射して、湯煙を照らす赤い光が増していた。

なぜか身体に痒みは生じなかった。

「あなたは生きるの。顔が潰れていたって、皇帝の首には違いないもの。わたしがなんとかするから。朝義が大乱を終わらせる。その世であなたは生きるの」

福が赤々と照る湯煙に顔を向け、言い放った。

「笑星の腹には傷痕がある。周りに痣がある傷痕だ。なぜだか分かるか」

痣の残る刺し傷。それは兄にしか繰り出せない剣だ。

「望賢宮でお前は笑星を殺そうとした。陛下は頭に血がのぼってお前を仕留めようとした。そのときに笑星がお前を庇った傷だ」

「まさか……」

史朝鳥は呉笑星の腕を摑んだ。

裂けた衣服から、あちこち肌が覗いている。

古傷がいくつもあったが、史朝鳥の目は脇腹の大きな傷痕に釘付けになった。確かに、周りが痣になっている。

「分からん。なぜ呉笑星がおれを庇う？　理由がない」

「あなたは朝義の弟だから。家族だもの」

福が頭を掻き、苛立ったふうに息を吐いた。

「がきの頃、笑星はあんたの分の飴を届けてた。あの頃から笑星はあんたを仲間外れにしてなかったんだろ」

兄が分けてくれた飴だ。乳白色の酥の味を今でも覚えている。

呉笑星が思い出したように懐を探った。

「あの飴まだ少し残っているの。朝義ったら、黄泉へ旅発つ前に食べさせてあげたかったのに、勝手に自害するんだもの。事前に言ってほしかったわ」

愚痴をこぼし、茫然としている史朝鳥の口へ、呉笑星は二個、三個と飴のかけらをねじ込んだ。

脳に甘やかな痺れが走る。

懐かしいような、浮き立つような感覚が、史朝鳥の皮膚の下にひたひたと沁みわたっていく。

「笑星、来たぞ」

福と呉笑星は街道のほうを見やり、顔を見合わせた。

甘い感覚に身をゆだねながら、史朝鳥は頭で一団の総数を数えていた。騎馬が三十に歩兵が五十ほど。動きが鈍いのは文官が含まれているからだろう。

呉笑星が「さあ、行きなさい」と史朝鳥を促すのと、史朝鳥が呉笑星の背から青の大襦を奪うのが同時だった。

「なにをする気？」

森に流れる白霧が、朝光をはらんでやけに明るい。

史朝鳥は青の大襦をおのれの背に羽織った。

「燕の皇帝の首を渡さねば、唐は大軍をもって河北の地を焼くだろう。なのに史朝義の顔はこのざまだ。唐の皇帝がこれを燕の皇帝の首だと認めるわけがない」

呉笑星は顔を横に振って腕にすがってくる。

「おかしなことを考えてはだめ」

「史朝義の首があれば、この戦は終わる」

女は史朝鳥の腕を摑む手に力を込めた。だがもう遅い。

下馬する複数の音が、史朝鳥の耳元まで伝わってきた。

近づいてくる兵馬の気配に、呉笑星も気づいたらしい。手を振って、史朝鳥を背後へ追いやろうとする。

「早く行って。わたしと福でごまかすから」

その足元がふらついている。本調子ではないくせに、まだ史朝鳥を逃がそうとしている。

茂みを分け入る物音が近づいている。史朝鳥は背に流した長髪を左肩で結わえた。

濃い霧の中から李懐仙と唐の使者たちが姿を現した。

「陛下、観念なさいませ」

この声には覚えがある。生前の父の元をよく訪ねていた武将李懐仙だ。兄の腹心でもあったこの将ならば、首を確実に長安まで届けられるだろう。

史朝鳥は耳と鼻と身体のすべての感覚を駆使して、相手の数や位置を探る。

李懐仙とその麾下の将。文官らしき者たちは唐の使者だろう。彼らを守るように護衛の兵が取り囲んでいる。

対するこちらは呉笑星、福、それから史朝鳥の三人のみ。

呉笑星が声をあげて取りなした。

「李将軍、この人は違うのです。朝義に似ているけど別の人なのです」

史朝鳥はひとつ咳払いをした。

「笑星、いいんだ」

兄の口調をまねて語りかける。

ぎょっとしたふうに呉笑星が振りかえった。

とたんに愉快な気分になる。生まれて初めて心が躍った。

まるで睦まじい夫婦のように女のそばへ寄り添い、ぼそりと耳に囁いた。

「見くびるなよ。おれはお前よりも長く兄者と生きてきた」

呉笑星が目を白黒させている。

史朝鳥は周囲の者たちに向けて、声を張り上げた。

「案ずるな。朕の首は差しだそう。だが仮にも天子ぞ。賊の手に汚されたくはない」

兄と同じ声、同じ仕草――。

だれよりも兄を想ってきた自分だからできる。

問題は呉笑星だ。この女が従わぬと厄介だ。だがひとりでも兄を演じ切って見せる。

だれのためでもない。おのれの意志で燕国最後の皇帝になりきる。

これまで、だれかに必要とされたいと思っていた。兄に選ばれ、お前の居どころはここだと言ってもらいたかった。

だが自分の居どころは探さずともあった。自分の足で、一歩踏み出すだけでよかった。

すると女の手が、史朝鳥の肩にすがった。まるで妻が夫にするように、鼻先がつきそうなほど間近で史朝鳥を見つめている。

その目が問うている。

いいのかと。あなたを巻き込んでいいのかと。

史朝鳥も目で答える。

いいに決まっている。首級がなければ、これまでの兄の労苦が無に帰してしまう。死は怖くない。すでに唐の使者の前で顔をさらした。双子であることは知られていない以上、別人だという筋は通らない。

「笑星、私はこの大乱を終わらせたいんだ。分かってくれるね」

口にしたとたん、湯煙を染める赤色が増した気がした。

史朝鳥が対峙しているのは、単なる国の勝敗ではない。

約七年にわたる大乱。英雄たちが知略を巡らし、皇族や文武官どもの思惑が錯綜したこの怪物のごとき大乱を終わらせる。

兄が立ち向かおうとした壁が自分の前に立ちはだかる。兄の志を継ぐ。それは自分にしかできない。

兄が妻にするように、史朝鳥は呉笑星に微笑み返す。憎くて仕方のなかった女をいつくしむ。それくらいの振りは完璧にやってのける。

すると女の左目だけがすうっと細くなった。

腹をくくった顔に、史朝鳥は背がぞくりとした。不退転の覚悟が史朝鳥の胸にまで伝わってくる。

そうだ、やってやろうではないか。この手で忌まわしい大乱を終わらせる。

呉笑星は、史朝烏の胸に頭を預ける。李懐仙や唐の使者に向けて説いた。

「今、夫と最後のときを過ごしていたのです。安心なさい。わたしたちは逃げません」

呉笑星が頭を起こし、涙を流して史朝烏を見つめる。こんな目で兄を見ていたのかとふしぎな心地がした。女の腰に手を回すと、呉笑星は史朝烏の首元に顔をうずめた。最後の抱擁を交わす。だれも動こうとはしなかった。

「福、笑星を頼んだよ」

力者の男に、呉笑星を託す。なごりを惜しむ切々とした女の眼差し。福によって、呉笑星は李懐仙のもとへ引き渡された。

史朝烏は口を引き結び、一度目を閉じる。ゆっくりと見開いた。

「李懐仙ならびに唐の使者たちよ、朕の首をお前たちに託す。妻子についても任せてよいな」

李懐仙の低い声が返ってきた。

「むろん」

呉笑星が朝義、朝義と嗚咽を漏らす。男たちが呉笑星を取り押さえた。

史朝烏はその場に座し、佩いていた刀を地に置いた。

辺りが光で満ちていた。赤くそまった霧や湯煙が火焔のように史朝烏を照らしている。

明るい日の下を駆ける子どもたちの姿が、史朝烏の眼前に広がった。

先を行く兄の小さな背が見える。幼い自分も思いきり駆けていた。隣には、赤い大襦を着けた少女が走っている。

史朝烏は少女に向けて「任せた」と叫ぶ。少女が強くうなずき返す。

光のなかにいても苦しくない。ずっと入りたかった温かい場所にいる。もうひとりではない。

この戦を終わらせるための首級を――。

史朝鳥はためらわず刀を首元に当てた。身体が熱い。赤い炎の中で、おのれが生まれ変わるかのようだった。

言祝ぐかのごとく、朝を告げる鶏の声が聴こえている。

夜が明けたのだ。

終　章

李懐仙は、燕の第四代皇帝史朝義の首級を長安へ運んだ。

ところが唐の第八代皇帝代宗（だいそう）は、おのれで求めておきながら、首を持参した李懐仙と会おうとしなかった。

代宗は李懐仙を嫌っていた。一度は史思明とともに唐に帰順し、先代皇帝の粛宗から李姓を賜っておきながら結局燕に寝返った李懐仙を延々とそしり、難癖をつけたのである。

代宗の側にも事情があった。

唐は長安、洛陽の二都を奪回し、表面上は大乱の前の秩序を取り戻したかのように見えた。

だがその実、朝廷内では代宗擁立に暗躍した宦官が権を持ち、その政争のさなかで代宗は心の支えとしていた弟を喪った。周囲に対する不信と、思うように政（まつりごと）を運べぬ苛立ちで、代宗には暴虐なふるまいが目立つようになっていた。

代宗が首を受け取らねば、捕らえられた燕の残党の助命の交渉も進まない。

その代宗の内廷（後宮）で、ある催しが行われた。

長安近郊から集められた力自慢の力者たちが、技を競って天子の目を楽しませる武道会である。

ところが御前試合が始まるなり、力者らは一様にひざまずいた。

ひとりの女が代宗の前に控えていた。

「朱鳥王とな」

その名は代宗も耳にしたことがある。各地で人気を博した力者の名で、安史（あんし）の大乱の前に死んだとも、朱鳥王を名乗る力者が複数いるともいわれている。実存の人物なのかも不明だった。

朱鳥王を名のったのは女だった。ほかの力者らが従っている様子から、偽りではないらしい。

女は妊婦らしく腹がふっくらとしている。大柄な女の背後に、さらに一組の男女が控えていた。

「陛下、李懐仙にございます」

抜け抜けと現れた姿に、代宗は嫌悪を覚えた。

もうひとりの小柄な女にも見覚えがあったが、だれなのかが思い出せない。

なぜこの三人がそろっておのれの前に現れたのか。不可解に思っていると朱鳥王が声を高らかに告げた。

「わたしは史朝義の妻にございます」

朱鳥王は茶色の瞳をした若い力者から箱を受けとり、代宗のほうへ掲げた。

「これが夫の首。お確かめください」

燕から投降した将兵たちにその首を検めさせると、まちがいなく史朝義の首だという。

――これはどういうことか。

今度は、小柄な女が代宗に迫る。

「これが燕の皇帝の首であるということはお認めくださいますね。わたくしも陛下の妹として、また燕朝の太皇太后として、燕朝の者たちの助命を嘆願いたします」

「妹――」

ようやく相手がだれなのか気づく。

顔つきが大人びてすぐには分からなかったが、安家に嫁いだ妹の永義郡主である。

あの娘は安禄山の長男の安慶宗（けいそう）の妻となり、父子軍挙兵の際に首を落とされていたはずだ。それが燕の太皇太后とはどういうことか。燕朝に残ったまま、皇后の座に収まったということなのだろうか。謎に満ちていて、なにから問えばよいのか分からない。

賊の建てた燕という国でいったい何が起こっていたのか。考えを巡らせていると、五つほどの女児が代宗の顔を見つめていた。

首の収まった箱を持ち、代宗の前に捧げる。

——この首を受け取れ。

怒濤のごとく老若男女の声が押しよせ、代宗の身体を通りぬけていく。

身体がしぜんと女児の前にひざまずき、腕が伸びた。首の収まった箱を受け取ったとたん、目が覚めたような心地がした。

ずしりとした重みが全身にのしかかる。これはこの大乱で亡くなった者の命の重みだ。玉座にいる者はこれを負わねばならない。

「なにをすべきなのかを思い出した」

——まずはこの者らから、燕のこれまでの話を聞かねばならぬ。

だが代宗がわれに返ったときには、朱鳥王らの姿はすでになかった。

代宗は燕の皇帝の首を腕に抱き、しばし茫然とした。

史書には、回紇が捕らえた史朝義軍の将兵の妻子約四百八十人を、代宗が丁重に扱った旨が記されている。長安の役所に命じて仏寺へ住まわせ、充分な食糧を与えた。家族があればそこへ帰ることを許し、家族がいない者には便宜を図って本人の行きたいところへ住まわせたという。

これをもって、七年余にわたる安史の乱は幕を閉じた。

主要参考文献

『新唐書』欧陽修、宋祁撰（一九九七年、中華書局）
『舊唐書』劉昫等撰（一九九七年、中華書局）
『資治通鑑』司馬光／田中謙二編訳（二〇一九年、ちくま学芸文庫）
『訳注　続中国歴代刑法志（補）』内田智雄編（二〇〇五年、創文社）
『騎馬民族史2　正史北狄伝』佐口透・山田信夫・護雅夫訳注（一九七二年、平凡社）
『楊貴妃　大唐帝国の栄華と暗転』村山吉廣（一九九七年、中公新書）
『安禄山と楊貴妃　安史の乱始末記』藤善眞澄（一九八四年、清水新書）
『安禄山　皇帝の座をうかがった男』藤善眞澄（二〇〇〇年、中公文庫）
『中国武術史―先史時代から十九世紀中期まで―』林伯原（二〇一五年、技藝社）
『増訂　中国武術史大観』笠尾恭二（二〇一九年、国書刊行会）
『歴史群像グラフィック戦史シリーズ　戦略戦術兵器事典7【中国中世・近代編】』（一九九九年、学習研究社）
『中国の神獣・悪鬼たち　山海経の世界（増補改訂版）』伊藤清司（二〇一三年、東方選書）

また、小早川真彦氏には気象についてご教示いただきました。

千葉ともこ（ちば・ともこ）

一九七九年、茨城県生まれ。
筑波大学日本語・日本文化学類卒業。
二〇二〇年、『震雷の人』で第27回松本清張賞を受賞しデビュー。
二〇二二年、『戴天』で第11回日本歴史時代作家協会賞新人賞を受賞。

火輪（かりん）の翼（つばさ）

二〇二四年三月十日　第一刷発行

著　者　千葉（ちば）ともこ
発行者　花田朋子
発行所　株式会社　文藝春秋
〒一〇二—八〇〇八
東京都千代田区紀尾井町三—二三
電話　〇三—三二六五—一二一一
印刷所　大日本印刷
製本所　大日本印刷
組　版　萩原印刷

ISBN978-4-16-391814-3